ZNIEWOLONY

12 Years a Slave

Solomon Northup

Zniewolony

12 Years a Slave

Tłumaczyła
Martyna Plisenko

Tłumaczenie na podstawie:
Twelve Years a Slave by Solomon Northup
Nowy Jork: Miller, Orton & Mulligan 1885

Redakcja
Karolina Borowiec

Korekta
Joanna Pawłowska

Projekt typograficzny i łamanie
Mateusz Czekała

Projekt okładki
Mikołaj Piotrowicz

Wydanie I

ISBN: 978-83-7674-039-3

Wydawnictwo Replika
ul. Wierzbowa 8, 62-070 Zakrzewo
tel./faks 061 868 25 37
replika@replika.eu
www.replika.eu

Dla Harriet Beecher Stowe,
której imię na całym świecie
kojarzone jest z wielką reformą.

Opowieść tę szczególnie dedykuję innej:
Chacie Wuja Toma

Such dupes are men to custom, and so prone
To reverence what is ancient, and can plead
A course of long observance for its use,
That even servitude, the worst of ills,
Because delivered down from sire to son,
Is kept and guarded as a sacred thing.
But is it fit or can it bear the shock
Of rational discussion, that a man
Compounded and made up, like other men,
Of elements tumultuous, in whom lust
And folly in as ample measure meet,
As in the bosom of the slave he rules,
Should be a despot absolute, and boast
Himself the only freeman of his land?

William Cowper, *The Task* (1785), księga V, w. 298.

PRZEDMOWA WYDAWCY DO WYDANIA ANGLOJĘZYCZNEGO

Gdy autor rozpoczął przygotowania do spisania poniższej historii, nie przypuszczał, że będzie ona tak obszerna. Jednakże rozbudowanie jej do obecnej długości wydawało się konieczne, aby rzetelnie przedstawić wszystkie fakty.

Wiele informacji zawartych na kolejnych stronach potwierdzonych jest przez liczne dowody, inne opierają się całkowicie na wspomnieniach Solomona. Jako że autor ściśle trzyma się prawdy, ci, którzy mieli okazję wyszukiwać jakichkolwiek sprzeczności lub rozbieżności w jego wypowiedziach, są usatysfakcjonowani. Opowiedział on tę historię, nie zmieniając ani jednego szczegółu, a także uważnie przejrzał rękopis, wprowadzając zmiany tam, gdzie pojawiły się choćby najbardziej trywialne niedokładności.

Podczas pobytu w niewoli Solomon miał kilku panów. Traktowanie, jakiego doświadczył w Lasach Sosnowych, dowodzi, iż pośród właścicieli niewolników bywają zarówno ludzie łagodni, jak i okrutnicy. Niektórzy wspominani są z uczuciem wdzięczności, inni z goryczą. Uważa się, że opisane poniżej doświadczenia

Solomona nad Bayou Boeuf ukazują prawdziwy obraz niewolnictwa, z wszystkimi jego jasnymi i ciemnymi stronami, tak jak funkcjonuje ono w tamtych stronach. Jedynym zadaniem wydawcy, wolnego od wyobrażeń i uprzedzeń, było wierne przedstawienie historii życia Solomona Northupa tak, jak ją od niego usłyszał.

Pomimo licznych wad stylu i wypowiedzi, które można tu znaleźć, wydawca zakłada, że mu się to udało.

David Wilson,
Whitehall, N.Y., maj 1853

ROZDZIAŁ I

WPROWADZENIE — PRZODKOWIE — RODZINA NORTHUPÓW — NARODZINY I POCHODZENIE — MINTUS NORTHUP — MAŁŻEŃSTWO Z ANNE HAMPTON — WŁAŚCIWE DECYZJE — CHAMPLAIN CANAL — WYPRAWA TRATWĄ DO KANADY — UPRAWA ROLI — SKRZYPCE — GOTOWANIE — PRZEPROWADZKA DO SARATOGI — PARKER I PERRY — NIEWOLNICY ORAZ NIEWOLNICTWO DZIECI — POCZĄTKI ŻALU

Przyszedłszy na świat jako wolny człowiek i przez przeszło trzydzieści lat ciesząc się błogosławieństwem wolności w wolnym stanie — a u końca tych czasów padłszy ofiarą uprowadzenia i sprzedaży w niewolę, w którym to stanie pozostawałem aż do szczęśliwej chwili wyzwolenia w styczniu 1853 roku, po dwunastu latach — spotkałem się z sugestią, iż opis mego życia i losów obywatele mogą znaleźć interesującym.

Od momentu odzyskania wolności nie omieszkałem zauważyć rosnącego w Stanach Zjednoczonych zainteresowania kwestią niewolnictwa. Fikcyjne dzieła, mające przedstawiać tak jego bardziej przyjazne, jak i zdecydowanie odrażające aspekty, szerzą się w zatrważających ilościach i, jak rozumiem, stworzyły one płaszczyznę do owocnych dyskusji i komentarzy.

Sam mogę wypowiadać się o niewolnictwie tylko na podstawie własnych obserwacji — o tyle, o ile poznałem je i doświadczyłem go osobiście. Moim celem jest uczciwe i prawdziwe przedstawienie faktów: pragnę bez koloryzowania opowiedzieć historię mojego życia, innym pozostawiając ocenę, czy z fikcyjnych stron opowieści wyłania się obraz niewoli zbyt okrutny, zły czy surowy.

Jak udało mi się ustalić, moi przodkowie ze strony ojca byli niewolnikami na Rhode Island. Należeli do rodziny noszącej nazwisko Northup, jednej z tych, które opuściwszy stan Nowy Jork, osiedliły się w Hoosic, w hrabstwie Rensselaer. Ojciec przybył tam wraz z Mintusem Northupem. W chwili śmierci owego dżentelmena, która nastąpić musiała około pięćdziesięciu lat temu, ojciec mój stał się wolnym człowiekiem, co ustanowiono zapisem w testamencie pana Northupa.

Wielmożny pan Henry B. Northup z Sandy Hill, wybitny radca prawny i człowiek, którego roztropności zawdzięczam swoją obecną wolność oraz powrót na łono społeczeństwa, do żony i dzieci, jest krewnym rodziny, której służyli moi przodkowie i od której przyjęli nazwisko, które noszę. Być może temu właśnie faktowi zawdzięczam niezmordowane wysiłki, które podejmował w moim imieniu.

Jakiś czas po wyzwoleniu ojciec mój przeniósł się do miasteczka Minerva w hrabstwie Essex, w stanie Nowy Jork, gdzie w lipcu 1808 roku przyszedłem na świat. Nie mam możliwości, by z całą pewnością ustalić, jak długo tam przebywał. Stamtąd przeprowadził się do Granville w hrabstwie Waszyngton, w pobliże miejsca znanego jako Slyborough, gdzie przez kilka lat pracował na farmie Clarka Northupa, również krewnego jego dawnego właściciela. Stamtąd zaś wywędrował na farmę Aldena, obecnie należącą do Russela Pratta, leżącą przy drodze prowadzącej z Fort Edward do Argyle. Przebywał tam do dnia swojej śmierci, co nastąpiło 22 listopada 1829 roku. Zostawił wdowę i dwoje dzieci — mnie i Josepha, mego starszego brata. Ten ostatni mieszka w hrabstwie Oswego, w pobliżu miasta o tej nazwie. Moja matka zmarła w czasie, gdy byłem w niewoli.

Chociaż ojciec mój urodził się jako niewolnik i pracował w haniebnych warunkach, które są przypisane naszej nieszczęsnej rasie, był człowiekiem szanowanym ze względu na swoją pracowitość i uczciwość, o czym wielu z tych żyjących, którzy go pamiętają, chętnie zaświadczy. Całe jego życie minęło na kojącej pracy na roli i nigdy nie rozglądał się za tymi bardziej służebnymi zajęciami, które wydają się szczególnie przypisane dzieciom Afryki. Oprócz zapewnienia nam edukacji, która przekraczała to, czego zwyczajowo uczono dzieci naszego stanu, dzięki swojej pracowitości i oszczędności nabył wystarczająco duży majątek, by zapewnić sobie prawo wyborcze. Zwykł opowiadać nam o swoim życiu. I choć cały czas pielęgnował wielką życzliwość, a nawet sympatię wobec rodziny, w domu której był niewolnikiem, nigdy nie pogodził się z panującym systemem i z żalem rozwodził się nad upadkiem swojej rasy. Starał się nasycić nasze umysły poczuciem moralności oraz nauczyć nas pokładać zaufanie w Tym, który troszczy się tak samo o swoje najskromniejsze, jak i najwspanialsze stworzenia. Ileż to razy od tamtych czasów przypominały mi się jego ojcowskie rady, które dawały mi siłę, gdy leżałem w niewolniczej chacie gdzieś w dalekich i malarycznych regionach Luizjany, cierpiąc palący ból od niezasłużonych ran, które zadał nieludzki pan i wyczekując tylko zlegnięcia w grobie! Miejsce na przykościelnym cmentarzu w Sandy Hill, w którym ojciec mój spoczął po tym, jak godnie wypełnił swoje obowiązki na tej pięknej ziemi, którą przeznaczył mu Bóg, upamiętnia skromny kamień.

Do tego czasu pracowałem na farmie, głównie z moim ojcem. Dany mi czas wolny poświęcałem zasadniczo na książki lub grę na skrzypcach — rozrywkę, która była główną pasją mojej młodości. Było to również źródło pociechy, ponieważ sprawiając przyjemność tym prostym istotom, z którymi połączył mnie los, mogłem na wiele godzin odwrócić swoje myśli od pełnej bólu kontemplacji przeznaczenia.

W dzień Bożego Narodzenia 1829 roku poślubiłem Anne Hampton, kolorową dziewczynę, która mieszkała w pobliżu naszej posiadłości. Ceremonia odbyła się w Fort Edward, a celebrował ją wielmożny Timothy Eddy, sędzia pokoju i prominentny obywatel tego miasta. Anne od dawna zamieszkiwała w Sandy Hill; pracowała z panem Bairdem, właścicielem Tawerny Pod Orłem, oraz w rodzinie wielebnego Aleksandra Proudfita z Salem. Ów dżentelmen przez wiele lat przewodził tamtejszej społeczności prezbiteriańskiej i był powszechnie ceniony za swoją wiedzę i pobożność.

Anne wciąż nosi we wdzięcznej pamięci ogromną życzliwość i światłe przewodnictwo tego dobrego człowieka. Nie jest w stanie określić dokładnie swojego pochodzenia, ale w jej żyłach miesza się krew trzech ras. Trudno powiedzieć, czy przeważa czerwona, biała, czy czarna. Jednakże ich połączenie zaowocowało w jej osobie niezwykłym, lecz ujmującym wyglądem, iście niespotykanym. Nieco przypominała kwatertonów, rasę, do której — o czym zapomniałem wspomnieć — należała moja matka; Anne jednak z pewnością nie można było do niej zaliczyć.

Był lipiec; właśnie skończyłem dwadzieścia jeden lat i osiągnąłem pełnoletność. Pozbawiony rad i wsparcia ze strony ojca, z żoną na utrzymaniu, postanowiłem wieść pracowity żywot. Nie zważając na przeszkody w postaci koloru mojej skóry i świadomości niskiego stanu, pogrążyłem się w czarownych marzeniach o nadchodzących czasach dobrobytu, kiedy to posiadanie jakiegoś skromnego miejsca zamieszkania i kilku akrów dookoła stanie się nagrodą za moje trudy i da mi poczucie szczęścia oraz zadowolenia.

Od chwili ślubu po dziś dzień miłość, jaką darzę moją żonę, jest szczera i niewzruszona; i tylko ci, którzy znają promienną czułość ojca troszczącego się o swoje potomstwo, mogą ocenić moje przywiązanie do ukochanych dzieci, które nam się urodziły. Myślę, że tyle wystarczy tym, którzy czytają te strony, do zrozumienia ogromu cierpień, które przyszło mi znieść.

Zaczęliśmy urządzać nasz dom: stary, żółty budynek stojący na południowych obrzeżach Fort Edward, który został przekształcony w nowoczesną rezydencję, ostatnimi czasy zamieszkiwaną przez kapitana Lathropa. Znany jest pod nazwą Fort House. W budynku tym po zawiązaniu hrabstwa czasem odbywały się posiedzenia sądu. W 1777 roku zajmował go również generał Burgoyne, z racji tego, że leżał w pobliżu starego Fortu, na lewym brzegu rzeki Hudson.

Zimą wraz z innymi pracowałem przy naprawie Champlain Canal, w tej części, nad którą dozór sprawował William Van Nortwick. Ludźmi, w których towarzystwie pracowałem, zarządzał David McEachron. Do czasu wiosennego otwarcia kanału zdołałem odłożyć tyle, by zakupić parę koni i inne niezbędne w biznesie nawigacyjnym rzeczy.

Nająłem kilku sprawnych robotników do pomocy i podpisałem kontrakty na spławianie dużych, zrobionych z belek tratw z jeziora Champlain do Troy. W kilku wyprawach towarzyszyli mi Dyer Beckwith i pan Bartemy z Whitehall. W ciągu sezonu doskonale poznałem sztukę i tajemnice spławiania drewna — była to wiedza, która później pozwoliła mi świadczyć zyskowne usługi bogatemu panu i zaskoczyć prostych drwali na brzegach Bayou Boeuf.

Podczas jednej z moich podróży w dół jeziora Champlain nakłoniono mnie do złożenia wizyty w Kanadzie. Zawitawszy do Montrealu, zwiedziłem katedrę i inne interesujące miejsca tego miasta, następnie zaś wyruszyłem z wycieczką do Kingston i innych miejscowości, zdobywając wiedzę o okolicy; co później również mi się przysłużyło, jak okaże się bliżej końca tej opowieści.

Gdy ku zadowoleniu swemu i mojego pracodawcy zrealizowałem umowy, nie chcąc pozostawać bezczynnym teraz, kiedy możliwość pływania po kanale znów była zawieszona, podpisałem kolejny kontrakt z Medad Gunn — na wycinkę dużej ilości drzew. Tym właśnie zajmowałem się zimą z 1831 na 1832.

Wraz z powrotem wiosny Anne i ja zaczęliśmy rozważać przejęcie pobliskiej farmy. Od wczesnego dzieciństwa byłem zaznajomiony z pracami rolnymi; wiedziałem, że były to zajęcia zgodne z moimi upodobaniami. Przystąpiłem zatem do negocjacji dotyczących części starej farmy Aldena, gdzie dawniej przebywał mój ojciec. Z jedną krową, świnią, parką dobrych wołów, które niedawno kupiłem w Hatford od Lewisa Browna, oraz innymi dobrami osobistymi przenieśliśmy się do naszego nowego domu w Kingsbury. Tamtego roku planowałem obsiać dwadzieścia pięć akrów kukurydzą, a kilka dużych pól owsem, i rozpocząć prace rolnicze na tak dużą skalę, jak tylko pozwalały mi środki. Anne pilnie zajmowała się pracami domowymi, a ja trudziłem się w polu.

Mieszkaliśmy tam aż do 1834 roku. Zimą często zwracano się do mnie z prośbą, bym zagrał na skrzypcach. Gdzie tylko młodzi ludzie zbierali się, żeby potańczyć, niemal nieuchronnie i ja tam byłem. W okolicznych wioskach moje skrzypki rozbrzmiewały bardzo często. Również Anne zasłynęła w czasie swego długiego pobytu w Tawernie pod Orłem — jako kucharka. Podczas tygodni, w których odbywały się posiedzenia sądu i przy okazjach zebrań publicznych, była zatrudniana w kuchni Sherrill's Coffee House, za wysokim wynagrodzeniem.

Z tych naszych popisowych występów zawsze wracaliśmy z pieniędzmi w kieszeniach; i tak, grając na skrzypkach, gotując i uprawiając rolę, wkrótce zaczęliśmy żyć w dostatku, wiodąc szczęśliwe i dobre życie. Cóż, tak byłoby pewnie do dziś, gdybyśmy zostali na farmie w Kingsbury. Stało się jednak inaczej; oto nadszedł czas i postawiliśmy kolejny krok w kierunku czekającego mnie okrutnego przeznaczenia.

W marcu 1834 roku przeprowadziliśmy się do Saratoga Springs. Zamieszkaliśmy w domu należącym do Daniela O'Briena, po północnej stronie ulicy Waszyngtona. W tym czasie na północnych krańcach Broadway Isaac Taylor prowadził duży pensjonat, znany jako Washington Hall. Zatrudnił mnie jako woźnicę; w tym charakterze przepracowałem dla niego dwa lata. Po tym czasie ogólnie bywałem zatrudniany sezonowo, tak samo jak Anne, w United States Hotel i innych hotelach w tym mieście. Zimą polegałem na swoich skrzypcach, choć wiele i ciężko pracowałem także w czasie budowy drogi kolejowej do Saratogi i Troy.

W Saratodze miałem zwyczaj nabywać rzeczy potrzebne mojej rodzinie w sklepach panów Cephasa Parkera oraz Williama Perry'ego, dżentelmenów, którym — przez wzgląd na wiele aktów dobroci — winien jestem wielką wdzięczność. Właśnie z tego powodu dwanaście lat później zwróciłem się do nich listownie; zaś list ów, trafiwszy w ręce pana Northupa, stał się przyczyną mego szczęśliwego uwolnienia.

Bywając w United States Hotel, często stykałem się z niewolnikami, którzy towarzyszyli swoim południowym panom. Zawsze byli dobrze ubrani i dobrze odżywieni. Pozornie wiedli łatwe życie, jednak wiązały się z nim pewne problemy. Wiele razy w rozmowach ze mną poruszali temat niewolnictwa. Niemal wszyscy, jak się zorientowałem, pielęgnowali w sobie tajemne pragnienie wolności. Niektórzy wyrażali niemal żarliwą chęć ucieczki i radzili się mnie odnośnie do najlepszej metody, by marzenia te urzeczywistnić. Jednakże strach przed karą, co do której wiedzieli, że w razie ich ponownego schwytania była nieuchronna, każdorazowo powstrzymywał ich przed tym eksperymentem. Przez całe życie oddychałem wolnym powietrzem Północy i miałem świadomość, że posiadam te same uczucia i chęci, które noszą w sobie biali ludzie; co więcej, miałem też pewność swej inteligencji, co najmniej dorównującej tej ludzi o jaśniejszej skórze. Byłem zbyt wielkim ignorantem — być może byłem też zbyt niezależny — aby wyobrazić sobie, jak ktokolwiek mógłby być zadowolony, znajdując się w podłej kondycji niewolnika. Nie mogłem pojąć zasad tego prawa czy tej religii, które popierały lub godziły się z zasadą niewolnictwa; i nigdy — mówię to z dumą — nie odmówiłem rady nikomu, kto do mnie przyszedł. Namawiałem do czekania na okazję i do walki o wolność.

W Saratodze mieszkałem do wiosny 1841 roku. Czarowne oczekiwania, które siedem lat wcześniej wywabiły nas z cichej farmy na wschodnią stronę Hudson, nie spełniły się. Społeczeństwo i stosunki towarzyskie w tym sławnym kąpielisku nie zostały obliczone z zachowaniem prostych zasad gospodarki i ekonomii, do których byłem przyzwyczajony. Przeciwnie: w to miejsce powstały inne, z tendencją do bezwładności i ekstrawagancji.

Byliśmy wówczas rodzicami trojga dzieci — Elisabeth, Margaret i Alonza. Elizabeth, najstarsza, miała wtedy dziesięć lat; Margaret była dwa lata młodsza, a mały Alonzo właśnie skończył pięć latek. Dzieci napełniały nasz dom radością. Ich młode głosiki były muzyką dla uszu. Wraz z ich matką zbudowaliśmy dla tych niewiniątek wiele zamków na piasku. Gdy nie byłem w pracy, zawsze zabierałem je, przyodziane w najlepsze ubranka, na spacery po ulicach i zagajnikach Saratogi. Ich obecność była moją radością i przygarniałem je do piersi z tak ciepłą i czułą miłością, jakby ich przydymiona skóra była biała jak śnieg.

Jak dotąd w historii mojego życia nie pojawiło się nic niezwykłego — nic poza zwyczajnymi nadziejami i miłościami, i zajęciami przeciętnego, kolorowego człowieka, pracującego, by osiągnąć jakiś skromny postęp.

Teraz jednak dotarłem w swej opowieści do punktu zwrotnego — osiągnąłem próg niewysłowionego zła, żalu i rozpaczy. Oto zbliżałem się do cienia, w nieprzeniknioną ciemność, w której wkrótce miałem zniknąć, odtąd ginąc z oczu moich najdroższych, i na wiele wyczerpujących lat stracić słodką światłość wolności.

◊

ROZDZIAŁ II

DWÓCH OBCYCH — TOWARZYSTWO CYRKOWE — WYJAZD Z SARATOGI — BRZUCHOMÓSTWO I KUGLARSTWO — PODRÓŻ DO NOWEGO JORKU — BROWN I HAMILTON — POŚPIECH, BY DOTRZEĆ DO CYRKU — PRZYJAZD DO WASZYNGTONU — POGRZEB HARRISONA — NAGŁA NIEMOC — TORTURA PRAGNIENIA — ZNIKAJĄCE ŚWIATŁO — OBOJĘTNOŚĆ — ŁAŃCUCHY I CIEMNOŚĆ

Któregoś ranka w drugiej połowie marca 1841 roku, nie mając akurat nic szczególnego do roboty, szedłem przez Saratoga Springs, zastanawiając się, gdzie mógłbym znaleźć zatrudnienie przed pracowitym sezonem. Anne, jak zwykle, pojechała do Sandy Hill, jakieś dwadzieścia mil stąd, by podczas sesji sądu zająć się kuchnią w Sherrill's Coffee House. Elizabeth prawdopodobnie pojechała razem z nią. Margaret i Alonzo byli u swojej ciotki w Saratodze.

Na rogu ulic Congress i Broadway, w pobliżu tawerny prowadzonej wówczas — i, z tego, co wiem, do dziś — przez pana Moona, natknąłem się na dwóch szacownie się prezentujących, nieznanych mi dżentelmenów. Mam wrażenie, iż przedstawił mi ich jakiś mój znajomy, nadmieniając przy tym, że doskonale gram na skrzypcach — ale kto to był? Na próżno staram się sobie przypomnieć.

Tak czy inaczej, mężczyźni ci niezwłocznie wdali się w rozmowę na ten temat, zadając liczne pytania badające moje umiejętności w tym zakresie. Odpowiedzi najwyraźniej były satysfakcjonujące, bowiem zaproponowali mi zatrudnienie na krótki czas, podkreślając, że byłem dokładnie takim człowiekiem, jakiego trzeba w ich biznesie. Nazwiska, które podali mi poniewczasie, brzmiały: Merrill Brown i Abram Hamilton, choć mocno powątpiewam, czy były one prawdziwe. Pierwszy z nich miał czterdzieści lat, był dość niski i mocno zbudowany, z obliczem wykazującym przenikliwość i inteligencję. Miał na sobie rozłożysty, czarny płaszcz i czarny kapelusz, i powiedział, że zwykle przebywa w Rochester bądź w Syracuse. Drugi był młodym człowiekiem o jasnej skórze oraz oczach i, o ile mogłem to ocenić, nie przekroczył dwudziestu pięciu lat. Był wysoki i szczupły. Miał na sobie tabaczkowy płaszcz i kapelusz z połyskiem oraz kamizelkę z eleganckim wzorem. Cała jego odzież była niezwykle modna, wygląd nieco zniewieściały, ale przyjemny. Otaczała go też pewna szczególna aura, która pozwalała się domyślać, że to człowiek bywały w świecie. Związani byli, jak mnie poinformowali, z pewnym cyrkiem, przebywającym wówczas w mieście Waszyngton. Udawali się we wspomniane miejsce, by do niego dołączyć, opuściwszy go na krótko, by zobaczyć Północ. Swoje wydatki pokrywali zarobkami z okazjonalnych pokazów. Wspomnieli również, że mieli spore trudności z muzyką podczas występów i że gdybym pojechał z nimi aż do Nowego Jorku, dadzą mi dolara za każdy dzień pracy i dodatkowe trzy za każdy wieczór, podczas którego będę grał w czasie przedstawienia, a oprócz tego pokryją koszty mojego powrotu z Nowego Jorku do Saratogi.

Natychmiast przyjąłem tę kuszącą ofertę, zarówno ze względu na obiecane wynagrodzenie, jak i z chęci odwiedzenia wielkich miast. Chcieli wyjechać jak najszybciej. Sądząc, że moja nieobecność będzie krótka, uznałem, że nie ma potrzeby pisać do Anne, dokąd się wybieram; w gruncie rzeczy przypuszczałem, że wrócę w tym samym czasie, co ona. Zabrałem więc zmianę bielizny i skrzypce i byłem gotów do wyjazdu. Przyprowadzono powóz — zadaszony, zaprzężony w parę szlachetnych gniadoszy, co razem tworzyło nader eleganckie wrażenie. Bagaż moich nowych znajomych, składający się z trzech wielkich kufrów, został zamocowany na półce i spiętrzony za ławką woźnicy, oni sami zaś zajęli miejsca z tyłu. Wyjechałem z Saratogi na drogę do Albany, podniecony moim nowym zajęciem i szczęśliwy jak każdego dnia mojego życia.

Przejechaliśmy przez Ballston i znaleźliśmy się na drodze prowadzącej prosto do Albany. Przed zmrokiem dotarliśmy do miasta. Zatrzymaliśmy się w hotelu na południe od Muzeum.

Tej nocy miałem okazję zobaczyć jedno z ich przedstawień — jedyne w całym okresie, jaki z nimi spędziłem. Hamilton stał przy drzwiach, ja stanowiłem orkiestrę, a Brown dostarczał rozrywki. Składało się na nią żonglowanie piłeczkami, taniec na linie, smażenie naleśników w kapeluszu, sprawianie, by kwiczały niewidzialne świnie, oraz inne sztuczki kuglarza-brzuchomówcy. Publiczność była bardzo nieliczna i do tego niezbyt wyszukana, a Hamilton o dochodach wyraził się jako o „żebraczej doli".

Następnego ranka podjęliśmy naszą podróż. Rozmowy Hamiltona i Browna dotyczyły teraz konieczności dotarcia do cyrku bez opóźnienia. Spieszyli się, nie robiąc już przystanków na przedstawienia. W oznaczonym czasie dotarliśmy do Nowego Jorku. Wynajęliśmy mieszkanie w zachodniej części miasta, przy ulicy prowadzącej od Broadway do rzeki. Sądziłem, że moja podróż ma się ku końcowi, i spodziewałem się, że za dzień lub dwa wrócę do moich przyjaciół oraz rodziny w Saratodze. Jednakże Brown i Hamilton zaczęli nalegać, bym pojechał z nimi do Waszyngtonu. Twierdzili, że natychmiast po ich przyjeździe, teraz, gdy zbliżał się sezon letni, cyrk wyruszy na północ. Obiecali wysoki zarobek, jeślibym im towarzyszył. Szeroko rozwodzili się nad korzyściami, które odniosę, i wypowiadali się o mnie tak pochlebnie, że ostatecznie przystałem na ich propozycję.

Następnego ranka zasugerowali — jako że mieliśmy wjechać do stanu, gdzie niewolnictwo było powszechne — by załatwić dokumenty poświadczające, że jestem wolnym człowiekiem. Pomysł ten uznałem za roztropny, choć sądzę, że nie przyszedłby mi on do głowy, gdyby nie oni. Od razu udaliśmy się do miejsca, które — jak rozumiałem — było Urzędem Celnym. Poświadczono pewne fakty dowodzące, że jestem wolnym człowiekiem, dokumenty zostały wypisane i przekazane nam wraz z poleceniem udania się z nimi do biura kancelisty. Tak zrobiliśmy. Urzędnik dodał do nich coś, za co zapłaciliśmy sześć szylingów, po czym wróciliśmy do Urzędu Celnego. Pewne dalsze formalności udało się przyspieszyć, płacąc urzędnikowi dwa dolary. Wreszcie schowałem dokumenty do kieszeni i wraz z moimi nowymi przyjaciółmi udałem się do hotelu. Muszę wyznać, że sądziłem wówczas, że te dokumenty nie są warte kosztów poniesionych, by je uzyskać — nigdy nawet nie przyszło mi do głowy, że mógłbym się obawiać o własne bezpieczeństwo. Pamiętam, że urzędnik, do którego nas skierowano, poczynił zapis w wielkiej księdze, która — jak mniemam — nadal znajduje się w tamtym biurze.

Jestem pewny, że taki opis wydarzeń zaszłych pod koniec marca czy pierwszego kwietnia 1841 roku zadowoli niedowierzających, przynajmniej w kwestii tej konkretnej transakcji.

Zaopatrzywszy się w dowód mojej wolności, następnego dnia po przybyciu do Nowego Jorku przeprawiliśmy się promem do Jersey, a potem ruszyliśmy do Filadelfii. Tu zatrzymaliśmy się na noc. Od następnego poranka kontynuowaliśmy naszą podróż w stronę Baltimore. W stosownym czasie dotarliśmy i do tego miasta; zatrzymaliśmy się w hotelu w pobliżu stacji kolejowej. Jedno i drugie było własnością pana Rathbone'a, znaną jako Rathbone House. Od chwili wyjazdu z Nowego Jorku moi przyjaciele wydawali się coraz bardziej niecierpliwić.

Powóz zostawiliśmy w Baltimore i do Waszyngtonu ruszyliśmy pociągiem; na miejsce dotarliśmy o zmierzchu. Był to wieczór poprzedzający pogrzeb generała Harrisona. Zatrzymaliśmy się w Gadsby's Hotel na Pennsylvania Avenue.

Po kolacji przyjaciele zawołali mnie do swoich apartamentów i wypłacili czterdzieści trzy dolary, sumę znacznie przekraczającą mój zarobek, który to akt hojności, jak powiedzieli, był konsekwencją tego, że podczas naszej podróży z Saratogi nie występowali tak często, jak kazali mi się spodziewać. Ponadto poinformowali mnie, że cyrk zamierzał wyjechać z Waszyngtonu następnego ranka, ale ze względu na uroczystości pogrzebowe postanowili przełożyć to na kolejny dzień. Byli przy tym, jak przez cały czas od naszego pierwszego spotkania, niezwykle grzeczni. Zawsze zwracali się do mnie uprzejmie; ja zaś z pewnością odczytywałem to na ich korzyść. Obdarzyłem ich swoim całkowitym zaufaniem i łatwo zawierzyłbym im w niemal całej rozciągłości. To, jak ze mną rozmawiali i jak się do mnie odnosili — ich przezorność co do dokumentów poświadczających moją wolność i setki innych drobiazgów, których nie ma potrzeby przywoływać — wszystko to wskazywało, że w istocie byli mi przyjaciółmi, szczerze troszczącymi się o moje dobro. Niczego jednak o nich nie wiedziałem. Sądziłem, że niezdolni są do niegodziwości, o której teraz wiem, że są jej winni. Czy byli dodatkiem do mojego nieszczęścia — subtelne i nieludzkie potwory w ludzkiej skórze, celowo wabiące mnie coraz dalej od domu i rodziny za obietnicę złota? Ci, którzy czytają te stronice, będą mieli takie same kłopoty z określeniem, czy byli niewinni, jak ja. Moje nagłe zniknięcie zaiste mogło być niewytłumaczalne; jednak nie potrafię pozbyć się myśli, że byli w to wszystko zamieszani.

Po tym, jak dostałem od nich pieniądze, których mieli — zdaje się — pod dostatkiem, poradzili mi, abym nie wychodził nocą na ulice, jako że nie byłem obznajomiony z obyczajami tego miasta. Obiecawszy, że zachowam ich radę w pamięci, zostawiłem ich, a wkrótce potem kolorowy służący wskazał mi moją sypialnię, która mieściła się na tyłach hotelu, na parterze. Położyłem się, aby wypocząć, myśląc o żonie i dzieciach, i wielkiej odległości, która nas dzieliła, aż zapadłem w sen. Jednak u mojego łoża nie stanął żaden anioł miłosierdzia, każąc mi uciekać; w moich snach nie rozległ się żaden litościwy głos, ostrzegający mnie przed zbliżającymi się próbami.

Następnego dnia w Waszyngtonie panowało wielkie poruszenie. Powietrze wypełniały ryk dział i dźwięk dzwonów, wiele domów było przybranych krepą, a na ulicach było czarno od ludzi. W miarę upływu dnia pojawiła się procesja przesuwająca się powoli wzdłuż Avenue, powóz za powozem, w długim sznurze, podczas gdy tysiące ludzi podążały za nią na piechotę — wszystko to poruszało się do dźwięku melancholijnej muzyki. Niesiono martwe ciało Harrisona do grobu.

Od wczesnego rana wciąż przebywałem w towarzystwie Hamiltona i Browna. Tylko ich znałem w Waszyngtonie. Staliśmy razem, gdy przechodził kondukt pogrzebowy. Pamiętam wyraźnie, jak po każdym wystrzale baterii armat na cmentarzu pękało i sypało się na ziemię szkło z okien. Poszliśmy na Kapitol i przez długi czas szliśmy wzdłuż placu. Po południu moi przyjaciele ruszyli niespiesznie w stronę Domu Prezydenckiego, cały czas trzymając mnie przy sobie i pokazując różne interesujące miejsca. Jak dotąd nie widziałem żadnego cyrku. Prawdę mówiąc, w obliczu tak ekscytującego dnia niezbyt — jeśli w ogóle — się nad tym zastanawiałem.

Podczas tego popołudnia moi przyjaciele kilkakrotnie zachodzili do barów i zamawiali alkohol. Jednakże — o ile mi wiadomo — nie mieli w zwyczaju przesadzać. Przy tych okazjach, po tym, gdy sami się obsłużyli, nalewali szklaneczkę i podawali ją mnie. Tego dnia nie byłem jednak pod wpływem alkoholu, jak można by wnioskować z wydarzeń, które nastąpiły później. Bliżej wieczoru i niedługo po następnej kolejce zacząłem odczuwać wybitnie nieprzyjemne sensacje. Poczułem się bardzo chory. Zaczęła mnie boleć głowa — tępym, ciężkim bólem, nieopisanie nieznośnym. Przy kolacji nie miałem apetytu; widok i smak jedzenia wywoływały mdłości. O zmroku ten sam, znany mi już służący odprowadził mnie do pokoju, w którym spałem poprzednio. Brown i Hamilton poradzili, bym odpoczął, grzecznie wyrażając współczucie i nadzieję, że rano będę się czuł lepiej. Ledwie zdołałem zdjąć płaszcz oraz buty, rzuciłem się na łóżko. Nie mogłem zasnąć. Ból głowy narastał, aż stał się niemal nie do wytrzymania. Wkrótce poczułem pragnienie. Spierzchły mi usta. Nie mogłem myśleć o niczym poza wodą — dumałem więc o jeziorach i płynących rzekach, o strumieniach, przy których stawałem, by się napić, o ociekającym wiadrze, unoszącym się z dna studni wraz z chłodnym, przelewającym się nektarem...

Koło północy, o ile mogłem to ocenić, podniosłem się, nie mogąc dłużej znieść tak potężnego pragnienia. W tym domu byłem obcy; nie znałem jego rozkładu. Z tego, co widziałem, wszyscy spali. Błądząc przypadkowo, wreszcie znalazłem drogę do mieszczącej się w piwnicy kuchni. Kręciło się po niej dwoje czy troje kolorowych służących, z których jeden — kobieta — podała mi dwie szklanki wody. Natychmiast odczułem ulgę, ale zanim zdążyłem wrócić do pokoju, powróciła ta sama, paląca potrzeba napicia się, to samo straszliwe pragnienie. Było nawet gorzej niż wcześniej; ból głowy również stał się jeszcze bardziej dojmujący, o ile było to możliwe. Byłem w prawdziwej rozpaczy — cierpiałem w straszliwej agonii! Wydawało się, że oto znalazłem się na granicy obłędu! Wspomnienie tamtej nocy, wypełnionej potwornym cierpieniem, będzie mnie prześladować aż do śmierci.

Mniej więcej godzinę od mojego powrotu z kuchni uświadomiłem sobie, że ktoś wchodzi do mojego pokoju. Wydawało mi się, że było to kilku ludzi — mieszanina różnych głosów — ale ilu ich było albo kim byli... Nie potrafię powiedzieć. Czy pośród nich byli Brown i Hamilton, pozostaje kwestią domysłów. Pamiętam tylko niejasno, że powiedziano mi, że muszę iść do doktora i zdobyć lekarstwo, a potem nałożyłem buty i, bez płaszcza czy kapelusza, poszedłem za tymi ludźmi długą ścieżką czy alejką na ulicę. Odchodziła od Pennsylvania Avenue. Po drugiej stronie w oknie paliło się światło. Mam wrażenie, że były ze mną trzy osoby, ale jest ono tak niejasne i zamazane, że przypomina wspomnienie bolesnego snu. Marsz w stronę światła, które — jak sobie wyobrażałem — pochodziło z gabinetu doktora i które wydawało się oddalać, gdy się do niego zbliżałem, jest ostatnim wspomnieniem, które teraz jestem w stanie przywołać. Od tego momentu byłem nieprzytomny. Jak długo znajdowałem się w takim stanie — czy była to tylko ta noc, czy wiele dni i nocy — nie wiem. Gdy wróciła mi świadomość, odkryłem, że jestem sam, w głębokich ciemnościach... I w łańcuchach.

Ból w mojej głowie zelżał znacząco, ale byłem bardzo osłabiony. Siedziałem na niskiej ławie, zbitej z nieoheblowanych desek, bez płaszcza ani kapelusza. Miałem skute ręce. Moje kostki również zakute były w ciężkie kajdany. Jeden koniec łańcucha sięgał dużego kółka w podłodze, drugi — moich kostek. Z trudem spróbowałem stanąć na nogi. Obudziwszy się z tak bolesnego transu, potrzebowałem trochę czasu, by zebrać myśli. Gdzie byłem? Co znaczyły te łańcuchy? Gdzie byli Brown i Hamilton? Co uczyniłem, by zasłużyć na uwięzienie w takim lochu? Nie mogłem tego pojąć. Miałem w pamięci dziurę, która obejmowała nieokreślony czas poprzedzający moje ocknięcie się w tym samotnym miejscu i wydarzenia, po których nie został nawet najmniejszy ślad. Uważnie nasłuchiwałem jakiegoś znaku czy dźwięku życia, ale poza szczękiem łańcuchów, rozlegającym się, gdy tylko zdołałem się poruszyć, nic nie mąciło przytłaczającej ciszy. Odezwałem się głośno, ale dźwięk mojego głosu mnie przeraził. Sprawdziłem kieszenie na tyle, na ile pozwalały mi kajdany — wystarczająco, by się zorientować, że obrabowano mnie nie tylko z wolności, ale także z dokumentów o niej świadczących i pieniędzy! Wówczas do mojego umysłu zaczęła się przebijać myśl, początkowo mętna, że zostałem porwany. Uznałem to jednak za niewiarygodne. Musiało zajść jakieś nieporozumienie, jakaś nieszczęśliwa pomyłka. Nie mogło być tak, że wolny obywatel Nowego Jorku, który nikomu się nie naraził, który nie pogwałcił żadnego prawa, został potraktowany w tak nieludzki sposób! Jednakże im dłużej zastanawiałem się nad swoją sytuacją, tym bardziej utwierdzałem się w żywionych podejrzeniach. To była jednak okropna myśl! Poczułem, że nie można mieć zaufania ani oczekiwać litości od bezdusznego człowieka. Polecając się Bogu uciśnionych, złożyłem głowę na zakutych dłoniach i gorzko zapłakałem.

◊

ROZDZIAŁ III

BOLESNE PRZEMYŚLENIA – JAMES H. BURCH – NIEWOLNICZA ZAGRODA WILLIAMSA W WASZYNGTONIE – SŁUGUS RADBURN – DOMAGAM SIĘ WOLNOŚCI – GNIEW HANDLARZA – WIOSŁO I KOT O DZIEWIĘCIU OGONACH – CHŁOSTA – NOWI ZNAJOMI – RAY, WILLIAMS I RANDALL – PRZYBYCIE DO ZAGRODY MAŁEJ EMILY I JEJ MATKI – MATCZYNA ROZPACZ – HISTORIA ELIZY

Minęły jakieś trzy godziny; spędziłem je, siedząc na niskiej ławie, pogrążony w rozpaczliwych rozmyślaniach. Wreszcie usłyszałem pianie koguta, a niedługo potem do moich uszu dobiegł odległy, turkoczący dźwięk, jakby powozów jadących po ulicach — i wiedziałem, że nastał dzień. Jednakże do mojego więzienia nie dotarł najmniejszy promień światła. W końcu tuż nad swoją głową usłyszałem kroki, jakby ktoś chodził w tę i z powrotem. Przyszło mi na myśl, że muszę się znajdować w jakimś pomieszczeniu pod ziemią, a wilgotny zapach pleśni potwierdził to przypuszczenie. Odgłosy nad głową rozbrzmiewały przynajmniej przez godzinę, aż wreszcie usłyszałem zbliżające się z zewnątrz kroki. W zamku zachrobotał klucz — mocne drzwi odchyliły się na zawiasach, wpuszczając powódź światła, a do środka weszło dwóch mężczyzn. Jeden z nich był wielkim, potężnym człowiekiem, w wieku może czterdziestu lat, z ciemnymi włosami w odcieniu kasztana, nieco przyprószonymi siwizną. Twarz miał pełną, cerę rumianą, rysy rażąco prostackie, wyrażające wyłącznie okrucieństwo i chytrość. Miał jakieś pięć stóp i dziesięć cali wzrostu i, proszę o wybaczenie, ale niech mi będzie wolno powiedzieć, że był człowiekiem, którego cały wygląd był groźny i odstręczający. Jak się później dowiedziałem, nazywał się James H. Burch. Był znanym w Waszyngtonie handlarzem niewolników; a także partnerem w interesach Theophilusa Freemana z Nowego Orleanu. Człowiek, który mu towarzyszył, był zwykłym sługusem. Nazywał się Ebenezer Radburn i pracował tam jedynie w charakterze dozorcy. Obaj nadal mieszkają w Waszyngtonie bądź też mieszkali tam w styczniu, gdy po swoim uwolnieniu wracałem przez to miasto.

Światło wpadające przez otwarte drzwi pozwoliło mi rozejrzeć się po pomieszczeniu, w którym mnie przetrzymywano. Miało około dwudziestu stóp kwadratowych i solidne, kamienne ściany. Podłoga była pokryta mocnymi deskami. Było tam jedno małe okno, zakratowane żelaznymi sztabami, ze starannie zamkniętymi od zewnątrz okiennicami.

Okute żelazem drzwi prowadziły do sąsiedniej celi lub piwnicy, pozbawionej okien lub choćby dostępu światła. Umeblowanie pomieszczenia, w którym się znajdowałem, obejmowało drewnianą ławę, na której siedziałem, i staroświecki, brudny piecyk. Poza tym w żadnej celi nie było ani łóżka, ani koca, ani niczego innego. Drzwi, przez które weszli Burch i Radburn, prowadziły do małego korytarzyka oraz ciągu schodów wychodzących na podwórze, otoczone wysokim na dziesięć lub dwanaście stóp ceglanym murem, znajdującym się bezpośrednio na tyłach budynku o tej samej szerokości. Podwórze było długie na jakieś trzydzieści jardów. W mur wbudowane były okute żelazem wrota, otwierające się na wąskie, zadaszone przejście, wiodące wzdłuż boku domostwa na ulicę. Los kolorowego człowieka, za którym zamknęły się drzwi prowadzące do tego wąskiego przejścia, był przypieczętowany. Szczyt muru podtrzymywał jeden koniec dachu, który cofnięty był do wewnątrz, tworząc rodzaj otwartej zagrody. Pod dachem znajdowała się jakby galeryjka, gdzie niewolnicy mogli spać lub szukać schronienia przed niepogodą. Najbardziej przypominało to podwórze na farmie, pomijając to, że było zbudowane tak, by świat zewnętrzny nie mógł dojrzeć spędzonego tu w stado ludzkiego bydła.

Budynek, do którego przylegało podwórze, miał dwa piętra i wychodził na jedną z uczęszczanych waszyngtońskich ulic. Z zewnątrz prezentował się jak cicha, prywatna rezydencja. Spoglądający na niego człowiek nigdy by się nie domyślił jego ohydnych zastosowań. Co osobliwe, gdy patrzyło się od strony domu w dół, widać było Kapitol. Głosy reprezentantów narodu grzmiące o wolności i równości — i w tle poszczękiwanie łańcuchów nieszczęsnych niewolników. Niewolnicza zagroda w cieniu Kapitolu!

Taki jest prawdziwy opis niewolniczej zagrody Williamsa w Waszyngtonie, takiej jak wyglądała w 1841 roku, gdy z niewyjaśnionych przyczyn znalazłem się w jednej z piwnic.

— Cóż, mój chłopcze, jak się czujesz? — spytał Burch, wchodząc przez otwarte drzwi.

Odpowiedziałem, że jestem chory, i zapytałem o przyczynę mojego uwięzienia. Odparł, że jestem jego niewolnikiem — że mnie kupił, a teraz zamierzał wysłać do Nowego Orleanu. Zapewniłem, głośno i odważnie, że jestem wolnym człowiekiem, mieszkańcem Saratogi, gdzie mam żonę i dzieci, również wolne, i że nazywam się Northup. Poskarżyłem się gorzko na dziwaczne traktowanie, którego doświadczyłem, i zagroziłem, że po moim uwolnieniu będę żądał zadośćuczynienia za tę pomyłkę. Zaprzeczył, jakobym był wolny, i poprzysiągł, że pochodzę z Georgii. Znów i znów zapewniałem, że nie jestem niczyim niewolnikiem i domagałem się, by natychmiast zdjął mi kajdany. Usiłował mnie uciszyć, jakby się obawiał, że ktoś może usłyszeć mój głos. Nie zamilkłem jednak i potępiłem sprawców mojego uwięzienia, kimkolwiek byli, jako skończonych złoczyńców. Widząc, że mnie nie uciszy, wpadł w pasję, która z każdą chwilą rosła. Przeklinając, nazwał mnie czarnym kłamcą, uciekinierem z Georgii, i użył najróżniejszych bluźnierczych oraz ordynarnych epitetów, jakie mógł stworzyć tyko najbardziej zepsuty umysł.

W tym czasie Radburn stał obok, milcząc. Jego zajęciem było pilnowanie tej ludzkiej czy raczej nieludzkiej stajni, przyjmowanie niewolników, karmienie ich i chłostanie, za wynagrodzeniem w wysokości dwóch szylingów dziennie. Burch odwrócił się do niego i nakazał, by przyniesiono wiosło i kota o dziewięciu ogonach. Sługus zniknął, a za kilka chwil wrócił z tymi narzędziami tortur. Wiosło — jak jest nazywane w żargonie oprawców niewolników — przynajmniej to, z jakim zaznajomiłem się na początku i o którym mówię teraz, było kawałkiem deski z twardego drewna, o długości osiemnastu lub dwudziestu cali, uformowanej w kształt staroświeckiej łopatki do puddingu albo zwykłego wiosła. Spłaszczona część, która miała wielkość mniej więcej dwóch otwartych dłoni, była w wielu miejscach nawiercona. Kot był kawałkiem liny z wielu włókien — pasma były rozdzielone i każde kończyło się węzłem.

Gdy tylko pojawiły się te budzące grozę narzędzia, obaj pochwycili mnie i brutalnie zdarli ze mnie ubranie. Stopy, jak już zostało wspomniane, miałem przykute do podłogi. Radburn rozciągnął mnie na ławie, twarzą w dół, i swoją ciężką stopę umieścił na kajdanach między moimi nadgarstkami, boleśnie przyciskając je do podłogi. Burch zaczął mnie bić wiosłem. Na moje obnażone ciało spadało uderzenie za uderzeniem. Gdy bezlitosne ramię się zmęczyło, mój oprawca przerwał i zapytał, czy nadal utrzymuję, jakobym był wolnym człowiekiem. Upierałem się przy tym, więc ponowił bicie, jeszcze szybciej i z większą energią niż poprzednio. Gdy znów się zmęczył i powtórzył pytanie, i otrzymał tę samą odpowiedź, kontynuował swoje okrutne dzieło. Przez cały czas ten diabeł wcielony wykrzykiwał najstraszliwsze przekleństwa. Wreszcie wiosło się złamało, zostawiając mu w dłoni bezużyteczny uchwyt. Nadal się nie poddałem. Wszystkie te jego brutalne uderzenia nie zdołały zmusić mych warg, by wypowiedziały kłamstwo, że jestem niewolnikiem. Z wściekłością cisnąwszy na ziemię złamane wiosło, Burch sięgnął po linę. To było znacznie bardziej bolesne. Walczyłem ze wszystkich sił, ale na próżno. Modliłem się o zmiłowanie, ale jedyną odpowiedzią na moją modlitwę były przekleństwa i uderzenia. Pomyślałem, że umrę pod ciosami tego przeklętego brutala. Nawet teraz, gdy przypominam sobie tę scenę, ciało odchodzi mi od kości. Byłem cały w ogniu. Moje cierpienie porównać mogę tylko do agonii piekła!

Wreszcie na jego powtarzane pytania odpowiedziałem ciszą. Nie reagowałem. W gruncie rzeczy byłem niemal niezdolny do wydania z siebie głosu. Wciąż bez pośpiechu chłostał moje biedne ciało, choć wydawało się, że każdy cios zdziera mi skórę. Człowiek mający w duszy choć odrobinę litości nawet psa nie oćwiczyłby równie okrutnie. W końcu Radburn powiedział, że nie ma sensu dalej mnie biczować, że jestem dość pobity. Wobec tego Burch zrezygnował i ostrzegawczo potrząsając mi pięścią przed twarzą, syczał przez zaciśnięte zęby, że jeśli znów ośmielę się twierdzić, że jestem wolny, że zostałem porwany czy cokolwiek tego rodzaju, kara, jaka mnie właśnie spotkała, będzie niczym w porównaniu z tą, która nastąpi. Przysiągł, że albo mnie złamie, albo zabije. Przy tych pocieszających słowach zdjęto mi z rąk kajdany, choć stopy wciąż miałem przykute do pierścienia; okiennica w małym, zakratowanym okienku, uprzednio otwarta, znów została zamknięta. Moi oprawcy wyszli, zamykając za sobą na klucz wielkie drzwi. I znów zostałem w ciemnościach.

Po godzinie lub dwóch, gdy w drzwiach ponownie zachrobotał klucz, serce podeszło mi do gardła. Ja, który byłem tak samotny, który tak rozpaczliwie pragnąłem kogoś ujrzeć, nieważne kogo, teraz dygotałem na samą myśl o nadchodzącym człowieku. Ludzka twarz, zwłaszcza biała, była dla mnie źródłem przerażenia. Wszedł Radburn, przynosząc na cynowym talerzu kawałek wyschniętej, smażonej wieprzowiny, kromkę chleba i kubek wody. Zapytał, jak się czuję, i zauważył, że dostałem solidne cięgi. Upomniał, bym nie upierał się przy wolności. W sposób raczej protekcjonalny i poufny dał mi radę, że im mniej będę o tym mówił, tym lepiej dla mnie. Człowiek ten wyraźnie starał się wydać miłym — nie ma potrzeby teraz roztrząsać, czy wzruszył go widok mojego nędznego stanu, czy też był taki ze względu na moje milczenie w kwestii mówienia o moich prawach. Zdjął mi więzy z kostek, otworzył okiennice i wyszedł, ponownie zostawiając mnie samego.

Do tego czasu zrobiłem się sztywny i obolały; ciało miałem pokryte pęcherzami, a każde poruszenie łączyło się z wielkim bólem i trudem. Przez okno widziałem jedynie dach opierający się na przylegającym murze. W nocy ległem na wilgotnej, twardej podłodze, bez poduszki ani żadnego okrycia. Nie miałem apetytu, ale dręczyło mnie ciągłe pragnienie. Rany nie pozwalały mi leżeć w jednej pozycji dłużej niż kilka minut; tak więc siedząc, stojąc bądź chodząc powoli wkoło, trwałem przez kolejne dni i noce. Byłem przybity i pozbawiony odwagi. Bez przerwy myślałem o mojej rodzinie, o żonie oraz dzieciach. Gdy pokonywał mnie sen, śniłem o nich — śniłem, że znowu jestem w Saratodze, że widzę ich twarze i słyszę, jak wzywają mnie ich głosy. Budząc się z tych miłych fantazji sennych w gorzkiej rzeczywistości, która mnie otaczała, mogłem tylko jęczeć i szlochać. Duch mój jednak wciąż nie był złamany. Oddawałem się rojeniom o szybkiej ucieczce. Tłumaczyłem sobie, że to niemożliwe, by ktokolwiek mógł być tak niesprawiedliwy, by przetrzymywać mnie jako niewolnika, znając prawdę o moim przypadku. Burch z pewnością mnie wypuści, sprawdziwszy, że nie byłem uciekinierem z Georgii. Choć wciąż towarzyszyły mi podejrzenia, że Brown i Hamilton przyłożyli rękę do mojego uwięzienia, nie mogłem pogodzić się z tą myślą. Z pewnością będą mnie szukać — wydobędą mnie z niewoli. Niestety! Nie znałem miary podłości człowieka wobec człowieka, ani nieograniczonego zła, którego może się dopuścić z miłości do zysku.

W ciągu kilku kolejnych dni drzwi na zewnątrz stanęły otworem, pozwalając mi wyjść na podwórze. Tam natrafiłem na trzech niewolników — jeden z nich był chłopcem, może dziesięcioletnim, pozostali młodymi mężczyznami w wieku około dwudziestu i dwudziestu pięciu lat. Szybko się z nimi zaznajomiłem, poznałem ich imiona oraz szczegóły ich historii.

Najstarszy był kolorowy nazwiskiem Clemens Ray. Mieszkał w Waszyngtonie; powoził bryczką i przez długi czas pracował w stajni. Był bardzo inteligentny i w pełni pojmował swoją sytuację. Myśl o udaniu się na Południe przejmowała go rozpaczą. Burch kupił go kilka dni temu i umieścił tutaj na jakiś czas, aż będzie gotów wysłać go na rynek w Nowym Orleanie. Od niego właśnie usłyszałem po raz pierwszy, że znajduję się w Zagrodzie Niewolniczej Williamsa, miejscu, o którym nigdy wcześniej nie słyszałem. Opisał mi jej zastosowania. Opowiedziałem mu swoją niewesołą historię, ale mógł mi zaoferować jedynie wyrazy współczucia. Również doradził mi, bym nie wspominał o mojej wolności, gdyż — jak znał charakter Burcha — naraziłbym się tylko na kolejną chłostę. Kolejny według starszeństwa był John Williams. Wychował się w Wirginii, niedaleko Waszyngtonu. Burch zabrał go jako spłatę długu i młodzieniec wciąż hołubił nadzieję, że jego pan go wykupi — która to nadzieja ostatecznie się spełniła. Chłopiec zaś, niezwykle żywe dziecko, nosił imię Randall. Przez większość czasu bawił się na podwórku, ale od czasu do czasu płakał, wzywając matkę, i zastanawiał się, kiedy przyjdzie. Był za młody, by rozumieć, co się stało, a gdy nie myślał o matce, czarował nas uroczymi figlami.

Noce Ray, Williams i chłopiec spędzali pod zadaszeniem, a ja byłem zamykany w celi. Wreszcie dano nam derki, takie jak dla koni — była to jedyna pościel, na jaką mi pozwalano przez następnych dwanaście lat. Ray i Williams zadawali mi dużo pytań o Nowy Jork — jak są tam traktowani kolorowi; czy mogą mieć własne domy i rodziny, czy nikt ich nie nachodzi ani nie prześladuje... Zwłaszcza Ray tęsknił za wolnością. Jednakże takie rozmowy prowadziliśmy poza zasięgiem słuchu Burcha czy nadzorcy Radburna. Takie aspiracje ściągnęłyby na nas baty.

Jest konieczne dla tej opowieści — w celu przedstawienia pełnego i prawdziwego obrazu wszystkich najważniejszych wydarzeń w historii mojego życia i sportretowania instytucji niewolnictwa takiego, jakim ja je postrzegam i znam — by mówić o dobrze znanych miejscach i wielu wciąż żyjących osobach. Jestem i zawsze byłem obcy w Waszyngtonie oraz jego okolicach — poza Burchem i Radburnem nie znałem tam nikogo, z wyjątkiem osób, o których usłyszałem od swoich zniewolonych towarzyszy.

Chcę powiedzieć, że jeśli minę się gdzieś z prawdą, łatwo będzie to sprawdzić.

W niewolniczej zagrodzie Williamsa przebywałem około dwóch tygodni. W noc poprzedzającą mój wyjazd przywieziono gorzko płaczącą kobietę, która prowadziła za rączkę małe dziecko. Były to matka i przyrodnia siostrzyczka Randalla. Podczas spotkania był przeszczęśliwy, czepiał się sukni matki, całował dziecko i okazywał wielką radość. Matka również zamknęła go w ramionach, tuliła go i patrzyła na niego z czułością przez łzy, zwracając się do niego wieloma tkliwymi słowami.

Emily, dziecko, miała siedem lub osiem lat, jasną skórę i nadzwyczaj piękną twarzyczkę. Włoski lokami opadały na jej kark, a fason i bogactwo jej sukienki oraz schludność jej wyglądu wskazywały, że wychowała się w bogactwie. Była zaiste słodkim dzieckiem. Kobieta także była odziana w jedwab, na palcach miała pierścionki, a w uszach złote kolczyki. Jej sposób bycia i maniery, poprawność i stosowności języka — wszystko to wskazywało wyraźnie, że nie była zwykłą niewolnicą. Wydawała się zdumiona, że znalazła się w takim miejscu. Z pewnością przywiódł ją tutaj nagły i niespodziewany kaprys fortuny. Żaliła się nieustannie, aż wraz z dziećmi i ze mną została popędzona do celi. Język nie wypowie, jak bardzo lamentowała. Rzuciwszy się na ziemię i otoczywszy dzieci ramionami, wypowiadała wszystkie te wzruszające słowa, które tylko matczyne miłość i czułość mogą podsunąć. Dzieci przytuliły się do niej mocno, jakby tylko tak mogły znaleźć bezpieczeństwo i opiekę. Wreszcie zasnęły z główkami na jej podołku. Gdy drzemały, odgarniała włosy z ich małych czółek i przemawiała do nich całą noc. Nazywała je swoimi maleństwami, słodkimi dzieciątkami, biednymi, niewinnymi istotkami, które nic nie wiedziały o przeznaczonym im żałosnym losie. Wkrótce nie będzie przy nich matki, która by je pocieszała — zabiorą je od niej. Co się z nimi stanie? Och! Nie mogła żyć bez swojej małej Emmy i ukochanego syneczka. Zawsze były takimi dobrymi i kochającymi dziećmi. Bóg wie, powiedziała, że jeśli je od niej zabiorą, to złamie jej serce; wiedziała jednak, że zamierzają je sprzedać i że mogą zostać rozdzieleni, i już nigdy się nie spotkać. Te żałosne słowa zrozpaczonej i przerażonej matki poruszyłyby kamień. Na imię miała Eliza; tak zaś brzmiała opowiedziana przez nią później historia:

Była niewolnicą bogatego człowieka mieszkającego w pobliżu Waszyngtonu. Wydaje mi się, że powiedziała, że urodziła się na jego plantacji. Lata wcześniej nabrał on złych nawyków i poróżnił się z żoną. Wkrótce po narodzinach Randalla państwo się rozstali. Zostawiwszy żonę i córkę w domu, w którym zawsze zamieszkiwali, opodal, na terenie posiadłości, postawił nowy. Do tego domu sprowadził Elizę; a warunkiem, by z nim zamieszkała, było uwolnienie jej i jej dzieci. Żyła z nim przez dziewięć lat, mając służbę i ciesząc się wygodą oraz luksusem. Emily była jego dzieckiem! Wreszcie jego córka, która mieszkała wraz z matką, wyszła za mąż za pana Jacoba Brooksa. Z tej relacji zrozumiałem, że z jakiegoś niezależnego od pana Berry'ego powodu dokonano podziału jego majątku. Eliza i jej dzieci przypadły w udziale panu Brooksowi. Przez tych dziewięć lat, które spędziła z Berrym, i ze względu na zajmowaną pozycję, stała się obiektem nienawiści i niechęci pani Berry i jej córki. Samego Berry'ego przedstawiała jako człowieka o z natury łagodnym sercu, który zawsze obiecywał jej wolność i który, co do czego nie miała wątpliwości, uwolniłby ją wtedy, gdyby leżało to w jego mocy. Gdy tylko wraz z dziećmi znalazła się we władzy i pod kontrolą jego córki, stało się jasne, że niedługo już pozostaną razem. Widok Elizy wydawał się odstręczać panią Brooks; nie mogła także patrzeć na dziecko, swoją przyrodnią siostrę, równie piękną, jak ona sama!

W dniu, w którym przyprowadzono Elizę do zagrody, Brooks przywiózł ją z posiadłości do miasta pod pretekstem, że oto nadszedł czas, by wyrobić jej dokumenty wolnego człowieka, w celu wypełnienia obietnicy złożonej przez jej pana. Uradowana perspektywą rychłej wolności, nałożyła sobie i Emily najlepsze ubrania i pojechała z nim, z sercem pełnym wesela. Po przyjeździe do miasta, zamiast wstąpić do rodziny wolnych ludzi, trafiła do handlarza Burcha. Dokument, jaki wystawiono, był dowodem zawarcia transakcji. Żywiona przez lata nadzieja w jednej chwili została zniszczona. Tego dnia z wyżyn największej radości i szczęścia upadła na samo dno niedoli. Nic dziwnego, że łkała i napełniała zagrodę szlochami i słowami pełnymi żałości.

Eliza już nie żyje. Daleko w górze Red River, tam, gdzie rzeka rozlewa swe ospałe wody na niezdrowych nizinach Luizjany, wreszcie spoczęła w grobie — jedynym miejscu, gdzie może odpocząć nieszczęsny niewolnik! Jak spełniły się jej wszystkie obawy, jak rozpaczała dniami i nocami i nigdy nie zaznała ukojenia, jak — zgodnie z jej przewidywaniami — pod naporem matczynej rozpaczy pękło jej serce, okaże się w toku tej opowieści.

◊

ROZDZIAŁ IV

ROZPACZ ELIZY — PRZYGOTOWANIA DO ZAŁADUNKU — JAZDA PRZEZ ULICE WASZYNGTONU — HALL W COLUMBII — GROBOWIEC WASZYNGTONA — CLEM RAY — ŚNIADANIE NA PAROWCU — SZCZĘŚLIWE PTAKI — AQUIA CREEK — FREDERICKSBURG — PRZYJAZD DO RICHMOND — GOODIN I JEGO NIEWOLNICZA ZAGRODA — ROBERT Z CINCINNATI — DAVID I JEGO ŻONA — MARY I LETHE — POWRÓT CLEMA — JEGO PÓŹNIEJSZA UCIECZKA DO KANADY — BRYG *ORLEAN* — JAMES H. BURCH

W **trakcie tej pierwszej nocy** uwięzienia w zagrodzie Eliza skarżyła się gorzko na Jacoba Brooka, męża jej młodej pani. Twierdziła, że gdyby była świadoma podstępu, który wobec niej zastosował, to nigdy nie przywiózłby jej tu żywej. Zdecydowali się ją wywieźć, gdy pana Berry'ego nie było na plantacji. On zawsze był dla niej dobry. Miała nadzieję, że go zobaczy; wiedziała jednak, że nawet on nie mógłby jej teraz uratować. Następnie znów zaczęła szlochać, całując uśpione dzieci, które leżały pogrążone w nieświadomości, z głowami na jej podołku. Mówiła raz do jednego, raz do drugiego. Tak minęła ta długa noc; a gdy zajaśniał świt, a potem znów nastała noc, wciąż zawodziła, niepocieszona.

Koło północy drzwi celi stanęły otworem i weszli Burch oraz Radburn, w rękach trzymając latarnie. Burch, klnąc, kazał nam bezzwłocznie zwinąć koce i przygotować się do wejścia na pokład łodzi. Przysięgał, że jeśli się nie pospieszymy, to nas zostawi. Wyrwał dzieci ze snu, gwałtownie nimi potrząsając. Wyszedłszy na podwórze, zawołał Clema Raya, każąc mu wyjść spod daszku, zabrać koc i iść do celi. Gdy Clem się pojawił, Burch ustawił nas blisko siebie i przykuł moją lewą rękę do jego prawej. Johna Willimsa zabrano dzień lub dwa wcześniej. Ku jego wielkiej radości, jego pan go wykupił. Clemowi i mnie kazano iść. Eliza wraz z dziećmi podążała za nami. Wyprowadzono nas na podwórze, stamtąd do krytego przejścia i po schodach w górę, przez boczne drzwi do pokoju na piętrze — miejsca, z którego słyszałem kroki. Umeblowanie pomieszczenia stanowiły: piecyk, kilka starych krzeseł i długi stół przykryty papierami. Pokój był pobielony, bez dywanu na podłodze, i wyglądał na jakieś biuro. Pamiętam, że przy jednym z okien wisiała zardzewiała szabla, która przyciągnęła moją uwagę. Stał tam kufer Burcha. Posłuszny rozkazom, wolną ręką złapałem jego uchwyt, podczas gdy sam Burch chwycił za drugi, i wyszliśmy przez drzwi frontowe na ulicę w tym samym porządku, w jakim ruszyliśmy z celi.

Była ciemna noc. Nad Pennsylvania Avenue widziałem światła lub ich odbicia, ale nie dostrzegłem poza nami żadnej istoty ludzkiej, nawet włóczęgów. Byłem prawie gotów, by spróbować ucieczki. Gdybym nie był skuty, z pewnością podjąłbym tę próbę, niezależnie od konsekwencji. Radburn był z tyłu. Niósł duży kij, poganiając dzieci, by szły tak szybko, jak tylko maleństwa były w stanie. Szliśmy więc, skuci kajdanami, w ciszy, przez ulice Waszyngtonu, przez stolicę narodu. Jak nam powiedziano, teoria rządów Waszyngtona leżała u podstaw niezbywalnego prawa człowieka do życia, WOLNOŚCI i dążenia do szczęścia! Brawo! Columbia, szczęśliwa kraina — na pewno!

Gdy doszliśmy do parowca, zostaliśmy pospiesznie zagonieni do ładowni, między baryłki i skrzynki z ładunkiem. Kolorowy służący przyniósł światło, odezwał się dzwon i wkrótce statek ruszył w dół Potomacu, unosząc nas nie wiadomo gdzie. Gdy mijaliśmy grób Waszyngtona, odezwał się dzwon! Burch z pewnością stał z odkrytą głową, kłaniając się z szacunkiem przed świętymi popiołami człowieka, który swoje barwne życie poświęcił wolności kraju.

Poza Randallem i małą Emmy tej nocy nikt z nas nie spał. Clem Ray po raz pierwszy był całkowicie przybity. Dla niego wizja udania się na Południe była skrajnie okropna. Tracił swoich przyjaciół i relacje z czasów młodości, wszystko, co było cenne i drogie jego sercu — a wedle wszelkiego prawdopodobieństwa nie miał wrócić już nigdy. Łzy jego i Elizy mieszały się, gdy wyrzekali na swój okrutny los. Co do mnie, usilnie starałem się nie tracić ducha. Zająłem umysł setkami planów ucieczki, w pełni zdecydowany, by skorzystać z pierwszej rozpaczliwej okazji, jaka się nadarzy. Na razie jednak byłem zadowolony, że udało mi się nie wspominać więcej o tym, że urodziłem się jako wolny człowiek. To naraziłoby mnie na brutalne traktowanie i zmniejszyło szanse na oswobodzenie.

Rano, po wschodzie słońca, zostaliśmy wezwani na pokład na śniadanie. Burch zdjął nam kajdanki i usiedliśmy przy stole. Posiłek spożyliśmy w całkowitym milczeniu — nie wymieniliśmy nawet jednego słowa. Mulatka, która usługiwała przy stole, robiła to za nas — powiedziała nam, żebyśmy się rozchmurzyli i nie byli tacy ponurzy. Po śniadaniu kajdany wróciły na swoje miejsce, a Burch odesłał nas na pokład rufowy. Od czasu do czasu zachodził tam jakiś pasażer, patrzył na nas przez chwilę i w ciszy zawracał.

To był bardzo ładny poranek. Pola wzdłuż rzeki pokryte były zielenią, daleko bardziej bujną, niż byłem przyzwyczajony oglądać o tej porze roku. Słońce grzało przyjemnie; pośród drzew śpiewały ptaki. Szczęśliwe ptaki! Zazdrościłem im. Żałowałem, że nie mam skrzydeł jak one, żebym mógł przeciąć powietrze i polecieć tam, gdzie moje ptaszęta na próżno czekały powrotu ojca, w chłodniejsze rejony Północy.

Przed południem parowiec dotarł do Aquia Creek. Tam nastąpiła wymiana pasażerów. Burch i jego pięcioro niewolników mieli miejsce tylko dla siebie. Nasz oprawca śmiał się z dziećmi, a przy którymś przystanku posunął się do tego, że kupił im kawałek piernika. Powiedział mi, żebym uniósł głowę i wyglądał na bystrego. Bym dobrze się zachowywał, dzięki czemu być może znajdę dobrego pana. Nie odpowiedziałem mu. Jego twarz była mi nienawistna, nie mogłem znieść jej widoku. Usiadłem w kącie, w sercu piastując nadzieję, jeszcze niewygasłą, że któregoś dnia spotkam tego tyrana na ziemi mojego rodzinnego stanu.

We Fredericksburgu zostaliśmy przeniesieni z łodzi do wozu i przed zmrokiem znaleźliśmy się w Richmond, głównym mieście Virginii. W mieście powieziono nas przez ulice do należącej do pana Goodina zagrody niewolniczej, znajdującej się pomiędzy stacją kolejową a rzeką. Zagroda ta przypominała tę Williamsa w Waszyngtonie, była jednak nieco większa; ponadto w przeciwległych rogach podwórza stały dwa niewielkie domki. Domki takowe często można znaleźć na podwórcach niewolniczych; używa się ich po to, by nabywcy mogli obejrzeć ludzkie ruchomości, zanim dobiją targu. Uszkodzenia, wady, defekty niewolnika, podobnie jak w przypadku konia, obniżają jego wartość. Skoro nie daje się żadnej gwarancji, dla właściciela Murzyna jego szczegółowe badanie jest szczególnie istotne.

We wrotach spotkał się z nami sam właściciel — niski, gruby człowieczek o okrągłej, nalanej twarzy, czarnych włosach i bokobrodach, i skórze niemal tak ciemnej, jak niektórych jego własnych Murzynów. Spoglądał twardo i surowo. Miał może z pięćdziesiąt lat. Przywitał się serdecznie z Burchem — ewidentnie byli starymi przyjaciółmi. Ściskając ciepło jego dłoń, ten ostatni wspomniał, że przybył w towarzystwie, i zapytał, o której odchodzi bryg. Odpowiedziano mu , że przypuszczalnie następnego dnia o tej porze. Potem Goodin odwrócił się do mnie, chwycił mnie za ramię, nieco obrócił, spojrzał na mnie ostro jak ktoś, kto uważa się za dobrego rzeczoznawcę, i jakby oceniał, ile jestem wart.

— No, chłopcze, skąd jesteś?

Zapomniałem się na chwilę i odpowiedziałem:

— Z Nowego Jorku.

— Z Nowego Jorku! A niech mnie! Skąd się tutaj wziąłeś? — zapytał z zaskoczeniem.

Widziałem, jak Burch patrzy na mnie z rozgniewaną miną. Nietrudno było ją rozszyfrować.

— Och, byłem tam tylko przez jakiś czas — powiedziałem pospiesznie, w sposób, który miał sugerować, że choć istotnie mogłem być kiedyś tak daleko, to nie pochodzę ani z tego wolnego stanu, ani z żadnego innego.

Następnie Goodin odwrócił się do Clema, a potem do Elizy i dzieci, przepytując ich pojedynczo i zadając rozmaite pytania. Był zachwycony Emily, jak każdy, kto ujrzał słodką buzię tego dziecka. Nie była tak schludna jak wtedy, gdy zobaczyłem ją po raz pierwszy; włosy miała w lekkim nieładzie, ale poprzez ich rozczochraną i miękką chmurę wciąż promieniała mała twarzyczka o zdumiewającym uroku.

— Razem zrobimy dobry interes, piekielnie dobry interes — powiedział Goodin, wzmacniając tę opinię kilkoma mocnymi przymiotnikami niewystępującymi w słowniku chrześcijanina. Następnie weszliśmy na podwórze. Znajdowało się na nim sporo niewolników, co najmniej trzydziestu; kręcili się tu i tam albo siedzieli na ławkach pod zadaszeniem. Wszyscy byli czysto odziani — mężczyźni mieli na głowach kapelusze, a kobiety zamotane chusty.

Burch i Goodin oddzielili się od nas, weszli po schodach znajdujących się na tyłach głównego budynku i usiedli w progu. Pogrążyli się w rozmowie, ale nie słyszałem, jaki był jej temat. Wkrótce Burch zszedł na podwórze, rozkuł mnie i poprowadził do jednego z tych małych domków.

— Powiedziałeś temu człowiekowi, że jesteś z Nowego Jorku — powiedział.

— Na pewno mu powiedziałem, że byłem aż tak daleko, ale nie powiedziałem, że stamtąd pochodzę ani że jestem wolnym człowiekiem — odparłem. — Nie zrobiłem tego umyślnie, panie Burch. Nie powiedziałbym tego, gdybym się zastanowił.

Patrzył na mnie przez chwilę, jakby szykował się do pożarcia mnie, a potem odwrócił się i wyszedł. Wrócił po kilku minutach.

— Jeżeli jeszcze kiedykolwiek usłyszę słowo o Nowym Jorku albo o twojej wolności, to będzie twój koniec. Zabiję cię; możesz być tego pewny — wyrzucił z siebie gwałtownie.

Wątpiłem, by gorzej ode mnie pojmował niebezpieczeństwo i sankcje wiążące się ze sprzedażą wolnego człowieka w niewolę. Czuł potrzebę zamknięcia mi ust, bym nie zdradził przestępstwa, o którym wiedział, że je popełnia. Oczywiście w razie konieczności moje życie nie byłoby warte funta kłaków. Bez wątpienia powiedział dokładnie to, co chciał powiedzieć.

Pod zadaszeniem po jednej stronie podwórza znajdował się prosty stół, a wyżej miejsca do spania — tak samo, jak w zagrodzie w Waszyngtonie. Po zjedzeniu przy tym stole kolacji składającej się z wieprzowiny i chleba zostałem przykuty do dużego żółtego mężczyzny, dość grubego i mięsistego, z wyrazem najgłębszej melancholii na twarzy. Był człowiekiem inteligentnym i poinformowanym. Skuci razem, szybko poznaliśmy swoje historie. Na imię miał Robert. Urodził się wolny, podobnie jak ja, i w Cincinnati miał żonę oraz dwoje dzieci. Powiedział, że przyjechał na Południe z dwoma mężczyznami, którzy najęli go w mieście, w którym zamieszkiwał. Nie miał dokumentów poświadczających status wolnego człowieka; i został uprowadzony do Fredericksburga, a następnie uwięziony. Bito go, aż zrozumiał, tak jak ja, konieczność zachowania milczenia. W zagrodzie Goodina przebywał od trzech tygodni. Mocno przywiązałem się do tego człowieka. Współczuliśmy sobie i rozumieliśmy się nawzajem. Niewiele dni minęło i z ciężkim sercem oraz twarzą zalaną łzami patrzyłem, jak umiera i po raz ostatni spoglądałem na jego pozbawione iskry życia ciało!

Tej nocy Robert i ja, wraz z Clemem, Elizą i jej dziećmi, spaliśmy na naszych kocach w jednym z małych domków na podwórzu. Było tam jeszcze czworo innych niewolników, z tej samej plantacji, którzy zostali sprzedani i teraz byli w drodze na Południe. David i jego żona Caroline, oboje mulaci, byli niezwykle przejęci. Drżeli na myśl, że trafią na pola trzciny lub bawełny; ale najbardziej bali się tego, że zostaną rozdzieleni. Mary, wysoka, wiotka dziewczyna, czarna jak obsydian, była apatyczna i pozornie obojętna. Jak wielu z jej klasy ledwie wiedziała o istnieniu takiego słowa jak „wolność". Wychowana w nieświadomości brutalności, miała niewiele więcej poza brutalną inteligencją właśnie. Była jedną z tych — a było ich bardzo wielu — którzy bali się tylko bicza pana i nie znali innych obowiązków oprócz bycia posłusznym jego głosowi. Drugą dziewczyną była Lethe. Ona była całkiem inna. Miała długie, proste włosy, widać było po niej raczej krew indiańską niż murzyńską. Miała przenikliwe, złośliwe spojrzenie i wciąż mówiła o nienawiści oraz zemście. Jej mąż został sprzedany. Nie wiedziała, gdzie sama się znajduje, ale była pewna, że nowy pan nie mógł być gorszy. Nie dbała o to, dokąd ją zabiorą. Wciąż wskazując na blizny na twarzy, ta zdesperowana istota powtarzała, że marzy, by dożyć dnia, w którym zmyje je krwią pewnego człowieka!

Podczas gdy my opowiadaliśmy sobie historie naszej niedoli, Eliza siedziała sama w kącie, nucąc hymny i modląc się za swoje dzieci. Z braku snu znużony tak bardzo, że nie mogłem już walczyć z tym „słodkim odnowicielem", położyłem się na podłodze obok Roberta i wkrótce zapomniałem o moich kłopotach. Spałem aż do świtu.

Rankiem, kiedy już zamietliśmy podwórze i obmyliśmy się pod nadzorem Goodina, kazano nam zwinąć koce i przygotować się do dalszej podróży. Clem Ray został poinformowany, że nie jedzie dalej, ale że Burch z jakiegoś powodu zabiera go z powrotem do Waszyngtonu. Był wyraźnie uradowany. Uścisnęliśmy sobie dłonie i rozstaliśmy się w tej niewolniczej zagrodzie w Richmond. Już nigdy więcej go nie zobaczyłem. Jednak ku memu zaskoczeniu po powrocie dowiedziałem się, że uciekł z niewoli i zmierzając ku wolnej Kanadzie, jedną noc spędził w domu mojego szwagra w Saratodze, informując moją rodzinę o miejscu i kondycji, w jakich mnie zostawił.

Po południu zostaliśmy ustawieni dwójkami — Robert i ja na przedzie — i w tym porządku poprowadzeni przez Burcha i Goodina ulicami Richmond do brygu *Orlean*. Był to statek o wielkości wzbudzającej respekt, z pełnym ożaglowaniem, przewożący głównie tytoń. Do piątej po południu wszyscy byliśmy na pokładzie. Burch przyniósł każdemu z nas cynowy kubek i łyżkę. Na brygu znalazło się nas czterdzieścioro — z wyjątkiem Clema wszyscy, którzy byli w zagrodzie.

Małym kieszonkowym nożem, którego mi nie odebrano, zacząłem wydrapywać na cynowym kubku swoje inicjały. Pozostali natychmiast stłoczyli się dookoła, prosząc, bym w taki sam sposób oznaczył ich kubki. W końcu zadowoliłem ich wszystkich, choć nie wydawali się zapominalscy.

Na noc wszystkich nas umieszczono w ładowni; właz zamknięto. Leżeliśmy na skrzyniach i wszędzie, gdzie dało się rozciągnąć koce.

Burch towarzyszył nam tylko do Richmond, stamtąd wraz z Clemem wrócił do stolicy. Minęło dwanaście lat, zanim w styczniu minionego roku znów zobaczyłem jego twarz — na posterunku policji w Waszyngtonie.

James H. Burch był handlarzem niewolników. Kupował mężczyzn, kobiety i dzieci po niskich cenach i sprzedawał ich z zyskiem. Spekulował ludzkim mięsem — haniebne oskarżenie — i tak właśnie uznano na Południu. Na tę chwilę znika z kart tej opowieści, ale

nim dobiegnie ona końca, pojawi się ponownie; nie
jako tyran z biczem, ale jako aresztowany,
zastraszony przestępca na ławie
sądowej, która nie wymie-
rzyła mu sprawied-
liwości.

◊

ROZDZIAŁ V

PRZYBYCIE DO NORFOLK — FREDERICK I MARIA — ARTHUR, WOLNY CZŁOWIEK — MIANOWANY STEWARDEM — JIM, CUFFEE I JENNY — BURZA — BAHAMA BANKS — SPOKÓJ — KONSPIRACJA — BARKA — OSPA — ŚMIERĆ ROBERTA — ŻEGLARZ MANNING — SPOTKANIE NA POKŁADZIE DZIOBOWYM — LIST — PRZYBYCIE DO NOWEGO ORLEANU — RATUNEK ARTHURA — THEOPHILUS FREEMAN, ODBIORCA — PLATT — PIERWSZA NOC W ZAGRODZIE NIEWOLNICZEJ W NOWYM ORLEANIE

Gdy wszyscy znaleźliśmy się na pokładzie, bryg *Orlean* ruszył w dół James River. Następnego dnia, wpłynąwszy do Chesapeake Bay, przybyliśmy do Norfolk. Gdy staliśmy na kotwicy, z miasta przypłynęła barka, która dostarczyła kolejnych czterech niewolników. Frederick, osiemnastolatek, urodził się niewolny, podobnie jak starszy o kilka lat Henry. Obaj byli domowymi służącymi w mieście. Maria była elegancką, kolorową dziewczyną o nieskazitelnej figurze, ale prostacką i całkowicie pustą. Cieszyła ją myśl o trafieniu do Nowego Orleanu. Miała przesadnie wysokie mniemanie o swoich walorach. Robiąc wyniosłą minę, oświadczyła swoim towarzyszom, że nie ma wątpliwości, iż natychmiast po naszym przybyciu do Nowego

Orleanu kupi ją jakiś samotny, bogaty mężczyzna o dobrym guście.

Jednak najznaczniejszy z tej czwórki był mężczyzna o imieniu Arthur. Gdy prom przybił, walczył dzielnie z jego nadzorcami. Siłą załadowno go na pokład brygu. Protestował głośno przeciwko traktowaniu, którego doświadczył, i żądał, by go uwolnić. Twarz miał opuchniętą, pokrytą ranami i sińcami, a jej połowa w istocie była całkowicie zmasakrowana. Z wielką nienawiścią został rzucony przez właz do ładowni. Kiedy wprowadzano go, szarpiącego się, miałem już ogólny zarys jego historii, później zaś opowiedział mi całość, co tu prezentuję:

Długo mieszkał w Norfolk i był wolnym człowiekiem. Miał tam rodzinę i zajmował się kamieniarstwem. Zdarzyło się, że wracał do swego domu na przedmieściach nietypowo późno w nocy, kiedy na mało uczęszczanej ulicy został zaatakowany przez grupę ludzi. Walczył, póki starczyło mu sił. W końcu został obezwładniony, zakneblowany i związany, i bity, aż stracił przytomność. Przez kilka dni ukrywano go w zagrodzie niewolniczej w Norfolk — jednym z obiektów, które — jak się wydaje — są bardzo powszechne w miastach Południa. Poprzedniej nocy został stamtąd zabrany i wsadzony na pokład barki, która z dala od brzegu oczekiwała naszego przybycia. Przez jakiś czas protestował, jednak bezskutecznie. W końcu umilkł. Popadł w ponury, pełen namysłu nastrój i wydawał się naradzać sam ze sobą. Było coś z determinacji w twarzy tego człowieka, coś, co sugerowało desperackie myśli.

Po odpłynięciu z Norfolk zdjęto nam kajdany z rąk i w ciągu dnia mogliśmy przebywać na pokładzie. Kapitan wybrał Roberta na swojego kelnera, ja zaś zostałem wyznaczony do doglądania kuchni i wydawania jedzenia oraz wody. Miałem troje pomocników: Jima, Cuffee'go i Jenny. Do Jenny należało parzenie kawy, która powstawała z mąki kukurydzianej palonej w rondlu, gotowanej i słodzonej melasą. Jim i Cuffee piekli ciasto naleśnikowe i smażyli bekon.

Stojąc przy stole zrobionym z szerokiej deski opierającej się dwóch baryłkach, kroiłem i podawałem każdemu kawałek mięsa oraz grzankę z chleba kukurydzianego, każdy dostawał także z gara kubek kawy Jenny. Obywaliśmy się bez talerzy, a miejsce noży i widelców zajęły nasze czarne palce. Jim i Cuffee byli bardzo spokojni i zajęci pracą, nieco podniesieni na duchu swoją rolą drugich kucharzy; bez wątpienia czuli, że spoczywa na nich wielka odpowiedzialność. Mnie nazywano stewardem — takie miano nadał mi kapitan.

Niewolnicy byli karmieni dwa razy dziennie, o dziesiątej rano i piątej po południu — zawsze dostawali to samo jedzenie w tej samej ilości i podawane w ten sam sposób, jaki został opisany powyżej. Na noc prowadzono nas do ładowni i starannie zakuwano.

Ledwie widzieliśmy ląd, gdy pochwyciła nas potężna burza. Bryg kołysał się i ciskał, aż zaczęliśmy się bać, że pójdzie na dno. Niektórzy cierpieli z powodu choroby morskiej, inni klęczeli i modlili się, podczas gdy jeszcze inni trzymali się kurczowo siebie nawzajem, sparaliżowani strachem. Choroba morska sprawiła, że nasze więzienie stało się odrażające. Większość z nas uznałaby za wielkie szczęście — oszczędziłoby to agonii setek batów i wreszcie żałosnej śmierci — gdyby tamtego dnia współczujące morze wyrwało nas z władzy bezlitosnych ludzi. Myśl o Randallu i małej Emmy opadających na dno pośród potworów głębi jest znacznie przyjemniejsza od zastanawiania się, gdzie są teraz, być może umierający powoli przy nieustającym wysiłku.

Przy Bahama Banks, w miejscu nazywanym Old Point Compass lub Hole in the Wall, trafiliśmy na trzydniową ciszę morską. Nie czuć było najmniejszego podmuchu. Wody zatoki były białe, jakby wymieszane z wapnem.

Zgodnie z tokiem opowieści dochodzę teraz do relacji wydarzenia, o którym nie mogę myśleć bez uczucia żalu. Zanoszę dzięki Bogu, który pozwolił mi uciec z niewoli, że dzięki Jego miłosiernemu wstawiennictwu udało mi się nie zbrukać rąk krwią Jego stworzeń. Ci, którzy nigdy nie znaleźli się w podobnych okolicznościach, nie mają prawa mnie oceniać. O ile nie trafią w łańcuchy i nie będą bici, póki nie znajdą się w sytuacji, w jakiej ja się znalazłem, oderwani od swoich domów i rodzin, powiedzeni w niewolę — niech powstrzymują się od mówienia, czegoż to by nie zrobili dla wolności. Nie ma teraz potrzeby rozwodzić się, na ile powinienem zostać usprawiedliwiony w oczach Boga i ludzi. Wystarczy powiedzieć, że mogę sobie pogratulować nieszkodliwego zakończenia sprawy, która przez jakiś czas groziła poważnymi konsekwencjami.

Bliżej wieczoru pierwszego dnia ciszy byliśmy wraz z Arthurem na dziobie statku. Siedzieliśmy na windzie kotwicznej. Rozmawialiśmy o czekającym nas możliwym przeznaczeniu i lamentowaliśmy nad naszym pechem. Arthur powiedział, a ja się z nim zgodziłem, że śmierć jawi się jako znacznie mniej przerażająca wobec perspektywy czekającego nas życia. Przez długi czas mówiliśmy o naszych dzieciach, dawnym życiu i możliwościach ucieczki. Jeden z nas zasugerował przejęcie brygu. Dyskutowaliśmy, czy w takim przypadku bylibyśmy w stanie dopłynąć do portu w Nowym Jorku. Nie bardzo znałem się na kompasie, ale pomysł podjęcia tego ryzyka był szalenie kuszący. Szanse na powodzenie w konfrontacji z załogą były dyskusyjne. Wciąż na nowo omawialiśmy, na kim można by polegać, kto był niepewny, jaki byłby właściwy czas i sposób przejęcia statku. Od tego momentu fabuła sugeruje, że zacząłem mieć nadzieję. W miarę wynajdywania kolejnych trudności pojawiały się nowe koncepcje ich przezwyciężania. Gdy pozostali byli pogrążeni we śnie, Arthur i ja dopieszczaliśmy nasze plany. Wreszcie, bardzo ostrożnie, stopniowo wtajemniczyliśmy w nie Roberta. Natychmiast przychylił się do naszego pomysłu i ochoczo przystąpił do konspiracji. Nie odważyliśmy się zaufać żadnemu innemu niewolnikowi. Wychowani byli w strachu i niewiedzy, kim są, i łatwo było sobie wyobrazić, jak służalczo kulą się przed obliczem białego człowieka. Powierzenie któremukolwiek z nich takiej tajemnicy nie było rozsądne, zresztą postanowiliśmy wziąć straszną odpowiedzialność za tę próbę tylko na siebie.

Na noc, jak już mówiłem, prowadzono nas do ładowni i zamykano właz. Pierwszą trudność stanowiło wydostanie się na pokład. Na dziobie brygu widziałem małą, leżącą dnem do góry łódkę. Przyszło mi do głowy, że gdybyśmy się pod nią schowali, to w tłumie pędzonym na noc pod pokład możemy zostać przeoczeni. Zostałem wybrany do przeprowadzenia eksperymentu, byśmy się przekonali, czy jest to możliwe. Następnego wieczoru po kolacji skorzystałem z okazji i pospiesznie wpełzłem pod łódkę. Leżąc na pokładzie, widziałem, co działo się wokół mnie, a rano, gdy moi towarzysze wyszli na zewnątrz, całkowicie niepostrzeżenie wymknąłem się z tej kryjówki. Rezultat był całkowicie zadowalający.

Kapitan i pierwszy oficer spali w kabinie tego pierwszego. Dzięki Robertowi, który w związku z obowiązkami kelnera miał wiele możliwości poczynienia obserwacji w tej kwaterze, ustaliliśmy dokładnie położenie ich koi. Robert poinformował nas następnie, że na stole zawsze leżą dwa pistolety i szabla. Kucharz pokładowy sypiał w kambuzie, w czymś w rodzaju pojazdu na kółkach, który mógł być przestawiany zgodnie z potrzebą, podczas gdy marynarze, w liczbie sześciu, spali albo w dziobówce, albo w hamakach zawieszonych na olinowaniu.

Wreszcie zakończyliśmy przygotowania. Arthur i ja mieliśmy wśliznąć się do kabiny kapitana, zabrać pistolety i szablę, i możliwie szybko zabić jego oraz pierwszego oficera. Robert, uzbrojony w pałkę, miał stanąć przy drzwiach prowadzących z pokładu do kabiny i w razie konieczności bić się z marynarzami, dopóki nie będziemy mogli pospieszyć mu na pomoc. Mieliśmy działać tak, jak będą tego wymagać okoliczności. By atak był tak nagły i skuteczny, aby zapobiec oporowi, właz musiał zostać zamknięty; inaczej niewolnicy zostaną wezwani na górę. W innym przypadku, w tłumie, w pośpiechu i zdenerwowaniu, zdecydowaliśmy się odzyskać wolność lub stracić życie. Później miałem zająć nieznane mi stanowisko sternika i kierując się na północ, mieć nadzieję, że łaskawe wiatry poprowadzą nas ku ziemi wolności.

Pierwszy oficer nazywał się Bedee. Nazwiska kapitana nie mogę sobie teraz przypomnieć, chociaż naprawdę rzadko zdarza mi się zapomnieć raz usłyszane nazwisko. Kapitan był małym, eleganckim człowiekiem, noszącym się prosto, energicznym, o dumnej postawie; wyglądał jak personifikacja odwagi. Jeżeli wciąż żyje i zdarzy się, że jego oczy natrafią na te strony, dowie się o czymś, co związane było z podróżą brygu z Richmond do Nowego Orleanu w 1841 roku, a co nie znalazło się w dzienniku pokładowym.

Wszyscy byliśmy gotowi i niecierpliwie wypatrywaliśmy okazji, by nasze plany wcielić w czyn, gdy oto spadło na nas smutne i nieoczekiwane wydarzenie. Robert zachorował. Wkrótce oznajmił, że ma ospę. Czuł się coraz gorzej i na cztery dni przed naszym przybyciem do Nowego Orleanu zmarł. Jeden z marynarzy zaszył go w jego kocu wraz z dużym kamieniem, który miał stanowić balast, później położył go na luku i przy pomocy wielokrążka przeniósł przez reling, gdzie martwe ciało nieszczęsnego Roberta zostało powierzone białym wodom zatoki.

Pojawienie się ospy wywołało u wszystkich panikę. Kapitan rozkazał, by ładownię zasypać wapnem, podjęto także inne środki ostrożności. Śmierć Roberta oraz obecność choroby bardzo mnie przygnębiły i spoglądałem na ogromne połacie wody z duchem przepełnionym strapieniem.

Wieczór czy dwa po pogrzebie Roberta opierałem się o właz w pobliżu dziobówki, pełen posępnych myśli, gdy marynarz o miłym głosie zapytał, dlaczego jestem taki przybity. Ton i zachowanie tego człowieka wzbudziły moje zaufanie i odpowiedziałem, że byłem wolnym człowiekiem i zostałem porwany. Zauważył, że coś takiego każdego mogłoby przygnębić i wypytywał mnie, dopóki nie poznał mojej historii ze wszystkimi szczegółami. Był wyraźnie zainteresowany moją osobą i w bezceremonialnej mowie marynarzy obiecał, że pomoże mi na tyle, na ile będzie mógł. Poprosiłem, aby dostarczył mi pióro, atrament i papier, bym mógł napisać do niektórych moich przyjaciół. Obiecał, że je zdobędzie — wciąż jednak problemem był sposób, w jaki mógłbym ich niezauważenie użyć. Udałoby się, gdybym tylko mógł się dostać do dziobówki, gdy on kończył wartę, a pozostali marynarze spali. Natychmiast przyszła mi na myśl łódka. Mój nowy znajomy sądził, że byliśmy niedaleko od Balize u ujścia Mississippi i że list powinienem napisać jak najszybciej, by nie stracić okazji. Następnej nocy znowu udało mi się ukryć pod szalupą. Jego wachta trwała do dwunastej. Zobaczyłem, jak wchodzi do dziobówki, i po około godzinie poszedłem za nim. Prawie śpiąc, kiwał się nad stołem, na którym migotała świeca i na którym znajdowały się również pióro oraz kartka papieru. Gdy wszedłem, ocknął się, wskazał, bym usiadł obok niego i wskazał na papier. Zaadresowałem list do Henry'ego B. Northupa z Sandy Hill — oświadczyłem w nim, że zostałem porwany i trafiłem na pokład brygu *Orlean*, płynącego do Nowego Orleanu; że nie byłem w stanie określić miejsca, do którego zmierzałem. Prosiłem, by podjął starania, aby mnie uratować. List został zapieczętowany i zaadresowany, a Manning, przeczytawszy go, obiecał zanieść pismo do urzędu pocztowego w Nowym Orleanie. Spiesznie wróciłem na swoje miejsce pod łodzią, a rano, gdy po pokładzie zaczęli się kręcić niewolnicy, wysunąłem się spod niej niepostrzeżenie i dołączyłem do nich.

Mój dobry przyjaciel, którego nazwisko brzmiało John Manning, był Anglikiem i odznaczał się szlachetnym sercem. To najbardziej wspaniałomyślny żeglarz, jaki kiedykolwiek chodził po pokładzie. Mieszkał w Bostonie — wysoki, dobrze zbudowany mężczyzna, około dwudziestoczteroletni, o twarzy nieco poznaczonej dziobami po ospie, ale o wyrazie pełnym życzliwości.

Do chwili przybycia do Nowego Orleanu nic nie zmąciło naszej codziennej rutyny. Gdy wpłynęliśmy do portu, jeszcze nim statek został rozładowany, zobaczyłem, jak Manning zeskakuje na brzeg i spiesznie zmierza ku miastu. Zanim ruszył, znacząco spojrzał przez ramię, dając mi do zrozumienia, jaki jest cel jego wyprawy. Niedługo potem wrócił, a przechodząc koło mnie, szturchnął mnie łokciem i mrugnął, jakby mówił „wszystko w porządku".

List, jak się później dowiedziałem, dotarł do Sandy Hill. Pan Northup udał się do Albany i przedstawił go gubernatorowi Sewardowi, ale ponieważ nie było w nim konkretnych informacji co do możliwego miejsca mojego pobytu w owym czasie, nie było wskazane, by podejmować działania na rzecz mojego uwolnienia. Rozsądniej wydawało się poczekać w nadziei, że uda się ustalić, gdzie jestem.

Kiedy tylko przybiliśmy do nadbrzeża, stałem się świadkiem szczęśliwej i wzruszającej sceny. Gdy tylko Manning zszedł z pokładu, zmierzając na pocztę, do statku podeszło dwóch ludzi, którzy głośno zawołali po imieniu Arthura. Ten ostatni, rozpoznawszy ich, niemal oszalał z radości. Ledwie udało się go powstrzymać od skoku przez burtę; a gdy wkrótce potem się spotkali, złapał ich za ręce i długo, długo ściskał. Byli to ludzie z Norfolk, którzy przybyli do Nowego Orleanu, aby go uratować. Jego porywacze, jak go poinformowali, zostali aresztowani i osadzeni w areszcie w Norfolk. Przez chwilę rozmawiali z kapitanem, a potem odeszli wraz z rozradowanym Arthurem.

Jednakże w tłumie kłębiącym się na nadbrzeżu nie było nikogo, kto znałby mnie bądź się mną przejmował. Nikogo. W uszach nie zabrzmiał mi żaden znajomy głos, nie było tam żadnej twarzy, którą bym kojarzył. Arthur niedługo połączy się ze swoją rodziną i będzie miał satysfakcję z ujrzenia swych prześladowców ukaranych... A czy ja jeszcze ujrzę swoją rodzinę? W sercu miałem uczucie głębokiej rozpaczy, poczucie desperacji i żalu, że nie podążyłem wraz z Robertem na dno morza.

Niedługo potem na pokład zawitali handlarze i odbiorcy. Jeden, wysoki mężczyzna o wychudłej twarzy i jasnej skórze, nieco przygarbiony, pojawił się z jakimś dokumentem w dłoni. Byli do niego przypisani ludzie Burcha, czyli ja sam, Eliza oraz jej dzieci, Harry, Lethe i kilkoro innych, którzy dołączyli do nas w Richmond. Dżentelmenem owym był niejaki pan Theophilus Freeman. Spojrzawszy w dokumenty, wywołał nazwisko: Platt. Nikt się nie odezwał. Nazwisko zostało wywołane jeszcze kilka razy, wciąż bez rezultatu. Potem wywołano Lethe, Elizę, następnie Harry'ego, wszyscy robili krok naprzód, aż lista się skończyła.

— Kapitanie, gdzie jest Platt? — zapytał Theophilus Freeman.

Kapitan nie był w stanie go poinformować, że nikt na pokładzie nie nosi takiego nazwiska.

— Kto wysłał *tego* czarnucha? — ponownie zapytał kapitana, wskazując na mnie.

— Burch — odparł kapitan.

— Nazywasz się Platt. Odpowiadasz opisowi. Dlaczego nie wystąpiłeś? — zwrócił się do mnie gniewnym tonem.

Poinformowałem go, że nie było to moje nazwisko; że nigdy nikt się nim do mnie nie zwracał, ale że nie mam nic przeciwko niemu, skoro już je znam.

— Cóż, przynajmniej cię zapamiętam — powiedział on — i ty również go nie zapomnisz — dodał.

Na marginesie: w kwestii bluźnierczego zachowania pan Theophilus Freeman nie pozostawał w tyle za swoim partnerem, Burchem. Na statku funkcjonowałem jako „steward" i nikt nigdy nie zwrócił się do mnie mianem „Platt", jakie Burch podał swojemu odbiorcy. Z pokładu widziałem, jak po nadbrzeżu uwijają się handlarze. Minęliśmy ich po drodze do zagrody Freemana. Zagroda ta była bardzo podobna do tej Goodina w Richmond, poza tym, że podwórze otoczone było wysokim parkanem z zaostrzonych pali, a nie ceglanym murem.

Łącznie z nami w zagrodzie przebywało przynajmniej pięćdziesięcioro ludzi. Złożyliśmy nasze koce w jednym z małych budynków na podwórzu i po posiłku pozwolono nam przechadzać się po terenie do wieczora, kiedy to owinęliśmy się kocami i legliśmy pod zadaszeniem lub na stryszku albo pod gołym niebem, jak kto wolał.

Niewiele spałem tej nocy. W mózgu tłoczyły mi się myśli. Czy to możliwe, że byłem tysiące mil od domu, że wleczono mnie po ulicach jak durne bydlę, że zostałem zakuty w łańcuchy i pobity bez litości, że znalazłem się pośród niewolniczego stada, sam będąc niewolnikiem? Czy wydarzenia ostatnich kilku tygodni były prawdziwe? Czy też śniłem jakiś długi, ponury sen? Nie miałem złudzeń. Oto przelała się czara goryczy. Uniosłem wówczas dłonie do Boga i w ciemnościach nocy, otoczony przez kształty moich śpiących towarzyszy, błagałem o zmiłowanie nad nieszczęsnym, opuszczonym więźniem. Do Wszechmocnego Ojca nas wszystkich — ludzi wolnych i niewolników — wznosiłem prośby zła-

manego ducha, błagając siły niebieskie, by zdjęły
ze mnie ten ciężar. Modliłem się aż do
chwili, gdy światło poranka obudziło więźniów, rozpoczy-
nając kolejny dzień
niewoli.

◊

ROZDZIAŁ VI

PRZEDSIĘBIORSTWO FREEMANA — CZYSTOŚĆ I UBRANIA — ĆWICZENIA NA POKAZACH — TANIEC — BOB, SKRZYPEK — PRZYJAZD KLIENTÓW — BADANIE NIEWOLNIKÓW — STARY DŻENTELEMEN Z NOWEGO ORLEANU — SPRZEDAŻ DAVIDA, CAROLINE I LETHE — ROZDZIELENIE RANDALLA I ELIZY — OSPA — SZPITAL — WYZDROWIENIE I POWRÓT DO ZAGRODY NIEWOLNICZEJ FREEMANA — NABYWCA ELIZY, HARRY'EGO I PLATTA — AGONIA ELIZY ODERWANEJ OD MAŁEJ EMILY

Pan **Theophilus Freeman**, szalenie sympatyczny i pobożnego serca, partner lub odbiorca Jamesa H. Burcha oraz właściciel zagrody niewolniczej w Nowym Orleanie, wcześnie rano sprawdzał stan swojego inwentarza. Od czasu do czasu kopiąc starszych mężczyzn i kobiety, a także świszcząc ostro batem nad uszami młodszych niewolników, szybko postawił wszystkich na nogi. Pan Theophilus Freeman krzątał się w bardzo gospodarski sposób, przygotowując swoją własność na sprzedaż. Bez wątpienia miał zamiar zrobić tego dnia dobry interes.

Przede wszystkim kazano nam się porządnie umyć, a tym, którzy mieli brody, ogolić. Następnie każdy dostał nowe ubranie, tanie, ale czyste. Mężczyźni otrzymali kapelusz, płaszcz, koszulę, spodnie i buty; kobiety perkalowe sukienki i chusty do owinięcia głów. Potem poprowadzono nas do dużego pomieszczenia we frontowej części budynku, do którego przylegało podwórze, by przed przybyciem klientów odpowiednio nas wyszkolić. Mężczyźni zostali ustawieni po jednej stronie pomieszczenia, kobiety po drugiej. Najwyżsi znaleźli się na czele rzędu, następnie kolejni i tak dalej, według wzrostu. Emily znalazła się na samym końcu rzędu kobiet. Freeman pouczył nas, byśmy zapamiętali nasze miejsca; przypomniał, abyśmy sprawiali wrażenie bystrych i krzepkich — czasami grożąc, później zachęcając na różne sposoby. W ciągu tego dnia ćwiczył nas w „wyglądaniu na bystrych" i przechodzeniu na nasze miejsca z odpowiednią precyzją.

Po południu, gdy już nas nakarmiono, znów paradowaliśmy; kazano nam też tańczyć. Bob, kolorowy chłopak, który od jakiegoś czasu należał do Freemana, grał na skrzypcach. Stojąc obok niego, ośmieliłem się zapytać, czy mógłby zagrać *Virginia Reel*. Odpowiedział, że nie, i zapytał, czy ja mógłbym. Gdy odpowiedziałem twierdząco, podał mi skrzypce. Zagrałem tę melodię. Freeman nakazał mi grać dalej i wydawał się bardzo zadowolony. Powiedział Bobowi, że dalece go przewyższam — uwaga ta chyba bardzo zasmuciła mojego towarzysza w muzyce.

Następnego dnia przybyło wielu klientów, by obejrzeć „nowy towar" Freemana. Handlarz mówił wiele, rozwodził się nad naszymi zaletami i jakością. Kazał nam unosić głowy, chodzić energicznie w tę i z powrotem, podczas gdy klienci dotykali naszych rąk, ramion i ciał, obracali nas dookoła, pytali, co potrafimy robić, kazali otwierać usta, by obejrzeć nasze zęby, dokładnie tak, jak jeździec ogląda konia, którego zamierza nabyć. Od czasu do czasu jakiś mężczyzna lub kobieta byli zabierani do małego domku na podwórzu, rozbierani i badani bardziej szczegółowo. Blizny na plecach niewolnika uważane były za dowód buntowniczego oraz niepokornego ducha i utrudniały sprzedaż.

Ja wyraźnie spodobałem się staremu dżentelmenowi, który powiedział, że potrzebuje woźnicy. Z jego rozmowy z Freemanem dowiedziałem się, że mieszka w tym mieście. Bardzo pragnąłem, by mnie kupił, ponieważ zakładałem, że nie byłoby mi trudno uciec z Nowego Orleanu na Północ. Freeman zażądał za mnie tysiąca pięciuset dolarów. Starszy pan utrzymywał, że to zbyt dużo, jak na te ciężkie czasy, Freeman jednak oświadczył, że jestem zdrowy i silny, dobrej budowy i inteligentny. Zaznaczył również, że jestem utalentowany muzycznie. Stary dżentelmen kłócił się całkiem zręcznie, że to nic nadzwyczajnego jak na czarnucha, i wreszcie, ku memu żalowi, odszedł, zapowiadając, że jeszcze tu zajrzy. Jednakże w ciągu dnia zawarto wiele transakcji. David i Caroline zostali kupieni razem na plantację Natcheza. Opuścili nas, uśmiechając się szeroko, bardzo szczęśliwi, ponieważ ich nie rozdzielono. Lethe została sprzedana plantatorowi z Baton Rouge. Gdy ją odprowadzano, jej oczy błyszczały gniewem.

Ten sam człowiek kupił również Randalla. Malcowi kazano skakać i biegać po podłodze, i wykonywać wiele innych ćwiczeń uwypuklających jego energię oraz kondycję. Przez cały czas trwania targów o niego Eliza głośno płakała i zaciskała dłonie. Błagała tego człowieka, by go nie kupował, chyba że kupi również ją i Emily. Obiecała, że w takim wypadku będzie najwierniejszą niewolnicą na świecie. Mężczyzna odpowiedział, że go na to nie stać i Eliza poddała się całkowicie rozpaczy, szlochając żałośnie. Freeman odwrócił się do niej, wściekły, z batem w uniesionej ręce, grożąc, że albo zamilknie, albo ją wychłoszcze. Mówił, że ma dosyć tego chlipania i jeśli Eliza nie uspokoi się w ciągu minuty, zabierze ją na podwórze i wymierzy sto batów. Tak, bardzo szybko udało mu się ją uciszyć — gdyby tego nie zrobił, Eliza mogłaby zginąć. Kobieta skuliła się przed nim i próbowała otrzeć łzy, ale na próżno. Chciała być razem z dziećmi, powiedziała, przez ten krótki czas, który jej został. Żadne miny i pogróżki Freemana nie mogły całkowicie uciszyć udręczonej matki. Żebrała i w najbardziej żałosny sposób błagała, by nie rozdzielać ich trójki. Wciąż i wciąż mówiła, że kocha swojego synka. Wiele razy powtórzyła też swoją wcześniejszą obietnicę — jak bardzo będzie wierna i posłuszna; jak ciężko będzie pracować dzień i noc, do końca życia, jeśli tylko kupi ich razem. Ale daremnie; ten mężczyzna nie mógł sobie na to pozwolić. Dobito targu i Randall musiał jechać sam. Wtedy Eliza podbiegła do niego, objęła go żarliwie i całowała bez ustanku; przykazała mu, by ją pamiętał, a jej łzy spływały na twarz chłopca jak deszcz.

Freeman przeklął ją, nazywając bełkoczącą, wrzaskliwą dziewuchą; kazał jej wracać na miejsce i zachowywać się. Przysięgał, że nie zniesie takiego zachowania ani chwili dłużej. Jeśli Eliza nie będzie uważać, to zaraz da jej powód do płaczu, *tego* mogła być pewna.

Plantator z Baton Rouge był gotów do wyjścia wraz ze swoim nowym nabytkiem.

— Nie płacz, mamo. Będę grzeczny. Nie płacz — powiedział Randall, oglądając się w drzwiach przez ramię.

Bóg jeden wie, co się stało z tym chłopcem. Była to bardzo przygnębiająca scena. Sm bym płakał, gdybym miał śmiałość.

Tej nocy niemal wszyscy, którzy przypłynęli na brygu *Orlean*, zachorowali. Skarżyli się na ostry ból głowy i pleców. Mała Emily — rzecz u niej niespotykana — bez przerwy płakała. Rano wezwano doktora, jednak nie potrafił on określić natury naszego schorzenia. Gdy mnie badał i wypytywał o symptomy, wyraziłem opinię, że był to atak ospy, wspominając, że powodem mojego przekonania jest zgon Roberta. Tak może być w istocie, uznał, i posłał po głównego doktora miejscowego szpitala. Wkrótce człowiek ten przybył — niski osobnik o jasnych włosach, do którego zwracano się „doktorze Carr". Potwierdził, że to ospa, wzbudzając wielkie poruszenie na podwórzu. Zaraz po jego wyjściu Elizę, Emmy, Harry'ego oraz mnie wsadzono na wóz i zawieziono do szpitala, dużego budynku z białego marmuru, stojącego na obrzeżach miasta. Harry'ego i mnie umieszczono w pokoju na jednym z wyższych pięter. Bardzo się rozchorowałem. Przez trzy dni byłem całkowicie ślepy. Gdy jednego dnia leżałem w tym strasznym stanie, przyszedł Bob. Freeman przysłał go, żeby spytał, jak się czujemy.

— Przekaż mu — powiedział doktor Carr — że z Plattem jest bardzo źle, ale jeśli przeżyje do dziewiątej, to ma szansę wyzdrowieć.

Spodziewałem się, że umrę. Choć czekające mnie życie nie wydawało się wiele warte, bliskość śmierci mnie przygnębiła. Pomyślałem, że mógłbym oddać życie na łonie mojej rodziny — ale doświadczyć czegoś takiego pośród obcych? W takich okolicznościach?

W szpitalu przebywało bardzo wielu ludzi, obu płci i w każdym wieku. Na tyłach budynku produkowano trumny. Gdy ktoś umierał, rozlegał się dzwon — sygnał dla przedsiębiorcy pogrzebowego, by przyszedł i zabrał ciało na cmentarz. Melancholijny głos dzwonu rozlegał się wielokrotnie, we dnie i w nocy, ogłaszając kolejne zgony. Jednak mój czas nie nadszedł. Kryzys minął, zacząłem wracać do życia, a po dwóch tygodniach i dwóch dniach wróciłem wraz Harrym do zagrody, z twarzą poznaczoną śladami choroby, które szpecą ją do dziś. Następnego dnia wróciły również Eliza i Emily, i znów paradowaliśmy po pokoju wystawowym, oceniani przez klientów. Wciąż miałem w sobie nadzieję, iż dżentelmen potrzebujący woźnicy wróci, jak obiecał, i mnie kupi. Czułem przemożną pewność, że w tym przypadku szybko odzyskałbym wolność. Nabywca wchodził po nabywcy, ale stary dżentelmen się nie pojawił.

Wreszcie któregoś dnia, gdy przebywaliśmy na podwórzu, Freeman kazał nam zająć miejsca w dużym pokoju. Gdy weszliśmy, czekał już na nas pewien dżentelmen, a jako że w toku tej opowieści często będę o nim wspominał, nie od rzeczy będzie opis jego wyglądu oraz moja ocena jego charakteru, którą poczyniłem na podstawie pierwszego wrażenia.

Był to mężczyzna o wzroście powyżej przeciętnej, nieco przygarbiony i pochylający się do przodu. Był przystojny, osiągnął już wiek średni. W jego powierzchowności nie było nic odpychającego; z drugiej jednak strony w twarzy oraz głosie nie miał nic radosnego ani atrakcyjnego. Najlepsze rzeczy mieściły się w jego piersi, co każdy mógł dostrzec. Podszedł do nas, zadawał wiele pytań, jak i co potrafimy robić oraz do jakich zajęć jesteśmy przyzwyczajeni; czy sądzimy, że chcielibyśmy z nim mieszkać i czy bylibyśmy grzeczni, gdyby nas kupił — oraz wiele podobnych pytań.

Po dalszej inspekcji i targach zaproponował Freemanowi tysiąc dolarów za mnie, dziewięćset za Harry'ego i siedemset za Elizę. Nie potrafię powiedzieć, czy to ospa umniejszyła naszą wartość, czy też Freeman z innego powodu zgodził się spuścić pięćset dolarów z ceny, jaką za mnie wcześniej wyznaczył. W każdym razie po krótkim namyśle przyjął ofertę.

Gdy tylko usłyszała to Eliza, znów wpadła w rozpacz. Z powodu choroby i smutku bardzo zmizerniała i miała zapadnięte oczy... Z ulgą pominę tę scenę milczeniem. Budzi wspomnienia tak rozpaczliwe i poruszające, iż nie jest ich w stanie oddać żaden język. Widywałem matki całujące po raz ostatni twarzyczki swego zmarłego potomstwa; widywałem, jak patrzą w głąb grobu, gdy ziemia z głuchym odgłosem uderza o trumienkę, na zawsze skrywając ich dzieci; nigdy jednak nie widziałem tak intensywnego, niezmierzonego i nieutulonego żalu, jak wtedy, gdy Elizę zabrano od jej dziecka. Wyrwała się ze swego miejsca w szeregu kobiet i pobiegła tam, gdzie stała Emily, chwytając ją w objęcia. Dziecko, wyczuwając zbliżające się niebezpieczeństwo, instynktownie opasało ramionkami szyję matki i wtuliło swoją małą główkę w jej pierś. Freeman ostro kazał jej się uciszyć, ale Eliza nie zwróciła na niego uwagi. Złapał ją za ramię i szarpnął brutalnie, ale tylko mocniej przygarnęła do siebie dziecko. Potem, przeklinając straszliwie, uderzył ją tak potężnie, że aż ją odrzuciło i niemal upadła. Och! Jak żałośnie poczęła wówczas prosić, błagać i zaklinać, by ich nie rozdzielano. Dlaczego nie mogą zostać kupione razem? Dlaczego nie pozwolą jej zatrzymać choć jednego z jej ukochanych dzieci?

— Panie, litości, litości! — zawodziła, padłszy na kolana. — Panie, proszę, kup Emily. Jeśli mi ją zabierzecie, nie będę mogła pracować: umrę.

Freeman znów interweniował, ale ignorując go, wciąż błagała żarliwie, opowiadając, jak zabrano jej Randalla — że już nigdy go nie zobaczy, i że nie można — o Boże! — nie można zabrać jej od Emily, jej dumy, jej jedynego słoneczka, które było zbyt młode, by żyć bez matki. To zbyt okrutne!

Wreszcie po wielu dalszych prośbach nabywca Elizy zrobił krok do przodu, wyraźnie poruszony, i powiedział Freemanowi, że kupi Emily. Zapytał go o cenę.

— Jaka jest jej *cena*? *Kupić* ją? — zapytał Theophilus Freeman i zaraz sam udzielił odpowiedzi. — Nie sprzedam jej. Nie jest na sprzedaż.

Mężczyzna przyznał, że nie potrzeba mu tak młodej niewolnicy, że nie miałby z niej pożytku, ale skoro jej matka tak ją kocha, to zamiast je rozdzielać, zapłaci rozsądną cenę. Freeman był jednak całkowicie głuchy na tę miłosierną propozycję. Nie sprzeda jej za żadną cenę. Gdy będzie kilka lat starsza, powiedział, dostanie za nią górę pieniędzy. W Nowym Orleanie było wielu mężczyzn, którzy dadzą pięć tysięcy dolarów za taki śliczny, słodki, uroczy cukiereczek, jakim stanie się Emily. Nie, nie, nie sprzeda jej. Była pięknością jak z obrazka, laleczką dobrej krwi, a nie jedną z tych wielkogłowych Murzynek o mięsistych wargach, zbierających bawełnę.

Gdy Eliza usłyszała, że Freeman jest zdecydowany odebrać jej Emily, wpadła w istny obłęd.

— *Nie pojadę* bez niej. *Nie zabiorą* mi jej — wykrztusiła ze ledwością. Jej zachrypnięty głos mieszał się z głośnym i rozzłoszczonym głosem Freemana, który nakazywał jej zamilknąć.

W tym czasie Harry i ja przebywaliśmy na podwórzu. Właśnie przynieśliśmy nasze koce, i staliśmy w drzwiach, gotowi do wyjścia. Nasz nabywca stał obok z miną wskazującą na to, że żałuje, iż kupił Elizę za cenę takiej rozpaczy. Czekaliśmy przez jakiś czas, aż wreszcie Freeman stracił cierpliwość i siłą wyszarpnął Emily matce, choć trzymały się siebie z całej mocy.

— Mamo, nie zostawiaj mnie, nie zostawiaj mnie! — rozpłakało się dziecko, gdy Elizę brutalnie popchnięto do przodu. — Nie zostawiaj mnie, mamo! — płakała ciągle, wyciągając przed siebie małe rączki. Ale płakała na próżno. Szybko wyprowadzono nas na ulicę. Wciąż jednak słyszeliśmy, jak Emmy woła matkę: „Wracaj, nie zostawiaj mnie! Mamo, wracaj!", aż jej dziecinny głosik zaczął cichnąć, tłumiony przez rosnącą odległość, i wreszcie całkiem zamilkł.

Eliza nigdy już nie ujrzała Emily oraz Randalla ani nie miała o nich wieści. Jednak nawet na moment o nich nie zapomniała. Czy to na polu bawełny, czy to w chacie, zawsze i wszędzie mówiła o nich — często też *do* nich, jakby wciąż byli obok. Tylko wtedy, gdy pogrążała się w tym złudzeniu lub zasypiała, miała chwilę wytchnienia.

Jak już powiedziałem, nie była zwykłą niewolnicą. Do dużej, posiadanej przez nią z natury inteligencji dodać trzeba ogólną wiedzę; miała informacje na wiele tematów. Cieszyła się możliwościami, które przypadły w udziale bardzo niewielu z jej uciśnionej klasy. Wychowała się w regionach lepszego życia. Wolność — wolność dla niej i jej potomstwa — przez wiele lat dawała jej cień w ciągu dnia i ogrzewała w nocy. Podczas swojej pielgrzymki przez dzicz niewoli wpatrywała się w to podtrzymujące nadzieję światło, aż wreszcie dotarła „na szczyt Nebo" i ujrzała „ziemię obiecaną". Nieoczekiwanie została przywalona rozczarowaniem i rozpaczą. Triumfalna wizja swobody znikała sprzed jej oczu, gdy wwiedziono ją w niewolę. Teraz zaś „płacze, płacze wśród nocy, na policzkach jej łzy, a nikt jej nie pociesza spośród wszystkich przyjaciół; zdradzili ją wszyscy najbliżsi i stali się wrogami".

◊

ROZDZIAŁ VII

PAROWIEC *RODOLPH* — WYJAZD Z NOWEGO ORLEANU — WILLIAM FORD — PRZYBYCIE DO ALEKSANDRII, NA RED RIVER — POSTANOWIENIA — WIELKIE LASY SOSNOWE — DZIKIE BYDŁO — LETNIA POSIADŁOŚĆ MARTINA — TEXAS ROAD — PRZYBYCIE DO PANA FORDA — ROSE — PANI FORD — SALLY I JEJ DZIECI — JOHN, KUCHARZ — WALTER, SAM I ANTONY — TARTAK NA INDIAN CREEK — DNI SZABATU — NAWRÓCENIE SAMA — POŻYTEK Z DOBROCI — SPŁYW — ADAM TAYDEM, MAŁY BIAŁY CZŁOWIEK — CASCALLA I JEGO PLEMIĘ — INDIAŃSKI BAL — JOHN M. TIBEATS — NADCHODZĄCA BURZA

Po opuszczeniu zagrody niewolniczej Harry i ja szliśmy za naszym nowym panem po ulicach, podczas gdy płacząca i próbująca zawracać Eliza była wleczona przez Freemana oraz jego sługi. W końcu znaleźliśmy się na pokładzie parowca *Rodolph*, który stał przy nadbrzeżu. Po pół godziny płynęliśmy szparko w górę Mississippi, w którymś momencie odbijając w Red River. Oprócz nas na pokładzie było wielu niewolników, świeżo kupionych w Nowym Orleanie. Pamiętam pana Kelsowa, który — zgodnie z tym, co mi powiedziano — był dobrze znanym, wielkim plantatorem; pilnował sporej grupy kobiet.

Nasz pan nazywał się William Ford. Mieszkał wówczas w Wielkich Lasach Sosnowych, w parafii Avoyelles, mieszczącej się na brzegu Red River, w sercu Luizjany. Obecnie jest kaznodzieją baptystów. W całej parafii Avoyelles, a zwłaszcza wzdłuż brzegów Bayou Boeuf, gdzie jest znany lepiej, uważany jest przez współmieszkańców za wartościowego kapłana. Przypuszczalnie dla wielu północnych umysłów idea człowieka niewolącego swego brata oraz handlu ludzkim mięsem może się wydawać nie do pogodzenia z koncepcjami moralności czy religii. Po opisach ludzi takich jak Burch czy Freeman, albo też innych, wcześniej wspomnianych, można by uznać, że cała klasa posiadaczy niewolników, bez wyjątku, godna jest pogardy. Jednak przez jakiś czas byłem niewolnikiem Williama Forda i miałem okazję poznać jego charakter oraz usposobienie. Wielkim uproszczeniem będzie, jeśli powiem, iż w mojej opinii nie ma człowieka lepszego, bardziej szlachetnego i uczciwszego, że nie ma lepszego chrześcijanina niż William Ford. Wpływy i związki, które zawsze go otaczały, zaślepiły go na zło tkwiące u podstaw systemu niewolniczego. Nigdy nie powątpiewał w moralne prawo człowieka do posiadania drugiego. Wychował się w takich samych warunkach, jak jego przodkowie, i widział rzeczy w tym samym świetle. Gdyby wzrastał w innych okolicznościach, poddany innym wpływom, jego zapatrywania bez wątpienia byłyby inne. Tym niemniej był wzorcowym panem, prostolinijnym i uczciwym, zgodnie ze swoim rozumieniem. Szczęsny był ten niewolnik, który został jego własnością. Gdyby wszyscy ludzie byli tacy jak on! Niewolnictwo nie byłoby ani w połowie tak gorzkie...

Na pokładzie parowca *Rodolph* spędziliśmy dwa dni i trzy noce. W tym czasie nie wydarzyło się nic szczególnie interesującego. Byłem znany jako Platt, które to miano nadał mi Burch i którym zwracano się do mnie przez cały okres mojej służby. Eliza została sprzedana pod nazwiskiem Dradey — tak mówił akt własności przeniesionej na Forda, co znajduje się w zapisach archiwum w Nowym Orleanie.

Podczas podróży bez przerwy zastanawiałem się nad swoją sytuacją i omawiałem sam ze sobą najlepsze sposoby na rychłą i nieuniknioną ucieczkę. Czasami, nie tylko wtedy, ale także i później, byłem bardzo bliski ujawnienia Fordowi mojej prawdziwej historii. Obecnie skłaniam się ku przekonaniu, iż byłoby to dla mnie z pożytkiem. Jednak z obawy przed niepowodzeniem nigdy się na to nie zdobyłem, aż wreszcie moje przeniesienie i jego kłopoty finansowe sprawiły, że byłoby to zdecydowanie niebezpieczne. Później, pod innymi panami, niepodobnymi do Williama Forda, dobitnie się przekonałem, że najmniejsza wzmianka o moim prawdziwym statusie natychmiast skazałaby mnie na najgłębsze otchłanie niewolnictwa. Byłem zbyt kosztowną ruchomością, żeby mnie tracić, i miałem świadomość, że zostałbym wywieziony gdzieś daleko, być może poza teksaską granicę, i sprzedany; że gdybym choćby szepnął o moim prawie do wolności, pozbyto by się mnie tak, jak koniokrad wyzbywa się skradzionego ogiera. Zdecydowałem więc, że nie zdradzę tej tajemnicy, że nigdy nawet słowem nie wspomnę o tym, kim lub czym jestem, ufając, że Opatrzność i mój własny spryt doprowadzą do mego wyzwolenia.

Wreszcie zeszliśmy z pokładu parowca na ląd, w miejscu nazwanym Alexandrią, kilkaset mil od Nowego Orleanu. To małe miasteczko na południowym brzegu Red River. Zostaliśmy tam na noc. Rano wsiedliśmy w pociąg i wkrótce znaleźliśmy się w Bayou Lamourie, znacznie mniejszym miasteczku, leżącym osiemnaście mil od Alexandrii. W owych czasach właśnie tam kończyły się tory kolejowe. Plantacja Forda położona była przy drodze na Teksas, dwanaście mil z Lamourie, w Wielkich Lasach Sosnowych. Tę odległość, jak nam oznajmiono, musieliśmy pokonać na piechotę, gdyż nie dochodzi tam transport publiczny. Wyruszyliśmy. Był to wyjątkowo upalny dzień. Harry, Eliza i ja byliśmy jeszcze osłabieni, a na skutek przebytej ospy mieliśmy bardzo wrażliwe podeszwy stóp. Posuwaliśmy się wolno. Ford powiedział, byśmy się nie spieszyli i odpoczywali, gdy tylko poczujemy taką konieczność — przywilej, z którego korzystaliśmy dość często. Po wyjściu z Lamourie i przecięciu dwóch plantacji, jednej należącej do pana Carnella, a drugiej do pana Flinta, dotarliśmy do Lasów Sosnowych — dziczy, która sięgała Sabine River.

Cały teren wzdłuż Red River jest nizinny i bagnisty. Lasy Sosnowe, jak je nazywają, znajdują się nieco wyżej. Wyniosłość ta porośnięta jest wieloma drzewami — białymi dębami, małymi drzewami przypominającymi kasztanowce, ale przede wszystkim żółtymi sosnami. Osiągają wielkie rozmiary, wystrzeliwując w niebo na sześćdziesiąt stóp, idealnie prosto. Lasy są pełne bydła, bardzo płochliwego i dzikiego. Na odgłosy zwiastujące nasze zbliżanie się uciekały w stadach z głośnym parskaniem. Niektóre sztuki zostały oznaczone lub napiętnowane, pozostałe są nieoswojone. Zwierzęta te są znacznie mniejsze od swoich pobratymców z Północy. Najbardziej moją uwagę przyciągnęły ich rogi — wyrastały po bokach głowy idealnie prosto, jak dwa żelazne szpikulce.

W południe dotarliśmy do oczyszczonej połaci ziemi wielkości trzech bądź czterech akrów. Wznosił się na niej niewielki, niepomalowany, drewniany dom, szopa na kukurydzę, czy też — jak my byśmy powiedzieli — stodoła, i kuchnia z bali, stojąca w pewnym oddaleniu od domu. Była to letnia posiadłość pana Martina. Bogaci plantatorzy, mający duże rezydencje nad Bayou Boeuf, zwykli spędzać w tych lasach cieplejszą porę roku. Mieli tutaj czyste wody i wspaniały cień. W istocie dla plantatorów z tej części kraju te wyjazdy są tym, czym dla bogatszych mieszkańców północnych miast Newport i Saratoga.

Zostaliśmy wysłani do kuchni i nakarmieni słodkimi ziemniakami, chlebem kukurydzianym oraz bekonem, podczas gdy pan Ford jadł wraz z Martinem w domu. Na terenie posesji było kilkoro niewolników. Martin wyszedł rzucić na nas okiem, pytając Forda o cenę każdego z nas i wypytując ogólnie o rynek niewolników.

Po długim odpoczynku poszliśmy dalej drogą na Teksas, która wydawała się bardzo mało uczęszczana.

Przez pięć mil szliśmy lasami, nie widząc ani jednego domostwa. Wreszcie gdy słońce chyliło się ku zachodowi, wyszliśmy na kolejny otwarty teren, wielkości jakichś dwunastu do piętnastu akrów.

Stał tutaj dom znacznie większy od tego należącego do pana Martina. Miał dwa piętra i plac od frontu. Na tyłach również znajdowała się kuchnia, a także kurnik, stodoła oraz kilka chat dla czarnych. Przy domu rósł sad brzoskwiniowy, a w ogrodzie owocowały drzewka pomarańczowe i granaty. Przestrzeń była całkowicie otoczona lasami i pokryta dywanem bujnej, wypielęgnowanej roślinności. Było to ciche, samotne, urocze miejsce — zaiste oaza w głuszy. Była to posiadłość mojego pana, Williama Forda.

Gdy się zbliżaliśmy, na placu stała żółta dziewczyna. Na imię miała Rose. Podeszła do drzwi i zawołała swoją panią, która zaraz wybiegła na spotkanie swojego małżonka. Pocałowała go i ze śmiechem spytała, czy kupił „tych Murzynów". Ford odpowiedział, że owszem. Następnie kazał nam iść do chaty Sally i odpocząć. Wyszedłszy zza narożnika, zobaczyliśmy, że Sally robi pranie, a obok na trawie baraszkuje dwójka jej dzieci. Podskoczyły i kołyszącym się krokiem ruszyły w naszą stronę. Patrzyły na nas przez chwilę jak parka królików, a potem uciekły do matki, jakby się nas przestraszyły.

Sally zaprowadziła nas do chaty, poleciła, żebyśmy położyli nasze rzeczy i usiedli, bo z pewnością jesteśmy zmęczeni. Zaraz potem wpadł tam John, kucharz, chłopak może szesnastoletni i czarniejszy od kruka. Rzucił okiem na nasze twarze i nie mówiąc nic poza „jak się macie?", zawrócił i pognał z powrotem do kuchni, śmiejąc się głośno, jakby nasze przybycie było wyśmienitym żartem.

Gdy tylko się ściemniło, Harry i ja, obaj mocno znużeni przechadzką, owinęliśmy się kocami i położyliśmy na podłodze chaty. Moje myśli jak zwykle powędrowały ku żonie i dzieciom. Przygniatała mnie świadomość sytuacji; bezsens podejmowania jakiejkolwiek próby ucieczki przez dzikie lasy Avoyelles. Jednak moje serce było w domu, w Saratodze.

Wcześnie rano obudził mnie głos pana Forda, wołającego Rose. Pospieszyła do domu, by ubrać dzieci. Sally poszła na pole wydoić krowy, a John w kuchni przygotowywał śniadanie. W tym czasie Harry i ja kręciliśmy się po podwórzu, oglądając nasze nowe kwatery. Zaraz po śniadaniu na teren wjechał kolorowy mężczyzna, powożący trzema wołami zaprzęgniętymi do wyładowanego drewnem wozu. Był to niewolnik Forda, Walton, mąż Rose. Na marginesie: Rose pochodziła z Waszyngtonu i została przywieziona stamtąd pięć lat wcześniej. Nigdy nie widziała Elizy, ale słyszała o Berrym i znała te same ulice oraz tych samych ludzi, jednych osobiście, innych ze słyszenia. Kobiety szybko się zaprzyjaźniły i wiele rozmawiały o starych czasach i przyjaciołach, których zostawiły.

Ford w owych czasach był bogatym człowiekiem. Poza siedzibą w Lasach Sosnowych miał duży tartak nad Indian Creek, odległy o cztery mile, a także zapisaną na żonę rozległą plantację i wielu niewolników nad Bayou Boeuf.

Walton przyjechał z Indian Creek wraz ze swoim ładunkiem drewna. Ford polecił, byśmy wrócili razem z nim, zapewniając, że dołączy do nas tak szybko, jak to możliwe. Zanim wyszliśmy, pani Ford zawołała mnie do spiżarni i dała po cynowym kubku melasy dla Harry'ego i dla mnie.

Eliza wciąż załamywała ręce i rozpaczała nad utratą dzieci. Ford bardzo starał się ją pocieszyć — powiedział, że nie musi ciężko pracować; że może zostać z Rose i pomagać pani w pracach domowych.

Jadąc wraz z Waltonem na wozie, Harry i ja nieźle zapoznaliśmy się z nim na długo przed dotarciem do Indian Creek. Walton urodził się jako niewolnik Forda i mówił o nim dobrze i z uczuciem, jak dziecko mówiłoby o swoim ojcu. Na pytanie, skąd jestem, odpowiedziałem, że z Waszyngtonu. Wiele słyszał o tym mieście od swojej żony, Rose, i przez całą drogą zasypywał mnie zdumiewającymi i absurdalnymi pytaniami.

Po dotarciu do tartaku w Indian Creek zastaliśmy tam jeszcze dwóch niewolników Forda: Sama i Antony'ego. Sam także pochodził z Waszyngtonu i przyjechał w tym samym transporcie, co Rose. Pracował na farmie w pobliżu Georgetown. Antony był kowalem z Kentucky, który w służbie swego obecnego pana był od dziesięciu lat. Sam znał Burcha, a gdy poinformowałem go, że to właśnie ten handlarz wysłał mnie z Waszyngtonu, bez trudu zgodziliśmy się w temacie jego nadzwyczajnego łajdactwa. Sprzedał on również Sama.

Po tym, jak na miejsce dotarł Ford, zostaliśmy zatrudnieni przy układaniu drewna i rozszczepianiu kłód, czym zajmowaliśmy się przez lato.

Szabat zwykle spędzaliśmy przy domu. W ten dzień pan zbierał przy sobie wszystkich niewolników, a potem czytał i objaśniał Pismo. Chciał zaszczepić w naszych umysłach dobroć wobec siebie nawzajem i świadomość, że należy pokładać ufność w Bogu, wskazując na nagrody obiecane tym, którzy wieść będą życie uczciwe i wypełnione modlitwą. Siedząc w drzwiach domu, otoczony przez służących i służące, którzy śmiało spoglądali w twarz tego dobrego człowieka, mówił o miłości i dobroci Stwórcy, i o przyszłym życiu. Często wznosił do nieba modlitwy — były to jedyne dźwięki, które mąciły panującą na placu ciszę.

Przez lato Sam stał się głęboko wierzący; jego umysł intensywnie pracował nad kwestią religii. Jego żona dała mu Biblię, którą nosił ze sobą do pracy. Przeglądał ją, gdy tylko znalazł wolną chwilę, choć miał wielkie trudności z czytaniem. Często to ja mu czytałem, za co był mi niewymownie wdzięczny; okazywał to na wiele sposobów. Pobożność Sama zauważali biali ludzie, którzy przychodzili do tartaku. Najczęściej mówili, że taki człowiek jak Ford, który pozwala swoim niewolnikom na posiadanie Biblii, „nie pasuje do własnego czarnucha".

On jednak nic nie tracił na swojej dobroci. Wielokrotnie zauważyłem, że ci, którzy łagodnie traktowali swoich niewolników, wynagradzani byli ich najcięższą pracą. Wiem to z własnego doświadczenia. Bardzo przyjemnie było zaskoczyć pana Forda tym, że w ciągu dnia zrobiło się więcej, niż się miało, podczas gdy pod późniejszymi panami do większego wysiłku nakłaniał mnie wyłącznie bicz nadzorcy.

To właśnie chęć usłyszenia uradowanego głosu Forda skłoniła mnie ku pomysłowi, który przyniósł mu taką korzyść. Drewno, które produkowaliśmy, było dostarczane do Lamourie. Dotychczas było ono transportowane lądem, co stanowiło znaczny wydatek. Indian Creek, przy którym mieścił się tartak, był strumieniem wąskim, ale głębokim, który uchodził do Bayou Boeuf. Miejscami miał najwyżej dwanaście stóp szerokości i przegradzało go wiele obalonych drzew. Bayou Boeuf łączyła się z Bayou Lamourie. Obliczyłem, że odległość od tartaku do miejsca nad tą drugą zatoką, do którego trafiało nasze drewno, wynosiła tylko o kilka mil mniej lądem niż wodą. Przyszło mi do głowy, że gdyby oczyścić strumień tak, by dało się nim spławiać belki, to koszt transportu uległby znacznemu obniżeniu.

Brygadzistą i nadzorcą tartaku był Adam Taydem — mały, biały człowiek, który był żołnierzem na Florydzie, zanim trafił w tę odległą okolicę. Wyśmiał ten pomysł. Jednak gdy przedstawiłem go Fordowi, mój pan chętnie mnie wysłuchał i pozwolił na eksperyment.

Usunąłem przeszkody i zbudowałem wąską tratwę z dwunastu bali. Uważam, że znam się na tym, nie zapomniałem bowiem tego, czego lata wcześniej nauczyłem się na Champlain Canal. Ciężko pracowałem i bardzo mi zależało, by odnieść sukces, zarówno ze względu na chęć uradowania mojego pana, jak i pokazania Adamowi Taydemowi, że mój plan nie był tak oderwany od rzeczywistości, jak to on bez ustanku powtarzał. Jedną ręką można poprowadzić trzy kłody. Wziąłem więc trzy na przód i zacząłem spływ w dół potoku. W przewidzianym czasie wpłynąłem do pierwszego *bayou*. Ostatecznie do celu dotarłem w czasie krótszym, niż przewidywałem.

Przybycie tratwy do Lamourie wzbudziło sensację, a pan Ford pochwalił mnie gorąco. Na wszystkie strony opowiadał, że jestem „najbystrzejszym Murzynem w Lasach Sosnowych" — w gruncie rzeczy to w Fulton nad Indian Creek. Nie byłem nieczuły na pochwały, których mi nie szczędził, a szczególnie cieszyłem się zwycięstwem nad Taydemem, którego na wpół złośliwe ośmieszanie raniło moją dumę. Od tej chwili aż do momentu wypełnienia kontraktu całkowita kontrola nad spławianiem drewna do Lamourie spoczywała w moich rękach.

Indian Creek na całej długości przepływa przez wspaniałe lasy. Na jego brzegach żyje plemię Indian, niedobitki Chickasaw bądź Chickopee, o ile mnie pamięć nie myli. Mieszkają w prostych chatach, mających od dziesięciu do dwunastu stóp kwadratowych, zbudowanych z sosnowych gałęzi i krytych korą. Utrzymują się przy życiu głównie dzięki mięsu jeleni, szopów i oposów, których to zwierząt w tutejszych lasach jest pod dostatkiem. Czasami wymieniają u plantatorów znad zatoki dziczyznę na trochę kukurydzy i whisky. Zwykle ubierają się w spodnie z jeleniej skóry i zapinane od góry do dołu płóciennie myśliwskie koszule w fantastycznych kolorach. Na nadgarstkach noszą mosiężne pierścienie, tak samo w uszach i w nosach. Kobiety ubierają się bardzo podobnie. Kochają się w psach i koniach;

koni mają wiele, małych i wytrzymałych. Są świetnymi jeźdźcami. Uzdy, popręgi i siodła robią z niewyprawionej skóry zwierząt; strzemiona z pewnego rodzaju drewna. Widziałem, jak mężczyźni i kobiety, usadowieni na grzbietach swoich koników, z pełną szybkością wypadali spomiędzy drzew, gnając wąskimi dróżkami i ocierając się o drzewa w sposób przyćmiewający najwspanialsze osiągnięcia cywilizowanego jeździectwa. Echo niesie ich okrzyki, gdy tak krążą we wszystkich kierunkach, aż wreszcie wracają z tą samą oślepiającą prędkością, z jaką zniknęli. Ich wioska znajdowała się nad Indian Creek i zwana była Indian Castle, jednak ich zasięg rozciągał się do Sabine River. Od czasu do czasu z wizytą pojawiało się plemię z Teksasu. Wówczas w Wielkich Lasach Sosnowych zaczynało się prawdziwe święto. Wodzem plemienia był Cascalla; drugim w hierarchii — jego zięć, John Baltese; z jednym i z drugim, jak również z wieloma innymi członkami plemienia, zaznajomiłem się podczas częstych swoich podróży z drewnem. Sam i ja często odwiedzaliśmy ich po pracy. Pozostawali posłuszni wodzowi; słowo Cascalli było dla nich prawem. Byli to ludzie szorstcy, lecz nieszkodliwi, i cieszyli się swoim dzikim stylem życia. Interesowały ich otwarte przestrzenie oraz oczyszczone ziemie na brzegach *bayou*, ale woleli skrywać się w leśnych cieniach. Czcili Wielkiego Ducha, uwielbiali whisky i byli szczęśliwi.

Pewnego razu, kiedy w wiosce zatrzymali się poganiacze przepędzający bydło z Teksasu, byłem świadkiem ich tańca. Nad wielkim ogniskiem, które rzucało blask daleko na drzewa, pod którymi się rozłożyli, piekła się cała jelenia tusza. Uformowali krąg — na zmianę mężczyzna i kobieta — i rozległo się coś w rodzaju indiańskich skrzypek o niemożliwym do opisania tonie. Był to powtarzający się, melancholijny, falujący dźwięk, niemal pozbawiony ozdobników. Przy pierwszej nucie — o ile w całej tej melodii była więcej niż jedna nuta — zaczęli się obracać, truchtając jedno za drugim i wydając głęboki zaśpiew, równie trudny do opisania, jak muzyka skrzypiec. Pod koniec trzeciego okrążenia nagle się zatrzymali, krzyknęli, jakby pękały im płuca, potem złamali szyk i połączyli się w pary — mężczyzna i squaw. Każde odskoczyło od drugiego tak daleko, jak to możliwe, a potem skokiem wróciło. Powtórzywszy to zgrabnie dwa lub trzy razy, uformowali krąg i znów zaczęli truchtać w koło. Za najlepszych tancerzy uważano, zdaje się, tych, którzy krzyczeli najgłośniej, skakali najdalej i wydawali z siebie najbardziej przejmujący dźwięk. W przerwach niektórzy opuszczali taneczny krąg i podchodzili do ogniska, odcinając sobie ze skwierczącej tuszy po kawałku mięsiwa.

W wyciętej w pniu obalonego drzewa dziurze, uformowanej jak moździerz, utłukli drewnianym tłuczkiem kukurydzę oraz upiekli ciasto do posiłku. Na zmianę tańczyli i jedli. W ten sposób mroczni synowie i córy Chicopee zabawiali gości z Teksasu. I tak właśnie wyglądał indiański bal w Lasach Sosnowych Avoyelles, który zdarzyło mi się oglądać osobiście.

Jesienią zostawiłem tartak i zostałem zatrudniony w innym charakterze. Któregoś dnia pani zaczęła ponaglać Forda, by zdobył krosna, żeby Sally mogła zacząć tkać materiał na zimowe ubrania dla niewolników. Mój pan nie miał pojęcia, gdzie można by je znaleźć. Zasugerowałem, że najprościej byłoby je zrobić, informując go jednocześnie, że jestem swego rodzaju złotą rączką i za jego pozwoleniem spróbuję. Udzielił mi go bardzo chętnie i pozwolił udać się na sąsiednią plantację, żebym mógł się przyjrzeć takiemu urządzeniu, zanim podejmę próbę. Wreszcie skończyłem. Sally oświadczyła, że są doskonałe. Z łatwością mogła codziennie utkać czterdzieści jardów materiału, wydoić krowy i jeszcze mieć czas na odpoczynek. Krosna działały tak dobrze, że budowałem kolejne, zabierane następnie na plantację nad *bayou*.

W owym czasie do domu pana przybył John M. Tibeats, stolarz, który miał tam pewne rzeczy do zrobienia. Polecono mi zostawić krosna i mu pomagać. Spędziłem w jego towarzystwie dwa tygodnie, heblując i dopasowując deski na sufit. W parafii Avoyelles otynkowane pomieszczenia są raczej rzadkością.

John M. Tibeats różnił się od Forda pod każdym względem. Był małym, opryskliwym, porywczym i złośliwym osobnikiem. Nie miał stałego miejsca zamieszkania, ale jeździł od plantacji do plantacji tam, gdzie mógł znaleźć zajęcie. Nie miał poparcia w społeczności, nie szanowali go ani biali, ani czarni. Był głupi i mściwego usposobienia. Opuścił parafię na długo przede mną i nie wiem, czy obecnie żyje, czy też nie. Z pewnością jednak dzień, w którym się spotkaliśmy, był dla mnie wyjątkowo pechowy. Podczas mojej służby dla pana

Forda widziałem tylko jasną stronę niewolnictwa. Mój pan nie wgniatał nas ciężką ręką w ziemię. *On* wskazywał w górę i łagodnymi, krzepiącymi słowami polecał nas jako swych towarzyszy, śmiertelnych jak on sam, Stwórcy nas wszystkich. Myślę o nim z uczuciem. Gdyby była ze mną moja rodzina, to w jego łagodnej służbie bez szemrania mógłbym dożyć kresu dni. Jednak na horyzoncie zbierały się chmury zwiastujące bezlitosną burzę, która wkrótce miała się rozpętać nad moją głową. Byłem skazany, by cierpieć najbardziej gorzkie koleje losu, jakich tylko niewolnik może zaznać, i utracić to relatywnie szczęśliwe życie, jakie wiodłem w Wielkich Lasach Sosnowych.

◊

ROZDZIAŁ VIII

KŁOPOTY FORDA — ODSPRZADAŻ TIBEATSOWI — ZASTAW RUCHOMOŚCI — PLANTACJA PANI FORD NAD BAYOU BOEUF — PETER TANNER, SZWAGIER FORDA — SPOTKANIE Z ELIZĄ — WCIĄŻ PŁACZE ZA SWOIMI DZIEĆMI — CHAPIN, NADZORCA FORDA — PRZEMOC ZE STRONY TIBEATSA — BECZKA GWOŹDZI — PIERWSZE STARCIE Z TIBEATSEM — JEGO KONSTERNACJA I CHŁOSTA — PRÓBA POWIESZENIA MNIE — INGERENCJA I PRZEMOWA CHAPINA — PONURE PRZEMYŚLENIA — NAGŁY WYJAZD TIBEATSA, COOKA I RAMSAYA — LAWSON I BRĄZOWY MUŁ — WIADOMOŚĆ DO LASÓW SOSNOWYCH

William Ford popadł, niestety, w kłopoty finansowe. Podniesiono przeciwko niemu ciężkie oskarżenie, co było konsekwencją podżyrowania pożyczki dla jego brata, Franklina Forda, mieszkającego nad Red River, powyżej Alexandrii, który nie zdołał wywiązać się ze swoich zobowiązań. Był również poważnie zadłużony u Johna M. Tibeatsa, który zajmował się budową tartaku na Indian Creek oraz suszarni kukurydzy, a także innych budynków na plantacji w Bayou Boeuf, jeszcze nieukończonych. Wówczas okazało się konieczne, żeby zaspokoić te żądania, pan Ford musiał pozbyć się osiemnastu niewolników, także mnie. Siedemnaścioro, w tym Sama i Harry'ego, sprzedano Peterowi Komptonowi, plantatorowi również mieszkającemu nad Red River.

Mnie sprzedano Tibeatsowi, bez wątpienia ze względu na moje znikome umiejętności stolarskie. Było to zimą 1842 roku. Przekazanie mnie przez Freemana Fordowi, jak po swoim powrocie ustaliłem z publicznych zapisów w Nowym Orleanie, nastąpiło 23 czerwca 1841 roku. W momencie odsprzedaży mnie Tiebatsowi ustalono, że moja cena przewyższa wartość długu, wobec czego Ford wziął papiery dłużne na kwotę czterystu dolarów. Jak się później okaże, długowi temu zawdzięczam życie.

Życzyłem powodzenia moim dobrym przyjaciołom i odszedłem ze swoim nowym panem. Udaliśmy się na plantację nad Bayou Boeuf, leżącą dwadzieścia siedem mil od Lasów Sosnowych, by dokończyć zlecenie. Bayou Boeuf jest ospałą, wietrzną rzeką — jedną z tych powolnych wód, które są typowe dla tego regionu, przylegającą do Red River. Rozciąga się na południowy wschód od punktu niedaleko od Alexandrii, a jej kręte koryto ma przeszło pięćdziesiąt mil długości. Wzdłuż brzegów leżały duże plantacje bawełny i trzciny cukrowej, sięgające aż do granic nieskończonych bagien. Roi się w niej od aligatorów, co sprawia, że jest niebezpieczna dla bydła albo bezmyślnych niewolniczych dzieci, bawiących się na brzegach. Na zakręcie tej *bayou*, niedaleko Cheneyville, usytuowana była plantacja madame Ford — zaś po drugiej stronie mieszkał jej brat, wielki posiadacz ziemski, Peter Tanner.

Po przybyciu nad Bayou Boeuf miałem przyjemność spotkać Elizę, której nie widziałem już od jakiegoś czasu. Pani Ford nie była z niej zadowolona, ponieważ bardziej niż na pomaganiu jej skupiała się na swoich smutkach. W konsekwencji niewolnica została odesłana do pracy w polu na plantacji. Była słaba i wycieńczona, wciąż płakała za dziećmi. Spytała, czy ich nie zapomniałem, i wielokrotnie wypytywała, czy wciąż pamiętam, jak śliczna była mała Emily oraz jak bardzo Randall ją kochał. Zastanawiała się, czy wciąż żyją i gdzie jej skarbeńki mogą być. Ugięła się pod ciężarem żalu. Jej przygarbiona sylwetka i zapadnięte policzki wyraźnie wskazywały na to, że dotarła już niemal do kresu swojej męczącej drogi.

Nadzorcą tej plantacji był pan Chapin, mężczyzna o łagodnym usposobieniu, rdzenny mieszkaniec Pensylwanii. Jak inni, nie miał szacunku do Tibeatsa, co w połączeniu z tymi czterystoma dolarami zastawu było dla mnie szczęśliwym zrządzeniem losu.

Teraz byłem zmuszany do bardzo ciężkiej pracy. Od świtu do późnej nocy nie pozwalano mi nawet na chwilę odpoczynku. Mimo tego Tibeats nigdy nie był zadowolony. Bez przerwy klął i wyrzekał. Nigdy nie zwrócił się do mnie żadnym miłym słowem. Byłem jego wiernym niewolnikiem i codziennie przynosiłem mu duży zarobek, a jednak gdy w nocy szedłem do swojej chaty, ścigały mnie tylko obelżywe epitety.

Skończyliśmy budować młyn do kukurydzy i kuchnię. Pracowaliśmy właśnie nad przędzalnią, gdy dopuściłem się czynu, który w tym stanie karany jest śmiercią. To była moja pierwsza walka z Tibeatsem. Przędzalnia, którą budowaliśmy, stała w sadzie obok domostwa Chapina, czy też „dużego domu”, jak ją nazywano. Którejś nocy, gdy pracowałem do chwili, kiedy było już za ciemno, żeby cokolwiek zobaczyć, Tibeats kazał mi wstać bardzo wcześnie rano, wziąć od Chapina baryłkę gwoździ i zacząć przybijać szalunek. Do chaty poszedłem straszliwie zmęczony. Zrobiłem sobie kolację z bekonu i ciasta kukurydzianego, porozmawiałem chwilę z Elizą, która mieszkała w tej samej chacie, tak jak Lawson i jego żona, Mary, a także niewolnik o imieniu Bristol, położyłem się na klepisku i pomyślałem o cierpieniach, które czekały mnie następnego dnia. Przed świtem byłem na placu przed „dużym domem” i czekałem na pojawienie się nadzorcy, Chapina. Wyrwanie go ze snu i przedstawienie mojej prośby byłoby niezwykle grubiańskie. Wreszcie wyszedł. Zdjąłem kapelusz i poinformowałem go, że pan Tibeats kazał mi się zgłosić do niego po baryłkę gwoździ. Poszedł do magazynu i wyturlał jedną, mówiąc jednocześnie, że jeśli Tibeats będzie potrzebował innych, to postara się je dostarczyć, ale jeśli nie dostanę innych poleceń, mogę używać tych. Potem wsiadł na konia, który stał osiodłany przy drzwiach, i pojechał za niewolnikami na pole. Ja wziąłem baryłkę na ramię, poszedłem do przędzalni, otworzyłem ją i zacząłem przybijać deski.

Nieco później z domu wyszedł Tibeats. Podszedł do mnie, gdy byłem pogrążony w pracy. Tego ranka wydawał się jeszcze bardziej ponury i kłótliwy niż zazwyczaj. Był moim panem, z prawa rozporządzał moim ciałem i krwią, i mógł sprawować nade mną iście tyrańską kontrolę, co zgodne było z jego nikczemną naturą; nie było jednak prawa, które zabraniałoby mi spoglądać na niego z głęboką pogardą. A gardziłem jego charakterem i intelektem! Gdy pojawił się przy przędzalni, właśnie podszedłem do baryłki po kolejną garść gwoździ.

— Wydawało mi się, że kazałem ci, żebyś dziś rano kładł szalunki — zauważył.

— Tak, panie, i właśnie to robię — odpowiedziałem.

— Gdzie? — zapytał.

— Po drugiej stronie — brzmiała moja odpowiedź.

Obszedł budynek i przez chwilę przyglądał się mojej robocie, mrucząc do siebie z niezadowoleniem.

— Czy nie kazałem ci wieczorem wziąć od Chapina baryłki gwoździ? — znów zaatakował.

— Tak, panie, i tak zrobiłem; a zarządca powiedział, że w razie potrzeby, gdy wróci z pola, sprowadzi dla pana gwoździe innych rozmiarów.

Tibeats podszedł do baryłki, popatrzył na jej zawartość i kopnął ją mocno.

— Niech cię szlag! Sądziłem, że coś już *wiesz*! — krzyknął z wściekłością.

— Chciałem postąpić zgodnie z twoimi poleceniami, panie. Nie chciałem zrobić nic złego. Zarządca powiedział... — zacząłem mówić, ale przerwał mi takimi bluzgami, że nie byłem w stanie dokończyć zdania. Wreszcie pobiegł w stronę domu i z werandy porwał jeden z batów nadzorcy. Bat miał krótką, drewnianą rączkę, owiniętą rzemieniem i dodatkowo obciążoną. Biczysko to miało jakieś trzy stopy długości i było zrobione z niewyprawionej skóry.

Najpierw przeraziłem się i odruchowo chciałem uciekać. W pobliżu nie było nikogo poza Rachel, kucharką, i żoną Chapina — a żadnej z nich nie było widać. Reszta była w polu. Wiedziałem, że Tibeats chce mnie wychłostać; był to pierwszy raz od mojego przybycia do Avoyelles, gdy ktoś tego próbował. Ponadto czułem, że byłem uczciwy, że nie byłem niczemu winny i że zasłużyłem raczej na pochwałę niż na karę. Strach przemienił się w gniew. Zanim mój pan dosięgnął mnie batem, postanowiłem, że nie pozwolę się wychłostać, nieważne, co mnie czeka potem.

Owijając sobie bat wokół ręki, podszedł do mnie i ze złośliwą miną kazał mi się rozebrać.

— Panie Tibeats — powiedziałem, patrząc mu prosto w twarz — *nie zrobię* tego.

Zamierzałem powiedzieć coś więcej na swoje usprawiedliwienie, ale w przypływie żądzy zemsty runął na mnie, jedną ręką chwytając mnie za gardło, a drugą unosząc bicz do uderzenia. Zanim jednak narzędzie tortury opadło, chwyciłem Tibeatsa za kołnierz płaszcza i przyciągnąłem do siebie. Sięgnąłem w dół i złapałem go za kostkę, drugą ręką odpychając; upadł na ziemię. Ramieniem otoczyłem jego nogę i przyciągnąłem ją do piersi tak, że tylko jego głowa i ramiona spoczywały na ziemi, a stopę postawiłem mu na szyi. Był całkowicie w mojej mocy. Krew we mnie wrzała. Wydawała się przelewać przez moje żyły jak ogień. W tym przebłysku szaleństwa wyjąłem mu bat z dłoni. Walczył ze wszystkich sił; przysięgał, że nie dożyję następnego dnia i że wydrze mi serce z piersi. Ale jego szarpanina i pogróżki trafiły w pustkę. Nie potrafię powiedzieć, ile razy go uderzyłem. Na jego wijące się ciało szybko spadały cios za ciosem. Wreszcie wrzasnął „Mordują!” — i ten bezlitosny tyran zaczął błagać Boga o litość. Ale ten, który nigdy nie miał litości, nie zaznał jej. Bicz spadał na jego skulone ciało, aż rozbolało mnie ramię.

Aż do tej chwili byłem zbyt zajęty, żeby się rozglądać. Przerywając na moment, spostrzegłem, że z okna patrzy na mnie pani Chapin, a w drzwiach kuchennych stoi Rachel. Ich postawa wyrażała ogromne emocje i pobudzenie. Wrzaski Tibeatsa usłyszano w polu. Chapin pędził tak szybko, jak był w stanie unieść go koń. Uderzyłem mojego pana jeszcze raz czy dwa, a potem odepchnąłem go od siebie dobrze wymierzonym kopniakiem, po którym potoczył się po ziemi.

Podniósł się i, wytrzepując piach z włosów, popatrzył na mnie, blady z wściekłości. Spoglądaliśmy na siebie w ciszy. Nie padło ani jedno słowo, dopóki galopem nie dopadł do nas Chapin.

— Co tu się dzieje? — krzyknął.

— Pan Tibeats chce mnie wychłostać za to, że użyłem gwoździ, które mi pan dał — odpowiedziałem.

— Co jest nie tak z tymi gwoździami? — zapytał, odwracając się do Tibeatsa.

Tibeats odparł, że są za duże. Wciąż wlepiał we mnie nienawistny, wężowy wzrok.

— To ja tu jestem nadzorcą — zaczął Chapin. — Powiedziałem Plattowi, by je wziął i użył, a gdyby nie były we właściwym rozmiarze, po powrocie z pola przyniosę inne. To nie jest jego wina. Zresztą mogę kazać użyć takich gwoździ, jakie mi się podobają. Mam nadzieję, panie Tibeats, że *to* jest pan w stanie zrozumieć.

Tibeats nie odpowiedział, ale szczerząc zęby i potrząsając pięścią, przysiągł, że otrzyma zadośćuczynienie i że to jeszcze nie koniec. Następnie odszedł, a za nim zarządca. Gdy wchodzili do domu, ten ostatni tłumaczył mu coś z naciskiem, gestykulując energicznie.

Ja zostałem na miejscu, zastanawiając się, czy lepiej uciekać, czy czekać na wynik, jaki by nie był. Wreszcie Tibeats wyszedł z domu i osiodławszy konia — jedyną swoją własność poza mną — wyjechał na drogę do Chenyville.

Kiedy już zniknął, wyszedł Chapin, wyraźnie poruszony. Powiedział mi, żebym się nie ruszał i pod żadnym pozorem nie opuszczał plantacji. Potem poszedł do kuchni i zawołał Rachel, z którą rozmawiał przez chwilę. Wracając, jeszcze raz przestrzegł mnie z wielkim naciskiem, abym nie uciekał, dodając, że mój pan to łajdak; że wyjechał samowolnie i że przed nocą mogą być kłopoty. Nalegał jednak, abym za nic się stąd nie ruszał.

Przytłaczało mnie poczucie niewypowiedzianego cierpienia. Byłem świadom, że naraziłem się na niewyobrażalną karę. Reakcją na mój skrajny wybuch gniewu było najbardziej bolesne poczucie żalu. Pozbawiony przyjaciół, bezradny niewolnik — co mogłem *zrobić*, co mogłem *powiedzieć*, żeby choć w ułamku usprawiedliwić potworny czyn, który popełniłem: urażenie arogancji *białego* człowieka. Próbowałem się modlić, próbowałem prosić mojego Niebieskiego Ojca, by podtrzymał mnie w moim rozpaczliwym położeniu, ale dławiły mnie emocje, mogłem więc tylko schować twarz w dłoniach i zapłakać. Przez przeszło godzinę pozostawałem w takim stanie, aż uniosłem oczy i ujrzałem zmierzającego w dół potoku Tibeatsa w towarzystwie dwóch jezdnych. Wjechali na podwórze, zeskoczyli z koni i podeszli do mnie z wielkimi batami. Jeden z nich trzymał również zwój sznura.

— Skrzyżuj ręce — rozkazał Tibeats wraz z nienadającym się do powtórzenia przekleństwem.

— Nie musi mnie pan krępować, panie Tibeats, jestem gotów pójść, dokąd pan każe — powiedziałem.

Wówczas jeden z jego towarzyszy zrobił krok do przodu, przysięgając, że przy najmniejszej próbie oporu z mojej strony rozwali mi głowę, rozedrze mnie na sztuki, poderżnie moje czarne gardło... I rzucając wiele temu podobnych wyrażeń. Uznawszy, że opór jest całkowicie bezcelowy, skrzyżowałem ręce, poddając się z pokorą wszystkiemu, czego mogli ode mnie zażądać. Tibeats skrępował mi nadgarstki, z całej siły wiążąc je sznurem. Potem tak samo związał mi kostki. W tym czasie pozostali przeciągnęli mi sznur pod łokciami, przeciągając go przez plecy i wiążąc ciasno. Nie byłem w stanie się poruszyć. Z końcówki liny Tibeats zrobił niezdarną pętlę i założył mi ją na szyję.

— No dobrze — powiedział jeden z jego towarzyszy — to gdzie powiesimy tego czarnucha?

Jeden zaproponował konar wyrastający z drzewa brzoskwiniowego, opodal miejsca, w którym stałem. Jego kamrat zaprotestował, twierdząc, że się złamie, i zaproponował inną gałąź. Wreszcie zgodzili się na tę ostatnią.

Podczas tej rozmowy i przez cały czas, gdy mnie wiązali, nie wydobyłem z siebie ani słowa. Nadzorca Chapin przemierzał gwałtownie werandę w tę i z powrotem. Rachel płakała w drzwiach kuchennych, a pani Chapin wciąż patrzyła na mnie z okna. Nadzieja w moim sercu umarła. Oto z pewnością nadszedł mój czas. Nie doczekam światła nowego dnia, nie doczekam widoku twarzyczek moich dzieci — słodka nadzieja, którą hołubiłem z taką czułością. W tej godzinie walczyć będę z przerażającą śmiercią! Nikt po mnie nie zapłacze, nikt mnie nie pomści. Wkrótce moje ciało zlegnie w tej dalekiej ziemi albo zostanie rzucone oślizłym gadom, których pełno było w spokojnych wodach potoku! Po policzkach spływały mi łzy, jednak ich widok wywołał tylko kolejne obelgi ze strony moich oprawców.

Wreszcie, gdy wlekli mnie w stronę drzewa, Chapin, który na moment zniknął z werandy, wyszedł z domu i ruszył w naszą stronę. W każdej ręce trzymał pistolet. O ile dobrze pamiętam, pewnym, zdeterminowanym głosem rzekł:

— Panowie, mam kilka słów do powiedzenia. Lepiej ich wysłuchajcie. Ktokolwiek ruszy tego niewolnika choćby o stopę dalej, jest martwy. Przede wszystkim nie zasłużył on sobie na takie traktowanie. To hańba: mordować go w taki sposób. Nigdy nie znałem wierniejszego sługi niż Platt. Ty, Tibeats, sam jesteś sobie winny. Kawał z ciebie kanalii, o czym doskonale wiem, i w dużej mierze zasłużyłeś sobie na chłostę, którą dostałeś. Kolejna rzecz: jestem zarządcą tej plantacji od siedmiu lat i pod nieobecność Williama Forda to ja tu jestem panem. Moim obowiązkiem jest dbać o jego interesy i ten obowiązek spełnię. Jeśli nie jesteś godzien zaufania, jesteś bezwartościowy. Ford ma papiery dłużne za Platta na czterysta dolarów. Jeśli go powiesisz, on je straci. Dopóki ten dług nie zostanie spłacony, nie masz prawa odbierać mu życia. Nie masz do tego prawa w żadnym przypadku. Prawo obowiązuje i niewolników, i białych. Jesteś pospolitym mordercą. A co do was — zwrócił się do Cooka i Ramsaya, nadzorców z sąsiednich plantacji — wynocha! W imię waszego własnego bezpieczeństwa, powiadam, wynocha!

Cook i Ramsay, nic już nie mówiąc, dosiedli koni i odjechali. Po kilku minutach Tibeats, wyraźnie przerażony i onieśmielony zdecydowanym tonem Chapina, wymknął się jak tchórz, którym był i – również konno — podążył za towarzyszami.

Stałem w miejscu, wciąż związany, z pętlą na szyi. Gdy tylko zniknęli, Chapin zawołał Rachel i kazał jej biec na pole z poleceniem, by Lawson bez chwili zwłoki stawił się w domu, i żeby przyprowadził ze sobą brązowego muła, zwierzę niezwykle cenione przez wzgląd na swoją szybkość. Sługa wkrótce się pojawił.

— Lawson — powiedział Chapin — musisz jechać do Lasów Sosnowych. Powiedz panu Fordowi, żeby tu natychmiast przyjechał, że nie może zwlekać ani chwili. Powiedz mu, że próbują zamordować Platta. Spiesz się, chłopcze. Masz być w Lasach Sosnowych do południa, choćbyś miał zajeździć muła.

Chapin poszedł do domu i napisał przepustkę. Gdy wrócił, Lawson był przy drzwiach, już siedząc na mule. Odebrał przepustkę, smagnął zwierzę batem, wypadł z podwórza i pognał ostrym galopem w górę strumienia. W czasie krótszym, niż zajęło mi opisanie tej sceny, zniknął nam z oczu.

ROZDZIAŁ IX

GORĄCE SŁOŃCE — WCIĄŻ ZWIĄZANY — SZNURY ZAGŁĘBIAJĄCE SIĘ W MOIM CIELE — NIESPOKOJNE SPEKULACJE CHAPINA — RACHEL I JEJ KUBEK WODY — ROSNĄCE CIERPIENIA — SZCZĘŚCIE W NIEWOLNICTWIE — PRZYJAZD FORDA — PRZECINA KRĘPUJĄCE MNIE WIĘZY I ZDEJMUJE MI PĘTLĘ Z SZYI — NIESZCZĘŚCIE — ZEBRANIE NIEWOLNIKÓW W CHACIE ELIZY — ICH DOBROĆ — RACHEL POWTARZA, CO SIĘ WYDARZYŁO — LAWSON ZABAWIA TOWARZYSZY OPISEM UMIEJĘTNOŚCI JEŹDZIECKICH — OBAWY CHAPINA ZWIĄZANE Z TIBEATSEM — WYNAJĘTY PETEROWI TANNEROWI — PETER WYJAŚNIA PISMA — OPIS DYBÓW

Gdy słońce zbliżało się do południa, dzień stał się nieznośnie upalny. Gorące promienie wypalały ziemię, która niemal parzyła w stopy. Nie miałem okrycia ani kapelusza, stałem z gołą głową, wystawiony na lejący się z nieba żar. Po twarzy spływały mi wielkie krople potu, które wsiąkały w moje skromne ubranie. Tuż obok, nad ogrodzeniem, drzewa brzoskwiniowe rzucały na ziemię swój chłodny, cudowny cień. Z radością dałbym cały długi rok swej służby, abym tylko mógł zamienić rozgrzany piec, w którym stałem, na miejsce pod ich gałęziami. Byłem jednak związany, z szyi wciąż zwisała mi pętla, i stałem w tym samym miejscu, w którym zostawili mnie Tibeats i jego towarzysze. Byłem związany tak ciasno, że nie mogłem się ruszyć nawet o cal. Już samo oparcie się o ścianę przędzalni byłoby luksusem. Znajdowała się jednak daleko poza moim zasięgiem, choć dzieliło mnie od niej mniej niż dwanaście stóp. Chciałem się położyć, ale wiedziałem, że nie zdołałbym się podnieść. Ziemia była tak wypalona i rozgrzana, że wiedziałem, iż pogorszyłoby to tylko mój dyskomfort. Gdybym tylko mógł choć odrobinę zmienić swoją pozycję, byłaby to niewypowiedziana ulga! Jednak te gorące promienie południowego słońca, padające przez cały długi, letni dzień na moją gołą głowę, były niczym wobec bólu kończyn. Kostki, nadgarstki i inne miejsca, w których byłem związany, zaczęły puchnąć.

Przez cały dzień Chapin chodził w tę i z powrotem pod daszkiem werandy, ale ani razu nie podszedł do mnie. Wydawał się ogromnie zdenerwowany. Spoglądał najpierw na mnie, potem na drogę, jakby spodziewał się kogoś w każdej chwili. Nie pojechał w pole, jak miał w zwyczaju. Z jego zachowania można było zrozumieć, że Tibeats może wrócić w większym i lepiej uzbrojonym towarzystwie, żeby podjąć spór, i było równie wyraźne, że Chapin przygotowuje się mentalnie do obrony mojego życia przed jakimkolwiek niebezpieczeństwem. Dlaczego mnie nie uwolnił? Dlaczego skazał mnie na agonię przez cały ten wyczerpujący dzień? Nigdy się tego nie dowiedziałem. Nie wynikało to z braku współczucia, jestem tego pewien. Być może chciał, aby Ford zobaczył pętlę na mojej szyi i to, jak brutalnie zostałem związany; być może wmieszanie się w kwestię cudzej własności mogło zostać uznane za naruszenie, za które można by go ukarać w świetle prawa. Kolejną zagadką, której nigdy nie rozwikłałem było to, dlaczego Tibeats zniknął na cały dzień. Doskonale wiedział, że Chapin go nie skrzywdzi, chyba że upierałby się przy swoich planach co do mnie. Lawson powiedział mi później, że gdy mijał plantację Johna Davida Cheneya, widział tę trójkę, i że gdy przejeżdżał, odwrócili się i patrzyli za nim. Sądzę, iż przypuszczali, że zarządca Chapin wysłał Lawsona, by objechał sąsiednie plantacje i zwołał ich właścicieli do pomocy. Dlatego niewątpliwie działał zgodnie z zasadą „dyskrecja to większa część odwagi" i trzymał się z dala.

Jednak nie jest istotne, jakimi motywami mógł się kierować tchórzliwy i złośliwy tyran. Wciąż stałem w ostrym słońcu, jęcząc z bólu. Od świtu niczego nie jadłem. Byłem coraz słabszy z bólu, pragnienia i głodu. Tylko jeden raz, w najgorętszej porze dnia, podeszła do mnie wystraszona Rachel, jednocześnie obawiając się, że sprzeciwia się w ten sposób nadzorcy. Podniosła do moich warg kubek wody. Ta pokorna istota nigdy nie słyszała takich błogosławieństw, jakimi się do niej zwróciłem wówczas, gdy ukoiła moje pragnienie. Mogła powiedzieć jedynie „Och, Platt, jakże mi ciebie żal", a potem szybko wrócić do swojej pracy w kuchni.

Słońce nigdy nie przesuwało się po niebie tak powoli. Nigdy jego promienie nie były tak płomienne i palące, jak tamtego dnia. Takie przynajmniej odniosłem wrażenie. Jakiekolwiek były moje refleksje — niezliczone myśli, które tłoczyły mi się w umęczonej głowie — nie będę nawet próbował ich wyrazić. Wystarczy powiedzieć, że przez cały ten długi dzień nie pomyślałem ani razu, że południowy niewolnik, karmiony, odziewany, chłostany i chroniony przez swojego pana, jest szczęśliwszy od wolnego kolorowego obywatela Północy. Nigdy w mojej głowie nie pojawiła się taka konkluzja. Jednakże nawet w północnych stanach jest wielu łagodnych i dobrze usposobionych ludzi, którzy uznaliby moją opinię za błędną i stanowczo by się przy tym upierali, podnosząc rozmaite argumenty. A jednak! Nigdy nie pili, tak jak ja, z gorzkiego kielicha niewoli.

Tuż przed zachodem słońca moje serce podskoczyło z wielkiej radości, ponieważ oto na spienionym koniu na podwórze wjechał Ford. Chapin powitał go w drzwiach i po krótkiej rozmowie podeszli prosto do mnie.

— Biedny Platt, jesteś w kiepskim stanie — powiedział tylko.

— Dzięki Bogu! — powiedziałem ja. — Dzięki Bogu, panie Ford, że wreszcie pan przyjechał.

Wyciągnął z kieszeni nóż i ze wzburzeniem przeciął więzy na moich nadgarstkach i kostkach, zsunął też pętlę z mojej szyi. Spróbowałem zrobić kilka kroków, jednak zataczałem się jak pijany i osunąłem na ziemię.

Ford natychmiast wrócił do domu, znów zostawiając mnie samego. Gdy wszedł na werandę, pojawili się Tibeats i jego dwóch przyjaciół. Wywiązała się długa rozmowa. Słyszałem ich głosy: łagodny ton Forda mieszający się z gniewnym Tibeatsa; nie byłem jednak w stanie odróżnić słów. Wreszcie ta trójka znów wyjechała, wyraźnie niezadowolona.

Próbowałem podnieść młotek, by udowodnić Fordowi, że bardzo chcę pracować, by kontynuować pracę przy przędzalni, ale narzędzie wypadło mi z pozbawionej czucia dłoni. Kiedy zapadł zmrok, popełzłem do chaty i położyłem się. Byłem w bardzo złym stanie — cały obolały i opuchnięty — i najlżejsze poruszenie wywoływało dojmujące cierpienie. Wkrótce do chaty przyszli inni. Rachel opowiedziała im, co się stało. Eliza i Mary usmażyły mi kawałek bekonu, ale nie miałem apetytu. Potem upiekły ciasto kukurydziane i zrobiły kawę. To było wszystko, co zdołałem przełknąć. Eliza pocieszała mnie i była bardzo miła. Wkrótce chata była pełna niewolników. Zebrali się wokół mnie, zadając wiele pytań o problemy z Tibeatsem i o szczegóły wszystkich dzisiejszych wydarzeń. Potem Rachel w ich prostym języku powtórzyła wszystko raz jeszcze — ze szczególnym wyeksponowaniem kopniaka, po którym Tibeats potoczył się po ziemi, co wywołało ogólny chichot. Potem opisała, jak Chapin wyszedł z pistoletami i mnie uratował, i jak pan Ford przeciął nożem więzy, i jaki był rozgniewany.

Do tego czasu wrócił Lawson. Musiał im zdać relację ze swojej podróży do Lasów Sosnowych — jak brązowy muł niósł go szybciej niż błyskawica, w jakie zdziwienie wpadał każdy, kogo mijał w pędzie, jak pan Ford wyruszył natychmiast, jak powiedział, że Platt to dobry Murzyn i nie powinni go zabijać... Zakończył stwierdzeniem, że na całym świecie nie było drugiego człowieka, który wzbudzałby taką sensację na drodze albo dokonałby wyczynu podobnego wspaniałemu Johnowi Gilpinowi, jak dzisiejszego dnia on na brązowym mule.

Te dobre istoty zalały mnie wyrazami swojego współczucia, mówiąc, że Tibeats był twardym, okrutnym człowiekiem i wyrażając nadzieję, że „Massa Ford" znów weźmie mnie do siebie. Tak mijał czas, na dyskusjach i omawianiu wciąż i wciąż tego ekscytującego wydarzenia. Nagle w drzwiach chaty pojawił się Chapin.

— Platt — powiedział — będziesz dziś spać na podłodze w dużym domu. Zabierz swój koc.

Podniosłem się tak szybko, jak byłem w stanie, wziąłem koc w rękę i poszedłem za nim. Po drodze poinformował mnie, że nie byłby zaskoczony, gdyby Tibeats wrócił jeszcze przed świtem — że ma zamiar mnie zabić — i że nie uważa, że powinno się to odbyć bez świadków. Nadzorca ugodził mnie w samo serce, mówiąc, że zgodnie z prawem stanu Luizjana, nawet gdyby było przy tym stu niewolników, ani jeden nie mógłby świadczyć przeciwko Tibeatsowi. Położyłem się na podłodze w „dużym domu" — pierwszy i ostatni raz w ciągu dwunastu lat niewoli spałem w tak wystawnym miejscu — i próbowałem zasnąć. Koło północy zaczął ujadać pies. Chapin wstał i wyjrzał przez okno, ale niczego nie dostrzegł. Wreszcie pies ucichł.

— Podejrzewam, Platt, że ten szubrawiec kręci się gdzieś tutaj — powiedział, wracając do swojego pokoju. — Jeśli pies znów zacznie szczekać, a ja nie wstanę, obudź mnie.

Obiecałem, że tak postąpię. Po upływie godziny lub trochę później pies znów zaczął się awanturować, z wściekłym ujadaniem ganiając do bramy i z powrotem.

Chapin poderwał się natychmiast. Tym razem wyszedł na werandę i pozostał tam przez dość długi czas. Oczywiście nic nie było widać, a pies wrócił do swojej budy. Tej nocy nic nas już nie niepokoiło. Jednakże dojmujący ból, który cierpiałem, oraz strach przed bliskim niebezpieczeństwem nie pozwoliły mi zasnąć. Czy Tibeats faktycznie wrócił tamtej nocy na plantację, czy nie, szukając okazji, by się na mnie zemścić — wie tylko on sam. Jednak wtedy sądziłem, i wciąż mam silne wrażenie, że tam był. Miał cechy zabójcy — kulił się pod słowami mężnego człowieka, ale gotów był zaatakować bezradną i nieświadomą ofiarę od tyłu. Teraz to wiem.

Kiedy nastał dzień, wstałem, obolały i słaby, nie wypocząwszy zbytnio. Mimo to po śniadaniu, które w chacie przygotowały dla mnie Mary i Eliza, dalej pracowałem przy przędzalni. Chapin, tak jak mieli to w zwyczaju wszyscy zarządcy, zaraz po świcie wsiadał na konia, który zawsze czekał na niego osiodłany (przygotowanie go było zadaniem jednego z niewolników) i jechał na pole. Tego ranka natomiast przyszedł do przędzalni, pytając, czy widziałem jakieś znaki bytności Tibeatsa. Odpowiedziałem, że nie, a on stwierdził, że z tym człowiekiem jest coś nie w porządku, że miał w sobie złą krew; że muszę się mieć przed nim na baczności albo dopadnie mnie kiedyś, gdy najmniej będę się tego spodziewał.

Jeszcze nie skończył mówić, kiedy oto przyjechał Tibeats. Uwiązał konia i wszedł do domu. Niezbyt się go obawiałem, gdy byli tu Ford i Chapin, ale przecież nie zawsze mogli być przy mnie.

Och! Jakże ciążyło mi wówczas niewolnictwo! Muszę trwać dzień po dniu, znosząc brutalność, wyzwiska i szyderstwa, spać na twardej ziemi, żyć o najprostszym jedzeniu i nie tylko to, ale jeszcze uważać na żądnego krwi niewolników szubrawca, przez którego żyć muszę w ciągłym strachu. Dlaczego nie umarłem młodo — zanim Bóg dał mi dzieci, bym je kochał i dla nich żył? Iluż zapobiegłoby to nieszczęściom, cierpieniom i smutkom! Wzdychałem do wolności, jednak krępowały mnie niewolnicze łańcuchy, których nie mogłem zrzucić. Pozostawało tylko tęsknie spoglądać na Północ i myśleć o tysiącach mil, które rozciągały się między mną a tą wolną ziemią, których *czarny* wolny człowiek pokonać nie mógł.

Po półgodzinie Tibeats podszedł do przędzalni, spojrzał na mnie ostro, a potem zawrócił bez słowa. Większą część popołudnia przesiedział na werandzie, czytając gazetę i rozmawiając z Fordem. Po obiedzie ten ostatni pojechał do Lasów Sosnowych. Z żalem obserwowałem jego odjazd z plantacji.

Raz jeszcze w ciągu tego dnia Tibeats podszedł do mnie, wydał mi polecenia i wrócił.

W ciągu tygodnia przędzalnia była skończona. Tibeats nie robił w tym czasie żadnych aluzji i poinformował, że wynajął mnie Peterowi Tannersowi do pracy z innym stolarzem, Myersem. Oświadczenie to przyjąłem z wdzięcznością, bo każde miejsce byłoby ulgą od jego nieznośnej obecności.

Peter Tanner, jak już poinformowałem czytelnika, mieszkał na drugim brzegu i był bratem pani Ford. Był jednym z największych obszarników nad Bayou Boeuf i posiadał bardzo wielu niewolników.

Udałem się więc do Tannera całkiem uradowany. Słyszał o moich niedawnych problemach — w istocie, przekonałem się, iż opowieść o tym, jak wychłostałem Tibeatsa rozeszła się bardzo szeroko. Ta sprawa oraz historia eksperymentu spławiania drewna wracały do mnie dość często. Nieraz zdarzyło mi się usłyszeć, że ten Platt Ford, obecnie Platt Tibeats — nazwisko niewolnika zmienia się wraz ze zmianą pana — jest „diabelskim Murzynem". Jednak, jak wkrótce się okazało, moim przeznaczeniem było dalej mieszać w małym światku Bayou Boeuf.

Peter Tanner starał się na mnie wywrzeć wrażenie człowieka srogiego, choć mimo wszystko dostrzegałem w nim przebłyski dobrego usposobienia.

— To ty jesteś tym czarnuchem — powiedział, gdy przyjechałem — to ty jesteś tym czarnuchem, który wychłostał swojego pana, hm? To ty jesteś tym czarnuchem, który kopnął i przytrzymał stolarza Tibeatsa za nogę i mu przyłożył, zgadza się? Chciałbym zobaczyć, jak trzymasz za nogę mnie. Niezły z ciebie gagatek... Kawał czarnucha, nieznośnego czarnucha, co? *Ja* bym cię wychłostał; wytłukłbym z ciebie napady wściekłości. Proszę bardzo, złap mnie za nogę. Żadnych wygłupów tutaj, chłopcze, zapamiętaj to sobie! A teraz do roboty, przeklęty łobuzie — zakończył Peter Tanner, bez powodzenia usiłując ukryć uśmieszek rozbawienia za sarkazmem i pogróżkami.

Po tym powitaniu przekazano mnie Myersowi. Pod

jego kierownictwem pracowałem przez miesiąc, ku obopólnemu zadowoleniu.

Podobnie jak jego szwagier William Ford, Tanner miał zwyczaj czytania w szabat swoim niewolnikom Biblii, choć w nieco innym duchu. Był robiącym wrażenie komentatorem Nowego Testamentu. Pierwszej niedzieli po moim przybyciu na jego plantację zebrał wszystkich i zaczął czytać dwunasty rozdział Łukasza. Gdy doszedł do wersetu 47, rozejrzał się z namysłem i kontynuował:

— Sługa, który zna wolę swego pana — tutaj zrobił pauzę, rozejrzał się jeszcze bardziej znacząco, niż poprzednio i wrócił do czytania — który zna wolę swego pana, a nic nie przygotował — tu nastąpiła kolejna pauza — nic nie przygotował i nie uczynił zgodnie z jego wolą, otrzyma wielką chłostę. Słyszeliście to? — zapytał. — *Chłostę* — powtórzył powoli i z naciskiem, zdejmując okulary, gotów, by wygłosić kilka uwag.

— Taki Murzyn, który nie dba, który nie słucha swojego władcy, swojego pana, pojmujecie...? Taki Murzyn powinien zostać wychłostany. „Wielka" oznacza *naprawdę* wielką: czterdzieści, sto, sto pięćdziesiąt batów. Tak mówi Pismo!

I tak Peter dalej wyjaśniał temat, by podbudować swoich czarnych słuchaczy.

Na koniec wezwał trzech swoich niewolników: Warnera, Willa i Majora, i zwrócił się do mnie.

— Masz, Platt. Tibeatsa trzymałeś za nogę; a teraz się przekonajmy, czy utrzymasz tak samo tych trzech łobuzów, dopóki nie wrócę z nabożeństwa.

Potem kazał im podejść do dybów — zwykłej rzeczy na plantacji w Red River. Dyby składają się z dwóch desek, niższa przymocowana jest na końcach do dwóch krótkich palików, mocno wkopanych w ziemię. W górnej krawędzi w równych odległościach wycięte są półkola. Druga deska na jednym końcu przymocowana jest na zawiasie tak, że można ją podnosić i opuszczać, tak samo jak otwiera się i zamyka nóż kieszonkowy. W dolnej części górnej deski również wycięto półokręgi pasujące do dolnej deski, więc kiedy dyby się zamykają, otwory w rzędzie są wystarczająco duże, żeby przytrzymać nogę niewolnika powyżej kostki, ale nie na tyle duże, żeby mógł wysunąć stopę. Druga część górnej deski jest przymocowana do palika i zamknięta na klucz. Gdy górna deska jest uniesiona, niewolnik musi usiąść na ziemi. Jego nogi tuż powyżej kostek umieszcza się w półokręgach. Potem górną deskę się opuszcza i zamyka. Bardzo często zamiast kostek w dyby trafia szyja. Tak robi się podczas chłosty.

Zgodnie ze słowami Tannera, Warner, Will i Major byli winni kradzieży melonów oraz łamania szabatu, a że Tanner nie pochwalał takich niegodziwości, czuł się w obowiązku, by zakuć ich w dyby. Podał mi klucz, a potem wraz z panią Tanner, Myersem i dziećmi wsiadł do powozu i pojechał do Cheneyville, do kościoła. Gdy zniknęli, chłopcy zaczęli mnie błagać, bym ich wypuścił. Było mi przykro patrzeć, jak siedzą na rozgrzanej ziemi; pamiętałem, jak sam cierpiałem od słońca. Otrzymawszy od nich obietnicę, że na wezwanie wrócą w dyby, zgodziłem się ich uwolnić. Wdzięczni za okazaną im wyrozumiałość i chcąc jakoś się za nią odpłacić, mogli tylko — rzecz jasna — zaprowadzić mnie na poletko melonów. Niedługo przed powrotem Tannersa znów byli w dybach. Wreszcie ich pan przyjechał i popatrzył na nich.

— Aha! — powiedział z chichotem. — I tak za dużo sobie dziś nie pospacerowaliście. Już ja was nauczę, co jest czym. *Sam* was ukarzę za obżeranie się melonami w dzień Pana, wy łamiące szabat czarnuchy.

Peter Tanners chlubił się swoimi surowymi zasadami religijnymi i był diakonem w kościele.

Teraz jednak dotarłem do takiego punktu w mojej opowieści, gdy trzeba porzucić te lekkie opisy na rzecz bardziej ponurej i cięższego kalibru historii drugiej bitwy z panem Tibeatsem i ucieczce przez wielkie bagna Pacoudrie.

◊

ROZDZIAŁ X

POWRÓT DO TIBEATSA — NIEMOŻLIWOŚĆ ZADOWOLENIA GO — ATAKUJE MNIE SIEKIERĄ — WALKA NA SIEKIERY — POKUSA, BY GO ZAMORDOWAĆ — UCIECZKA PRZEZ PLANTACJĘ — OBSERWACJE OGRODZENIA — ZBLIŻA SIĘ TIBEATS, A ZA NIM PSY — PODEJMUJĄ MÓJ TROP — ICH GŁOŚNE UJADANIE — PRAWIE MNIE MAJĄ — DOCIERAM DO WODY — GOŃCZE PSY OSZUKANE — WĘŻE I ALIGATORY — NOC NA WIELKIM BAGNIE PACOUDRIE — ODGŁOSY ŻYCIA — KURS NA PÓŁNOCNY ZACHÓD — UCIECZKA DO LASÓW SOSNOWYCH — NIEWOLNIK I JEGO MŁODY PAN — PRZYBYCIE DO FORDA — JEDZENIE I ODPOCZYNEK

Pod koniec miesiąca, gdy moje usługi nie były już Tannerowi potrzebne, odesłano mnie na drugą stronę *bayou*, z powrotem do mojego pana, którego zastałam przy budowie prasy do bawełny. Mieściła się ona w niejakiej odległości od dużego domu, w miejscu raczej osamotnionym. Znów pracowałem z Tibeatsem, przez większość część dnia będąc z nim sam na sam. Pamiętałem o ostrzeżeniach Chapina, radzie, bym był ostrożny, bo inaczej może mi się przydarzyć coś nieprzyjemnego. Cały czas miałem je w głowie i żyłem w niepokoju oraz strachu. Jednym okiem pilnowałem pracy, drugim — mojego pana. Byłem zdeterminowany, by nie dać mu żadnego powodu do obrazy, by — jeśli to możliwe — pracować jeszcze pilniej, by znieść wszystko, co może mnie spotkać z jego strony, poza zranieniem ciała, pokornie i cierpliwie, w nadziei, że uda się w jakimś stopniu złagodzić jego stosunek do mnie, aż nadejdzie błogosławiona chwila, gdy zakończę służbę u niego.

Trzeciego poranka po moim powrocie Chapin wyjechał z plantacji do Cheneyville i miało go nie być całą noc. Tego ranka Tibeats miał jeden z tych swoich okresowych ataków chandry i złego humoru, które często mu się zdarzały, a przez które był jeszcze bardziej kłótliwy i złośliwy niż zwykle.

Była mniej więcej dziewiąta rano. Mozoliłem się z heblem, a Tibeats stał przy warsztacie, mocując uchwyt do dłuta, którego wcześniej użył do obcięcia główki śruby.

— Nie strugasz tyle, ile powinieneś — powiedział.

— Jest dokładnie wzdłuż linii — odpowiedziałem.

— Jesteś przeklętym kłamcą! — krzyknął z pasją.

— Och, dobrze, panie — odparłem łagodnie. — Zestrugam mocniej, skoro pan tak mówi. — Jednocześnie zacząłem heblować tak, jak przypuszczałem, że sobie życzy. Zanim jednak opadł choć jeden wiór, wrzasnął, że teraz zestrugałem za głęboko — było zbyt płytko — i że kompletnie zrujnowałem pracę. Potem zaczął mnie przeklinać. Postąpiłem dokładnie według jego zaleceń, ale tego bezrozumnego człowieka nic nie mogło zadowolić. W ciszy i lęku stałem przy desce, w ręce trzymając hebel, nie wiedząc co robić i nie śmiejąc nie robić nic. Jego wściekłość rosła, aż wreszcie z przekleństwem tak gorzkim i przerażającym, jak tylko Tibeats mógł to wypowiedzieć, złapał z warsztatu siekierę i ruszył w moją stronę, obiecując, że roztrzaska mi głowę.

To była kwestia życia lub śmierci. Jasne ostrze siekiery zalśniło w słońcu. W następnej chwili zanurzy się w moim mózgu. Natychmiast zacząłem rozważać różne opcje. Jeśli będę stał bez ruchu, mój los zostanie przypieczętowany; jeśli zacznę uciekać, to stawiam dziesięć do jednego, że siekiera, lecąc prosto do celu, trafi mnie w plecy. Mogłem więc zrobić tylko jedną rzecz. Gwałtownie skoczyłem w jego stronę i spotkałem się z nim w pół drogi, zanim zdołał wziąć zamach; jedną ręką chwyciłem za wzniesione ramię, a drugą ścisnąłem jego gardło. Staliśmy, spoglądając sobie w oczy. W jego dostrzegałem mordercę. Czułem się tak, jakbym trzymał węża czekającego na najmniejsze rozluźnienie mojego uścisku, by owinąć się wokół mojego ciała, miażdżąc i kąsając na śmierć. Pomyślałem, żeby krzyknąć głośno, w nadziei, że ktoś mnie usłyszy — ale Chapina nie było. Robotnicy byli w polu; w zasięgu wzroku czy słuchu nie było więc nikogo.

Dobry duch, który dotąd ratował mnie z opresji, w tej chwili podsunął mi szczęśliwą myśl. Energicznym i niespodziewanym kopniakiem posłałem Tibeatsa na kolana, puściłem jego gardło, złapałem siekierę i cisnąłem ją daleko.

Oszalały z wściekłości, straciwszy wszelką kontrolę nad sobą, chwycił leżący na ziemi dębowy pal, długi na pięć stóp, gruby tak, że sam ledwie go obejmował. Znów ruszył na mnie i ponownie wyszedłem mu naprzeciw. Złapałem go w pasie i, jako że z nas dwóch byłem silniejszy, rzuciłem go na ziemię. Odebrałem mu kij i również odrzuciłem go od siebie.

Poderwał się i pobiegł po leżący na warsztacie topór. Na szczęście jego szerokie ostrze było częściowo przyciśnięte ciężką deską tak, że nie mógł go wyciągnąć; zdążyłem go więc chwycić. Przyciskając Tibeatsa mocno do warsztatu, by topór jeszcze trudniej było ruszyć, próbowałem — bezskutecznie — rozewrzeć jego uścisk na uchwycie. W tej pozycji spędziliśmy kilka minut.

W moim nieszczęsnym życiu było wiele chwil, gdy śmierć zdawała się wybawieniem od ziemskich smutków, a grób miejscem odpoczynku umęczonego ciała, w którym przyjemnie byłoby spocząć. Jednak takie myśli bladły w obliczu zagrożenia. Żaden człowiek, nawet bardzo silny, nie może nie odczuwać lęku w obliczu „króla strachu". Życie jest drogie każdemu żyjącemu stworzeniu; nawet robak pełzający po ziemi będzie o nie walczył. W tej chwili mnie także było drogie, pomimo zniewolenia i traktowania, jakiego doświadczałem.

Nie mogąc puścić dłoni Tibeatsa, raz jeszcze złapałem go za gardło, tym razem jednak trzymałem je jak w imadle. Wkrótce rozluźnił uścisk. Jego twarz, uprzednio biała z wściekłości, teraz poczerniała z braku powietrza. Małe, gadzie oczka, które lśniły takim jadem, teraz były pełne przerażenia — dwie wielkie, białe kule, wychodzące z orbit!

W moim sercu był diabeł-kusiciel, który podpowiadał, bym zabił tego ludzkiego śmiecia na miejscu — bym znów zacisnął dłoń na jego gardle i trzymał, aż uleci z niego życie! Nie miałem odwagi go zamordować i nie miałem odwagi zostawić go przy życiu. Jeślibym go zabił, całe moje życie byłoby pokutą — jeśli zostawiłbym go przy życiu, tylko pozbawienie mnie mojego zaspokoiłoby jego żądzę zemsty. Wewnętrzny głos szeptał mi, bym uciekał. Bycie włóczęgą na bagnach, zbiegiem i wyrzutkiem było lepsze od życia, jakie wiodłem.

Myśl ta rychło okrzepła. Cisnąłem Tibeatsa z warsztatu na ziemię, przeskoczyłem ogrodzenie i spiesząc przez plantację, minąłem niewolników pracujących na polu bawełny. Pod koniec ćwierci mili dotarłem do pastwiska i nie trzeba mi było wiele czasu, by je przebiec. Wspinając się na wysokie ogrodzenie, widziałem prasę do bawełny, duży dom oraz przestrzeń między nimi. Byłem w miejscu, z którego widziałem całą plantację. Zobaczyłem przecinającego pole Tibeatsa, idącego w stronę domu i wchodzącego doń. Potem wyszedł, osiodłał konia i odjechał galopem.

Byłem rozbity, ale czułem wdzięczność. Wdzięczny byłem za zachowanie życia — rozbity i przestraszony tym, co mnie czekało. Co się ze mną stanie? Kto będzie mi przyjacielem? Dokąd powinienem uciekać? Och, Boże! Ty, który dałeś mi życie i zaszczepiłeś jego umiłowanie, który wypełniłeś mnie uczuciami tak, jak innych ludzi, Twoje stworzenia, nie opuszczaj mnie! Miej litość nad swoim biednym niewolnikiem; nie daj mi zginąć. Jeśli mnie nie ochronisz, jestem zgubiony — zgubiony!

Błagania takie, ciche i nieme, unosiły się z głębi mego serca ku niebiosom. Jednak nie rozległ się żaden głos — żadnego słodkiego, niskiego tonu z góry, szepczącego wprost do mojej duszy: „Oto jestem, nie lękaj się". Wydawało się, że Bóg mnie opuścił; a ludzie gardzili mną i mnie nienawidzili!

Po mniej więcej trzech kwadransach kilkoro niewolników zaczęło krzyczeć i dawać znaki, bym uciekał. W końcu spojrzałem w górę strumienia i zobaczyłem Tibeatsa oraz dwóch innych jeźdźców, zbliżających się szybko. Prowadzili ze sobą sforę psów. Było ich co najmniej osiem lub dziesięć. Choć byli daleko, rozpoznałem je. Należały do sąsiednich plantacji. Psy używane w Bayou Boeuf do polowania na niewolników podobne są do bloodhoundów, ale są też znacznie bardziej zajadłe, niż te spotykane na Północy. Na rozkaz swojego pana zaatakują Murzyna i wgryzą się w niego, jak buldog wgryza się w zwierzę. Na bagnach często rozlega się ich szczekanie; obstawia się wówczas, jak daleko uda się dobiec uciekinierowi. Wygląda to tak samo, jak w Nowym Jorku, gdy myśliwy staje i nasłuchuje psów gnających przez wzgórza i wskazuje towarzyszom, gdzie powinni znaleźć lisa. Nigdy nie poznałem niewolnika, który zdołałby uciec z Bayou Boeuf i zachować życie. Niewolnikom nie wolno uczyć się pływać, więc nie są w stanie pokonać nawet najmniejszych strumieni. Uciekając, mogą tylko trzymać się możliwie daleko od *bayou*, a jedyne alternatywy to utonięcie lub pochwycenie przez psy. Sam w młodości ćwiczyłem w czystych strumieniach mojego rodzinnego dystryktu, aż nie stałem się świetnym pływakiem, i w wodzie czułem się jak ryba.

Stałem na ogrodzeniu do chwili, gdy psy dotarły do prasy do bawełny. Po chwili ich przeciągłe, drapieżne ujadanie oznajmiło, że złapały mój trop. Zeskoczyłem i pobiegłem w stronę bagien. Strach dodawał mi sił. Co kilka chwil docierało do mnie szczekanie. Doganiały mnie. Każde szczeknięcie rozlegało się bliżej i bliżej. W każdej chwili spodziewałem się, że któryś skoczy mi na plecy — spodziewałem się poczuć, jak ich długie kły zagłębiają się w moim ciele. Było ich tak wiele, że wiedziałem, że rozedrą mnie na strzępy, że będą mnie szarpać, aż umrę. Dyszałem ciężko; dusząc się z braku oddechu, zanosiłem modlitwę do Wszechmogącego, by mnie ocalił — by dał mi siłę, abym dotarł do jakiegoś szerokiego, głębokiego potoku, gdzie psy zgubiłyby mój ślad albo potonęły. Wreszcie dotarłem do zagajnika palm karłowatych. Gdy się przez nie przedzierałem, trzeszczały głośno, ale nie aż tak, by zagłuszyć głosy psów.

Biegnąc, o ile byłem w stanie to określić, na południe, dotarłem w końcu nad wodę. W tej chwili psy były najwyżej trzydzieści jardów ode mnie. Słyszałem, jak przebijają się przez zagajnik. Ich głośne szczekanie napełniało bagna hałasem. Gdy dotarłem do wody, odżyła we mnie odrobina nadziei. Jeśliby tylko była dość głęboka, psy mogłyby stracić trop, co pozwoliłoby mi je zgubić. Na szczęście im dalej wchodziłem, tym było głębiej: powyżej kostek — przed kolanami — potem do pasa, a następnie znów robiła się płytsza. Psy nie dopadły mnie przed strumieniem. Ewidentnie były zagubione. Ich żarłoczne szczekanie coraz bardziej cichło, upewniając mnie, że się od nich oddalam. Wreszcie zatrzymałem się, by posłuchać, ale wycie znów wzniosło się w górę; nie byłem jeszcze bezpieczny. Od trzęsawiska do trzęsawiska, gdzie tylko postawiłem stopę, wciąż były na tropie, choć woda je spowolniła. Wreszcie, ku mojej wielkiej radości, trafiłem nad potężny strumień, do którego się rzuciłem. Wkrótce jego ospały prąd przeniósł mnie na drugi brzeg. Teraz psy z pewnością będą zaskoczone — prąd zniesie w dół strumienia wszelkie ślady tego lekkiego, tajemniczego zapachu, który tym doskonałym tropicielom pozwalał podążać śladem zbiega.

Po przebyciu tego *bayou* woda stała się tak głęboka, że nie mogłem biec. Znajdowałem się obecnie, jak się później dowiedziałem, na Wielkim Bagnie Pacoudrie. Było tam mnóstwo potężnych drzew — sykomor, eukaliptusów, drzew bawełnianych i cyprysów, i rozciągały się, jak mnie poinformowano, do brzegów rzeki Calcasieu. Przez trzydzieści lub czterdzieści mil nie mieszka tam nikt poza dzikimi stworzeniami — niedźwiedziami, dzikimi kotami, tygrysami i wielkimi, oślizłymi gadami, od których roi się wszędzie. W sumie na długo przed tym, jak dotarłem do *bayou*, od czasu gdy rzuciłem się do wody, byłem przez nie otoczony. Widziałem setki węży mokasynowych. Każda kłoda i gałąź, każdy pień zwalonego drzewa, nad którym przechodziłem lub na który się wspinałem, był ich pełen. Rozpełzały się, gdy nadchodziłem, jednak czasem szedłem tak szybko, że prawie po nich deptałem lub opierałem się o nie dłonią. Są to węże jadowite — ich ukąszenie jest groźniejsze od ukąszenia grzechotnika. Straciłem jeden but, od którego odpadła podeszwa, zostawiając wiszącą na mojej kostce cholewkę.

Widziałem wiele aligatorów, dużych i małych, leżących w wodzie lub na płyciznach. Hałas, jaki robiłem, z reguły je płoszył, a wtedy poruszały się i zanurzały w głębszych miejscach. Czasem jednak wychodziłem prosto na takiego potwora, zanim go zauważyłem. W takich przypadkach cofałem się i obchodziłem go dookoła. Na krótkich, prostych odcinkach potrafiły biegać wcale szybko, ale nie radziły sobie ze skręcaniem. Gdy poruszało się zakosami, łatwo było ich unikać.

Około drugiej po południu po raz ostatni usłyszałem psy. Przypuszczalnie nie przeszły przez potok. Mokry i zmęczony, ale uwolniony od bliskiego niebezpieczeństwa, szedłem dalej, bardziej jednak niż wcześniej uważając na węże i aligatory. Teraz zanim wszedłem do błotnistej sadzawki, uderzałem o powierzchnię wody kijem. Jeśli woda się poruszyła, obchodziłem ją, jeśli nie, szedłem na przełaj.

Wreszcie zaszło słońce i stopniowo noc otuliła bagno swoją opończą. Szedłem dalej, cały czas bojąc się ukąszenia węża mokasynowego albo tego, że zmiażdżą mnie szczęki spłoszonego aligatora. Strach przed nimi był niemal taki sam jak przed gończymi psami. Po jakimś czasie wzszedł księżyc. Jego łagodne światło sączyło się między zwisającymi gałęziami, chylącymi się pod ciężarem długich pasm mchu. Szedłem przed siebie, aż minęła północ. Cały czas miałem nadzieję, że niedługo wyjdę na jakiś mniej opuszczony i niebezpieczny obszar.

Ale woda była coraz głębsza i szło się jeszcze trudniej niż uprzednio. Przewidywałem, że nie uda mi się zajść znacznie dalej. Nie wiedząc, w czyje ręce mogę trafić, nie byłem pewien, czy powinienem zmierzać w stronę ludzkich siedzib. Nie miałem przepustki, więc każdy biały człowiek był władny mnie aresztować i umieścić w więzieniu do czasu, aż mój pan „udowodni prawo własności, wniesie opłaty i mnie zabierze". Byłem zabłąkanym zwierzęciem, a jeśli miałbym pecha natknąć się na przestrzegającego prawa obywatela Luizjany, to ten wypełniłby swój obowiązek wobec sąsiada. Naprawdę trudno było mi określić, czego powinienem się bać najbardziej — psów, aligatorów czy ludzi!

Po północy jednakże się zatrzymałem. Wyobraźni nie stać na odmalowanie tej przejmującej sceny. Bagno drżało od... kwakania niezliczonych kaczek! Wszystko wskazywało na to, że od chwili stworzenia świata w tej części bagien nigdy nie postała ludzka stopa. Obecnie nie zachowywałem takiej ciszy, jak za dnia. Moje nocne wtargnięcie obudziło te pierzaste plemiona, które tłoczyły się chyba setkami tysięcy, z gardeł dobywając tak rozliczne dźwięki. Słychać było również trzepotanie skrzydeł i nagłe pluśnięcia wody, świadczące o tym, że wzbudziłem przerażenie. Wydawało się, iż w tym jednym miejscu zgromadziło się całe latające ptactwo i wszystkie dziwaczne stworzenia żyjące na ziemi, po to tylko, by wypełnić je hałasem. Żadne ludzkie siedziby, żadne zatłoczone miasta nie obfitują w takie widoki i dźwięki życia. Najdziksze miejsca na świecie są ich pełne. Nawet w samym sercu tego posępnego bagniska Bóg stworzył schronienie dla milionów żywych istot.

Księżyc uniósł się już ponad drzewa, gdy wpadłem na nowy pomysł. Dotąd zmierzałem na południe. Jeśli skręciłbym na północny wschód, trafiłbym do Lasów Sosnowych w pobliżu posiadłości pana Forda. Czułem, że znalazłszy się pod jego opieką, będę stosunkowo bezpieczny.

Ubranie miałem w strzępach, ręce, twarz i ciało pokryte zadrapaniami powstałymi w czasie przedzierania się przez krzaki i powalone drzewa. W gołej stopie miałem mnóstwo cierni. Wysmarowany byłem mułem i zielonym szlamem, który zbierał się na powierzchni stojących wód, w które wiele razy tej nocy zanurzałem się po szyję. Godzina po godzinie, choć byłem coraz bardziej zmęczony, parłem na północny zachód. Woda stawała się coraz płytsza, a ziemia pod stopami twardsza. Wreszcie doszedłem do Pacoudrie, tego samego szerokiego strumienia, który przepłynąłem podczas początkowej fazy ucieczki. Pokonałem go ponownie i wkrótce potem wydało mi się, że usłyszałem pianie koguta. Dźwięk był słaby i mógł być tylko złudzeniem. Woda ustępowała pod moimi krokami. Zostawiłem za sobą bagno; znalazłem się na suchej ziemi i stopniowo wspinałem na przewyższenie. I wiedziałem, że jestem gdzieś w Wielkich Lasach Sosnowych.

O świcie wyszedłem na przecinkę, coś w rodzaju małej plantacji, której nigdy dotąd nie widziałem. Na skraju lasu wpadłem na dwóch ludzi, niewolnika i jego młodego pana, zajętych chwytaniem dzikich świń. Wiedziałem, że biały zażąda ode mnie przepustki, a skoro nie mogłem jej okazać, uwięzi mnie. Byłem zbyt zmęczony, żeby znów uciekać i zbyt zdesperowany, by dać się pochwycić, więc wymyśliłem podstęp, który w pełni się udał. Zrobiłem groźną minę i ruszyłem prosto na niego, patrząc mu w twarz. Gdy się zbliżyłem, cofnął się nieco, gotów podnieść alarm. Widać było, że jest wyraźnie przestraszony — patrzył na mnie niby na piekielnego goblina, który właśnie wynurzył się z jakichś bagiennych czeluści!

— Gdzie mieszka William Ford? — zapytałem, bynajmniej nie grzecznie.

— Siedem mil stąd — brzmiała jego odpowiedź.

— Którędy? — spytałem, starając się wyglądać jeszcze bardziej groźnie.

— Widzisz tamte sosny? — zapytał, wskazując na dwa odległe o milę drzewa, wyrastające ponad inne jak dwóch wysokich strażników rozglądających się po połaciach lasu.

— Widzę — potwierdziłem.

— U stop tych sosen — mówił dalej — biegnie droga na Teksas. Skręć w lewo, a poprowadzi cię do Williama Forda.

Nie wdając się w dalsze pogawędki, ruszyłem przed siebie, bez wątpienia równie szczęśliwy ze zwiększenia odległości między nami, jak on. Gdy doszedłem do drogi na Teksas, skręciłem w lewo, jak mi powiedział, i wkrótce minąłem wielkie ognisko, na którym płonęła sterta belek. Chciałem podejść do niego i osuszyć ubranie, jednak szybko się rozjaśniało i mógł mnie zobaczyć jakiś biały człowiek; poza tym żar sprawił, że zrobiłem się bardzo śpiący. Nie zwlekając więc dłużej, szedłem dalej. Wreszcie, koło ósmej, dotarłem do domostwa pana Forda.

Niewolników nie było w ich kwaterach, poszli do pracy. Wszedłem na werandę i zastukałem do drzwi, które po chwili otworzyła pani Ford. Mój wygląd tak się zmienił — byłem w tak opłakanym stanie — że mnie nie poznała. Gdy zapytałem, czy zastałem pana Forda, ten dobry człowiek pojawił się, zanim zdążyła udzielić odpowiedzi. Opowiedziałem mu o swojej ucieczce i wszystkim, co się z nią wiązało. Słuchał uważnie, a gdy skończyłem, przemówił do mnie łagodnie i ze współczuciem. Zabrał mnie do kuchni i wezwał Johna, któremu kazał przygotować dla mnie jedzenie. Od poprzedniego ranka niczego nie jadłem.

Kiedy John postawił przede mną posiłek, przyszła pani, niosąc miskę mleka i mnóstwo malutkich, wspaniałych delikatesów, które rzadko goszczą na talerzu niewolnika. Byłem głodny i zmęczony, ale ani jedzenie, ani odpoczynek nie dały mi nawet połowy tej przyjemności, jak ich błogosławione głosy, przemawiające z dobrocią i pocieszeniem. Były to oliwa i wino, jakie dobry Samarytanin w Wielkich Lasach Sosnowych gotów był wlać w poranionego ducha niewolnika, który przyszedł do niego odziany w łachmany i na wpół martwy.

Zostawili mnie w chacie, bym odpoczął. Błogosławieństwo snu! Nawiedza wszystkich jednakowo, opadając niebiańską rosą na wolnych i niewolnych. Wkrótce przygarnął mnie do siebie, odsuwając wszystkie moje kłopoty i przenosząc mnie w cieniste krainy, w której znów ujrzałem twarzyczki i usłyszałem głosy mych dziatek, które niestety, z tego, co wiedziałem o świecie, mogły wpaść w objęcia tego *innego* snu, z którego nie obudzą się *nigdy*.

◊

ROZDZIAŁ XI

OGRÓD PANI — SZKARŁATNO-ZŁOTY OWOC — DRZEWA POMARAŃCZOWE I GRANATOWE — POWRÓT DO BAYOU BOEUF — UWAGI PANA FORDA PO DRODZE — SPOTKANIE Z TIBEATSEM — JEGO RELACJA Z POŚCIGU — FORD KRYTYKUJE JEGO BRUTALNOŚĆ — PRZYJAZD NA PLANTACJĘ — ZDUMIENIE NIEWOLNIKÓW NA MÓJ WIDOK — PRZEWIDYWANIE CHŁOSTY — KENTUCKY JOHN — PAN ELDRET, PLANTATOR — SAM ELDRETA — PODRÓŻ DO WIELKICH ZAROŚLI TRZCINOWYCH, TRADYCJA POLA SUTTONA — LAS — KOMARY I MUCHY — PRZYBYCIE CZARYCH KOBIET — KOBIETY DRWALE — NAGŁE POJAWIENIE SIĘ TIBEATSA — JEGO PROWOKACYJNE ZACHOWANIE — WIZYTA W BAYOU BOEUF — PRZEPUSTKA NIEWOLNIKA — POŁUDNIOWA GOŚCIONNOŚĆ — KONIEC ELIZY — SPRZEDAŻ EDWINOWI EPPSOWI

Po południu zbudziłem się z długiego snu odświeżony, jednak bardzo obolały i zesztywniały. Sally przyszła ze mną porozmawiać, podczas gdy John szykował mi kolację. Sally była w wielkich kłopotach, tak jak ja: jedno z jej dzieci było chore i bała się, że może nie przeżyć. Po kolacji przeszliśmy się trochę, zajrzeliśmy do chaty Sally i zerknęliśmy na chore dziecko, a potem zaszedłem do ogrodu pani. Chociaż o tej porze roku ptaki milkną, a drzewa zrzucają swoją letnią szatę, kwitło tam całe mnóstwo róż, a po pergolach pięły się długie, bujne pnącza. Na wpół ukryty między młodszymi i starszymi kwiatami brzoskwiń, pomarańczy, śliw i granatów, wisiał szkarłatno-złoty owoc; w tej ciepłej krainie liście opadają, a pąki zamieniają się w kwiaty przez cały rok.

Żywiłem wobec pana i pani Ford uczucie największej wdzięczności i chciałem choć w jakimś stopniu odpłacić się za jej dobroć, zająłem się więc przycinaniem pnączy oraz wyrywaniem chwastów spomiędzy drzew pomarańczy i granatów. Te drugie rosły na jakieś osiem lub dziesięć stóp wysokości; ich duże owoce smakują słodko jak truskawki. Pomarańcze, brzoskwinie, śliwki i większość innych owoców rośnie bujnie na żyznej, ciepłej glebie Avoyelles, ale jabłko, owoc najbardziej powszechny w chłodniejszych szerokościach, spotyka się tu bardzo rzadko.

Pani Ford wyszła z domu i powiedziała, że jest mi bardzo wdzięczna, ale nie jestem w formie, żeby pracować i mogę odpoczywać w kwaterach, dopóki pan nie pojedzie do Bayou Boeuf, co nie nastąpi dzisiaj i jutro pewnie też nie. Powiedziałem jej, że istotnie czuję się źle i jestem zesztywniały, że boli mnie poraniona cierniami stopa, ale że takie zajęcie mi nie zaszkodzi i że to wielka przyjemność pracować dla tak dobrej pani. Później wróciła do dużego domu, a ja przez trzy dni pracowałem w ogrodzie, gracując ścieżki, pieląc klomby i przycinając trawę pod pnączami jaśminu, które łagodna i hojna dłoń mojej obrończyni nauczyła piąć się po ścianach.

Czwartego ranka, gdy odpocząłem i odzyskałem siły, pan Ford kazał mi się przygotować i towarzyszyć mu do *bayou*. Na podwórzu stał tylko jeden osiodłany koń, wszystkie pozostałe, wraz z mułami, zostały odesłane na plantację. Powiedziałem, że mogę iść i pomachawszy Sally i Johnowi na do widzenia, ruszyłem przy końskim boku.

Ten mały raj w Wielkich Lasach Sosnowych był jak oaza na pustyni, ku której podczas wielu lat niewoli zwracało się moje kochające serce. Do teraz myślę o nim z żalem, choć nie tak przytłaczającym jak wtedy, gdyby ktoś mi powiedział, że nie wrócę tam już nigdy.

Pan Ford nalegał, abym od czasu do czasu, dla odpoczynku, wsiadał na konia; ale powiedziałem, że nie, że nie jestem zmęczony i lepiej dla mnie, żebym szedł. Po drodze, jadąc powoli, tak bym mógł za nim nadążyć, powiedział mi wiele miłych i podnoszących na duchu rzeczy. Boska dobroć, klarował, objawiła się w tym, że cudem wydostałem się z bagien. Jak Daniel wyszedł nietknięty z jaskini lwa i jak Jonasz z brzucha wieloryba, tak ja zostałem przez Wszechmogącego wyrwany złu. Pytał mnie, czy w obliczu strachu i uczuć, których doznawałem podczas tego dnia i nocy, kiedykolwiek czułem potrzebę modlitwy. Czułem się opuszczony przez cały świat, odparłem, i w myślach modliłem się przez cały czas. W takich chwilach, rzekł on, ludzkie serce instynktownie zwraca się ku swemu Stwórcy. W chwilach powodzenia albo gdy nie dzieje się nic złego, nie pamięta o Nim i gotów jest się Go wyprzeć; postawcie jednak człowieka w sytuacji zagrożenia, odbierzcie mu ludzką pomoc, niech otworzy się przed nim grób — wówczas, w chwili cierpienia, ten szyderca i niedowiarek prosi Boga o pomoc albo schronienie, albo bezpieczeństwo, o kryjówkę w jego opiekuńczych ramionach.

Tak oto ten dobry człowiek mówił i o tym życiu, i życiu przyszłym; o dobroci i potędze Boga oraz o marności ziemskich rzeczy, kiedy wciąż zmierzaliśmy opustoszałą drogą ku Bayou Boeuf.

Gdy byliśmy jakieś pięć mil od plantacji, zobaczyliśmy, że z daleka pędzi ku nam jeździec. Podjechał bliżej, a ja rozpoznałem w nim Tibeatsa! Spojrzał na mnie, ale się do mnie nie odezwał. Zawrócił i ruszył bok w bok z Fordem. Milcząc, szedłem tuż za kopytami ich wierzchowców i słuchałem rozmowy. Ford poinformował go, że trzy dni temu pojawiłem się w Lasach Sosnowych. Mówił o marnym stanie, w jakim się znajdowałem, oraz problemach i niebezpieczeństwach, na jakie się natknąłem.

— Cóż — wykrzyknął Tibeats, w obecności Forda powstrzymując się od swoich przekleństw. — W życiu nie widziałem takiej ucieczki. Postawię sto dolarów, że zakasuje każdego czarnucha w Luizjanie. Dawałem Davidowi Cheneyowi dwadzieścia pięć dolarów za schwytanie go żywego lub martwego, ale prześcignął jego psy. Ale te gończe Cheneya nie są najlepsze. Psy Dunwoodiego dopadłyby go, zanim dotarłby do palm! Jakimś cudem zgubiły trop i musieliśmy przerwać polowanie. Pojechaliśmy na koniach tak daleko, jak się dało, a potem szliśmy na piechotę, aż woda zrobiła się głęboka na trzy stopy. Chłopcy uznali, że na pewno utonął.

Przyznaję, że chciałem go zastrzelić na miejscu. Od tego czasu jeżdżę w górę i w dół *bayou*, ale nie miałem wielkiej nadziei, że go złapię. Myślałem, że nie żyje. Nie ma co, ten czarnuch umie biegać!

W takim właśnie tonie przemawiał Tibeats, opisując swoje poszukiwania na bagnach i niesamowitą szybkość, z jaką uciekałem psom. Kiedy skończył, pan Ford oświadczył, że wobec niego zawsze byłem chętnym i wiernym sługą; że przykro mu, że mieliśmy takie kłopoty, że zgodnie z tym, co powiedział mu Platt, był on traktowany w nieludzki sposób i że to Tibeats popełnił błąd. Użycie siekiery czy topora przeciwko niewolnikowi jest godne pożałowania i niedopuszczalne, dodał.

— To nie jest sposób, by sobie z nimi radzić, gdy tu trafiają. To będzie miało zgubny wpływ i sprawi, że będą uciekać na potęgę. Bagna będą ich pełne. W kiełznaniu ich odrobina łagodności okazuje się znacznie bardziej skuteczna niż grożenie bronią; sprawia, że stają się posłuszni. Każdy plantator nad *bayou* powinien tępić tak nieludzkie zachowanie. Leży to w interesie nas wszystkich. Panie Tibeats, pan i Platt ewidentnie nie możecie żyć razem. Nie lubi go pan i nie zawaha się go zabić, a wiedząc o tym, znów od pana ucieknie, lękając się o swoje życie. Tibeats, musi go pan sprzedać albo przynajmniej wynająć. Jeśli pan tego nie zrobi, podejmę działania, by przestał on być pańską własnością.

W tym duchu Ford mówił do niego przez pozostałą część drogi. Ja nie otwierałem ust. Gdy doszliśmy do plantacji, poszli do dużego domu, a ja naprawiłem chatę Elizy. Niewolnicy byli zdumieni, gdy mnie tam zastali po powrocie z pola. Sądzili bowiem, że utonąłem. Tej nocy znów zebrali się w chacie, by wysłuchać opowieści o mojej przygodzie. Uznali za pewnik, że zostanę wychłostany, i to surowo, bo karą za ucieczkę było pięćset batów.

— Biedaku — powiedziała Eliza, ujmując mnie za rękę — lepiej byłoby dla ciebie, gdybyś utonął. Masz okrutnego pana i obawiam się, że cię w końcu zabije.

Lawson zasugerował, że być może to nadzorca Chapin zostanie wyznaczony do wymierzenia kary, która w takim przypadku nie byłaby tak sroga. Mary, Rachel, Bristol i inni wyrażali nadzieję, że będzie to pan Ford — w takim przypadku nie byłoby żadnej chłosty. Wszyscy mnie żałowali i próbowali pocieszać; zasmucała ich wizja batożenia mnie. Litowali się wszyscy, poza Kentucky Johnem. Ten śmiał się z całego serca; wypełnił chatę swoim niepowstrzymanym rechotem i trzymał się za boki, jakby miały mu pęknąć. Powodem jego hałaśliwej radości była wizja mnie prześcigającego psy. Z jakiegoś powodu dostrzegał w tej kwestii aspekt komiczny.

— *Wiedziałem*, że go nie dorwą, jak będzie uciekał przez plantację. O, dobry Boże, Platt nieźle wyciągał nogi, co? Kiedy te psy skumały, gdzie jest, jego tam *nie było*! Hau, hau, hau! O Jezuniu! — I Kentucky John znów zaczynał się turlać ze śmiechu.

Następnego dnia wcześnie rano Tibeats wyjechał z plantacji. Bliżej południa, gdy kręciłem się koło domu, wyszedł do mnie wysoki, przystojny mężczyzna i zapytał, czy jestem chłopcem Tibeatsa; określenie to było stosowane po równo wobec wszystkich niewolników, czy mieli trzy, czy trzydzieści lat. Zdjąłem kapelusz i odpowiedziałem, że tak.

— Chciałbyś pracować dla mnie? — zapytał.

— Och tak, bardzo — powiedziałem, czując nagły przypływ nadziei na pozbycie się Tibeatsa.

— U Petera Tannersa pracowałeś z Myersem, zgadza się?

Odpowiedziałem, że tak, wspominając o pochlebnych słowach, którymi Myers wyrażał się o mnie.

— No cóż, chłopcze — powiedział — wynająłem cię od twojego pana do pracy w Wielkich Zaroślach Trzcinowych, trzydzieści osiem mil stąd w dół Red River.

Był to pan Eldret, który mieszkał niżej niż Ford, po tej samej stronie *bayou*. Towarzyszyłem mu na jego plantację i rano wraz z jego niewolnikiem Samem oraz wozem z zaopatrzeniem, ciągniętym przez cztery muły, wyruszyłem do Zarośli. Eldret oraz Myers jechali konno. Ten Sam pochodził z Charleston, gdzie miał matkę, braci i siostry. Przyznał, że Tibeats był podłym człowiekiem i miał nadzieję, równie gorącą, jak ja, że jego pan mnie kupi.

Jechaliśmy w dół wzdłuż południowego brzegu *bayou*, przecinając ją na plantacji Careya; stamtąd do Huff Power, przejechawszy przez które, znaleźliśmy się na drodze Bayou Rouge, która biegnie do Red River. Po pokonaniu bagna Bayou Rouge, dokładnie o zachodzie słońca zjechaliśmy z drogi i ruszyliśmy do Wielkich Zarośli Trzcinowych. Jechaliśmy wyboistą drogą, na której wóz ledwie się mieścił. Trzcina taka, jak ta używana do wyrobu wędek, rosła niezwykle gęsto. Gdyby ktoś się w niej schował, można by go minąć w odległości stopy i nie zauważyć. W różne strony biegły wydeptane przez zwierzęta ścieżki — w tych zaroślach żyją niedźwiedzie i jaguary, a wszędzie tam, gdzie znajdują się sadzawki stojącej wody, roi się od aligatorów.

Kontynuowaliśmy naszą samotną podróż przez Zarośla przez kilka mil, aż wjechaliśmy na przecinkę znaną jako Pole Suttona. Wiele lat wcześniej człowiek nazwiskiem Sutton zbadał tę dzicz aż do tego opuszczonego miejsca. Podobno była to jego kryjówka, gdyż był uciekinierem — nie ze służby, ale przed wymiarem prawa. Żył tutaj sam — bagienny pustelnik, własnymi rękami sadzący trzcinę i zbierający plony. Któregoś dnia do jego samotni wdarła się mająca przewagę liczebną banda Indian i po krwawej bitwie zmasakrowała go. W całej okolicy w kwaterach niewolników i na werandach „dużych domów", gdzie białe dzieci słuchały strasznych opowieści, mówiono, że Wielkie Zarośla są nawiedzone. Przez niemal ćwierć wieku ludzkie głosy mąciły ciszę tej przecinki rzadko, jeśli kiedykolwiek. Niegdyś uprawiane pole zarosło wybujałymi chwastami, na progu rozpadającej się chaty wygrzewały się węże. Zaiste — był to ponury obraz upadku.

Minęliśmy Pole Suttona i przejechaliśmy jeszcze dwie mile nowo wyciętą drogą, która doprowadziła nas do celu. Dotarliśmy wreszcie do dzikich ziem pana Eldreta, gdzie planował powiększyć swoją, już i tak rozległą, plantację. Następnego ranka przystąpiliśmy do wycinania trzciny i oczyściliśmy placyk, dość duży, by postawić dwie chaty — jedną dla Myersa i Eldreta, a drugą dla Sama, mnie i dla niewolników, którzy mieli do nas dołączyć. Znajdowaliśmy się między ogromnymi drzewami, których rozłożyste korony niemal nie przepuszczały światła słonecznego. Pomiędzy ich pniami rosła zwarta masa trzciny i pojedyncze palmy karłowate.

Tu, na żyznych nizinach w okolicach Red River, sykomory, dęby i cyprysy osiągały niespotykane rozmiary. Ponadto z każdego drzewa zwieszały się długie, wielkie pasma mchu. Mech ten w wielkich ilościach wysyłany jest na północ, gdzie wykorzystywany jest do celów produkcyjnych.

Ścięliśmy dęby, rozszczepiliśmy je na deski i zbudowaliśmy z nich tymczasowe chaty. Dachy pokryliśmy szerokimi liśćmi palmowymi, stanowiącymi wspaniały substytut gontów... dopóki się nie rozpadną.

Najbardziej przeszkadzały mi drobne muszki i moskity. Wypełniały powietrze. Wchodziły do uszu, nosa, oczu i ust. Wgryzały się w skórę. Nie można się ich było pozbyć w żaden sposób. Wydawało się, że nas pożrą, że ich maleńkie, kąśliwe szczęki rozerwą nas na strzępy.

Trudno sobie wyobrazić miejsce bardziej osamotnione albo bardziej nieprzyjemne od Wielkich Zarośli Trzcinowych. Jednak dla mnie, w porównaniu z towarzystwem Tibeatsa, był to raj. Ciężko pracowałem i bywałem wyczerpany, jednak w nocy mogłem położyć się w spokoju, a rano wstać bez strachu.

Po jakichś dwóch tygodniach z plantacji Eldreta przyjechały cztery czarne dziewczyny — Charolotte,

Fanny, Cresia i Nelly. Wszystkie były duże i tęgie. Dostały siekiery i wraz z Samem i ze mną zostały odprawione do wycinki drzew. Były świetnymi drwalami, żaden dąb czy sykomora nie ustały długo pod ich mocnymi i celnymi uderzeniami. Przy układaniu kłód były równe każdemu mężczyźnie. W lasach Południa jako drwale pracują zarówno mężczyźni, jak kobiety. W okolicach Bayou Boeuf kobiety biorą udział we wszystkich pracach wykonywanych na plantacji. Są oraczami, tragarzami i woźnicami, oczyszczają dzikie ziemie, pracują przy budowie dróg i tak dalej. Niektórzy plantatorzy, posiadający duże uprawy bawełny czy trzciny, trzymają do pracy wyłącznie niewolnice. Jednym z nich jest Jim Burnsm, który mieszka na północnym brzegu *bayou*, naprzeciwko plantacji Johna Fogamana.

Przy naszym przyjeździe Eldret obiecał mi, że jeśli będę dobrze pracował, to za cztery tygodnie pozwoli mi odwiedzić moich przyjaciół na plantacji Forda. W sobotni wieczór piątego tygodnia przypomniałem mu o tej obietnicy, a on powiedział, że spisałem się tak dobrze, że mogę iść. Oświadczenie Eldreta uradowało moje serce. Miałem wrócić do pracy we wtorek rano.

Gdy rozkoszowałem się miłym oczekiwaniem rychłego spotkania ze starymi przyjaciółmi, nagle pojawiła się między nami obmierzła postać Tibeatsa. Zapytał, jak radzą sobie Myers i Platt, pracując razem, i usłyszał, że bardzo dobrze i że Platt następnego ranka wybiera się z wizytą na plantację Forda.

— Phi! — prychnął Tibeats. — Nie jest tego wart. Ten czarnuch zaraz zwieje. Nie może iść.

Jednak Eldret oświadczył stanowczo, że pracowałem wiernie, że złożył mi obietnicę i że w tych okolicznościach nie powinienem doznać zawodu. Później, po zmroku, oni weszli do jednej chaty, a ja do drugiej. Nie mogłem porzucić wizji tej wizyty; niepójście byłoby gorzkim rozczarowaniem. Nad ranem postanowiłem, że skoro Eldret nie miał obiekcji, to wyruszę, nie zważając na niebezpieczeństwo. O świcie byłem u jego drzwi, trzymając zwinięty koc, uwiązany do kija na ramieniu, i czekając na przepustkę. Pojawił się Tibeats, wyraźnie w jednym z tych swoich podłych humorów. Obmył twarz i usiadł na pobliskiej kłodzie, pogrążając się w myślach. Po dłuższym oczekiwaniu, popchnięty przez nagły impuls zniecierpliwienia, ruszyłem się.

— Idziesz bez przepustki? — wrzasnął do mnie.

— Tak, panie, na to wygląda — odpowiedziałem.

— Jak masz zamiar się tam dostać? — zapytał.

— Nie wiem — brzmiała cała moja odpowiedź.

— Zanim będziesz w połowie drogi, pochwycą cię i wsadzą do więzienia, gdzie powinieneś siedzieć — dodał, wchodząc jednocześnie do chaty. Po chwili pojawił się z przepustką w ręce. Nazywając mnie „przeklętym czarnuchem, który powinien dostać sto batów", cisnął ją na ziemię. Podniosłem przepustkę i pospiesznie się oddaliłem.

Niewolnik złapany bez przepustki poza plantacją swego pana może zostać schwytany i wychłostany przez każdego białego, jakiego spotka. Na tej, którą dostałem, widniała data oraz słowa „Platt ma zezwolenie na odwiedzenie plantacji Forda, a wrócić ma do wtorku rano. JOHN M. TIBEATS".

To była zwyczajowa forma. Po drodze żądano jej wiele razy, czytano ją i przepuszczano mnie. Ci, którzy roztaczali wokół siebie aurę dżentelmenów, których odzienie wskazywało na posiadane bogactwo, często nie zwracali na mnie żadnej uwagi; ale każdy obszarpaniec, niewątpliwy próżniak, musiał mnie zatrzymać i sprawdzić mnie w najbardziej prostacki sposób. Złapanie uciekiniera bywa dochodowym interesem. Gdyby po odpowiednim ogłoszeniu nie pojawił się właściciel, można było takiego sprzedać temu, kto zaproponował najwyższą cenę; do tego zwyczajowo znalazcy należy się pewna opłata za jego usługi. Dlatego tacy biali próżniacy uznają spotkanie z nieznanym Murzynem bez przepustki za dar od Boga.

W tej części stanu, po której podróżowałem, przy drogach nie ma gospód. Na przemarsz z Wielkich Zarośli do Bayou Boeuf nie miałem żadnych pieniędzy ani zapasów; jednakże niewolnik zaopatrzony w przepustkę nie musiał cierpieć z głodu i pragnienia. W razie potrzeby wystarczyło pokazać się właścicielowi lub zarządcy jakiejś plantacji i powiedzieć, czego się potrzebuje, by zostać odesłanym do kuchni bądź przenocowanym. Podróżny może się zatrzymać w każdym domu i poprosić o posiłek tak swobodnie, jakby to była tawerna. To zwyczaj panujący w tej krainie. Mieszkańcy brzegów Red River mają na sumieniu różne rzeczy, jednak z pewnością w Luizjanie nie można narzekać na niegościnność.

Na plantację Forda dotarłem późnym popołudniem. Wieczór spędziłem w chacie Elizy wraz z Lawsonem, Rachel i innymi moimi znajomymi.

Gdy wyjeżdżaliśmy z Waszyngtonu, Eliza była zaokrąglona i pulchna. Stała wyprostowana w swoich jedwabiach oraz biżuterii, prezentując obraz pełny wdzięku, siły i elegancji. Teraz został z niej wątły cień dawnej siebie. Twarz miała upiornie wychudzoną. Jej niegdyś krzepkie i proste ciało przygarbiło się, jakby dźwigało ciężar setek lat. W tej kulącej się na podłodze chaty, ubranej w prosty strój niewolników postaci stary Elisha Berry nie rozpoznałby matki swojego dziecka. Nigdy potem jej nie widziałem. Kiedy stała się bezużyteczna na plantacji bawełny, oddano ją pewnemu mężczyźnie mieszkającemu w sąsiedztwie Petera Comptona za bezcen. Rozpacz bezlitośnie wgryzała się w jej serce, aż straciła siły. Do tego jej ostatni pan, jak mi powiedziano, chłostał ją i wykorzystywał bez umiaru. Nie mógł jednak batem przywrócić jej utraconego wigoru ani wyprostować jej przygarbionego ciała do wysokości, jaką miało, gdy były przy niej jej dzieci, a jej ścieżkę oświetlał blask wolności.

Od jednego z niewolników Comptona, który przybył z Red River do *bayou*, by pomagać pani Tanner podczas „pracowitego okresu", dowiedziałem się szczegółów odejścia Elizy z tego świata. Mówili, że w końcu stała się zupełnie bezradna, że przez kilka tygodni leżała na klepisku zaniedbanej chaty, całkowicie zdana na łaskę towarzyszy, którzy poili ją i karmili. Jej pan nie „kopnął jej w głowę", jak to czasem robił, by skrócić cierpienie zwierzęcia, ale zostawił ją, by bez pomocy i opieki doszła przez chwile pełne bólu i rozpaczy do naturalnego końca. Kiedy jej towarzysze któregoś wieczoru wrócili z pola, zastali ją martwą! Tego dnia chatę tej umierającej kobiety nawiedził Anioł Pański, który — niewidzialny — przelatuje nad światem i zabiera uchodzące ze swych powłok dusze. Nareszcie była *wolna*!

Następnego dnia zwinąłem koc i ruszyłem w drogę powrotną do Wielkich Zarośli. Po przejściu pięciu mil, w miejscu zwanym Huff Power, natknąłem się na Tibeatsa. Zapytał, dlaczego wracam tak wcześnie, a gdy odpowiedziałem, że chcę wrócić na czas, oznajmił, że mam iść tylko na następną plantację, ponieważ tego dnia sprzedał mnie Edwinowi Eppsowi. Weszliśmy na dziedziniec, gdzie spotkaliśmy się z owym dżentelmenem. Ten obejrzał mnie i zadał zwykłe dla nabywcy pytania. Ponieważ odpowiadałem zadowalająco, kazano mi iść na kwaterę i zrobić sobie trzonki do motyki i siekiery.

Nie byłem już własnością Tibeatsa — jego psem i chłopcem do bicia, dniami i nocami drżącym przed jego okrucieństwem oraz złośliwością; jakikolwiek nie okazałby się mój nowy pan, z pewnością nie żałowałem zamiany. Informacja o sprzedaży stanowiła zatem dobrą wiadomość. Z westchnieniem ulgi po raz pierwszy usiadłem w moim nowym domu.

Tibeats niedługo potem zniknął z tej części kraju. Potem jeden i tylko jeden raz widziałem go przelotnie. Było to wiele mil od Bayou Boeuf. Siedział w drzwiach podłej tawerny, ja zaś wraz z tłumem niewolników zmierzałem przez parafię St. Mary.

ROZDZIAŁ XII

POJAWIENIE SIĘ EPPSA — EPPS PIJANY I EPPS TRZEŹWY — RZUT OKA NA JEGO HISTORIĘ — WZROST BAWEŁNY — SPOSÓB ORANIA I PRZYGOTOWYWANIA ZIEMI — O SADZENIU — O PIELENIU I ZBIERANIU — RÓŻNICE MIĘDZY ZBIERACZAMI BAWEŁNY — PATSEY, NIEWOLNICA NIE DO POMYLENIA Z KIMŚ INNYM — ZADANIA ZALEŻNE OD MOŻLIWOŚCI — URODA BAWEŁNIANEGO POLA — PRACE NIEWOLNICZE — STRACH PRZY ZBLIŻANIU SIĘ DO ODZIARNIARNI — WAŻENIE — „POSŁUGI" — ŻYCIE W CHATACH — MŁYNEK KUKURYDZIANY — ZASTOSOWANIA TYKWY — STRACH, BY NIE ZASPAĆ — CIĄGŁY STRACH — SPOSÓB UPRAWIANIA BAWEŁNY — SŁODKIE ZIEMNIAKI — ŻYZNOŚĆ GLEBY — TŁUSTE WIEPRZE — PRZYGOTOWYWANIE BEKONU — CHWYTANIE BYDŁA — ZAWODY STRZELECKIE — PŁODY OGRODU — KWIATY I ZIELEŃ

Edwin Epps, o którym wiele będzie mówione w tej opowieści, jest dużym, tęgim, mocno zbudowanym mężczyzną o jasnych włosach, wysokich kościach policzkowych i rzymskim nosie o niespotykanym rozmiarze. Ma niebieskie oczy, ostre wejrzenie, jasną cerę, a wzrostu — pełnych sześć stóp. Maniery odpychające i prostackie. Jego język daje natychmiastowe i wyraźne świadectwo tego, że nigdy nie korzystał ze zdobyczy edukacji. Ma zdolność do mówienia najbardziej prowokujących rzeczy — pod tym względem przewyższa nawet starego Petera Tannera. W czasie, gdy stałem się jego własnością, Edwin Epps często zaglądał do butelki, a bywało, że jego popijawy trwały i dwa tygodnie. Później jednakże zmienił swoje nawyki, a gdy go opuściłem, był doskonałym przykładem temperamentu typowego dla Bayou Boeuf. Pozostając „w ciągu", pan Epps był awanturniczym, buńczucznym, hałaśliwym człowiekiem, którego główną przyjemnością były tańce z jego „czarnuchami" albo chłostanie ich na podwórzu długim biczem, dla samej przyjemności słuchania, jak wrzeszczą i błagają, gdy na ich plecach pojawiają się wielkie pręgi. Na trzeźwo był cichy, wycofany i przebiegły, nie bił nas niesprawiedliwie, jak wtedy, gdy był pijany, ale smagał leniwego niewolnika końcówką pejcza w jakieś wrażliwe miejsce, z właściwą sobie zręcznością.

Za swoich młodych lat był woźnicą i nadzorcą, ale obecnie wszedł w posiadanie plantacji nad Bayou Huff Power, dwie i pół mili od Holmesville, osiemnaście od Marksville i dwadzieścia od Cheneyville. Plantacja należała do Josepha B. Robertsa, wuja jego żony, i Epps ją dzierżawił. Podstawą jego biznesu była uprawa bawełny, a jako że tę książkę może czytać ktoś, kto nigdy pola bawełny nie widział, opis jej uprawy nie byłby od rzeczy.

Ziemię przygotowuje się poprzez orkę. Do orki wykorzystuje się woły i muły, głównie te ostatnie. Pracą tą zajmują się kobiety na równi z mężczyznami, karmiąc, dbając o swoje zwierzęta i zajmując się nimi, zarówno w polu, jak i w stajniach, tak samo jak oracze na Północy.

Bruzdy mają sześć stóp szerokości od rowka na wodę do rowka na wodę. Pług ciągnięty przez jednego muła przechodzi przez szczyt lub środek bruzdy, tworząc dołek, w którym (zazwyczaj) dziewczęta umieszczają nasiona, niesione w workach zawieszonych na szyjach. Za nimi idzie muł ciągnący bronę, która zasypuje nasiona. Do obsiania rządka potrzeba dwóch mułów, trzech niewolników, pługa i brony. Robi się to w marcu i kwietniu. W lutym sieje się kukurydzę. Gdy nie ma zimnych deszczy, bawełna kiełkuje zwykle po tygodniu. Po ośmiu lub dziesięciu dniach następuje pierwsze pielenie. Robi się to częściowo przy użyciu pługa i zaprzężonego doń muła. Pług przejeżdża przy sadzonkach bawełny po obu stronach tak blisko, jak to możliwe, tworząc bruzdy. Za nim idą niewolnicy z motykami, ścinając trawę i bawełnę, zostawiając wzgórki co dwie i pół stopy. Nazywa się to „strzępieniem bawełny". Po kolejnych dwóch tygodniach znów należy pleć. Tym razem jednak bruzdy robi się przez bawełnę. Teraz na każdym wzgórku zostawia się tylko największe i najmocniejsze rośliny. Po następnych dwóch tygodniach pieli się po raz trzeci, prowadząc bruzdy przez bawełnę tak, jak poprzednio, i wyrywając całą trawę spomiędzy rządków. Na początku czerwca, gdy bawełna ma około czterech stóp, okopuje się ją po raz czwarty i ostatni. Teraz zaorać należy całą przestrzeń pomiędzy rządkami; pośrodku zostaje głęboki rowek z wodą. Podczas pielenia nadzorca jeździ za niewolnikami na koniu i – tak, jak zostało to opisane — korzysta z bata. Najszybszy robotnik dostaje zewnętrzny rządek. Zazwyczaj jest o jakieś dwie stopy przed pozostałymi. Jeśli ktoś go wyprzedzi, dostaje chłostę. Jeśli ktoś zostanie z tyłu lub przez moment nie pracuje, dostaje chłostę. W gruncie rzeczy bicz świszcze od rana do wieczora, przez cały dzień. Sezon pielenia trwa od kwietnia do lipca, a ledwie skończy się jedno, zaczyna się następne.

W drugiej połowie sierpnia zaczyna się zbiór bawełny. Każdy niewolnik zostaje wówczas wyposażony w worek z przyszytym paskiem, który przechodzi przez kark, utrzymując otwór worka na wysokości piersi, podczas gdy spód sięga niemal do ziemi. Każdy dostaje również duży kosz, w którym mieszczą się jakieś dwie baryłki. Tam przekłada się bawełnę, gdy napełni się worek. Kosze te zanosi się na pole i umieszcza na początku rzędów.

Gdy przychodzi ktoś nowy, nieprzyzwyczajony do tej pracy, po raz pierwszy posyłany na pole, chłoszcze się go energicznie i zmusza, by tego dnia zbierał tak szybko, jak tylko jest w stanie. Wieczorem waży się zbiór, by określić jego zdolności. Każdego następnego dnia musi zebrać tyle samo. Jeśli przyniesie mniej, uznaje się to za dowód lenistwa i karze większą lub mniejszą ilością batów.

Przeciętnym dziennym urobkiem jest dwieście funtów. Niewolnik lub niewolnica, która jest przyzwyczajona do zbierania, zostaje ukarana, jeśli przyniesie mniej. Przy tej pracy ujawniają się wielkie różnice między zbieraczami. Niektórzy wydają się mieć do niej naturalną smykałkę, która umożliwia im zbieranie z wielką szybkością, obiema rękami, podczas gdy inni — nieważne, jaką mają praktykę — ledwie dają radę zebrać standardową ilość. Tacy robotnicy zabierani są z pola i przydziela się ich do innych zajęć. Patsy, o której powiem więcej, była znana jako najbardziej niesamowita zbieraczka bawełny nad Baoyu Boeuf. Zbierała obiema rękami i z tak zdumiewającą prędkością, że pięćset funtów dziennie nie było w jej przypadku niczym niezwykłym.

Jednakże nikt, niezależnie od swoich zdolności w zbieraniu, nie może przynieść mniej niż dwieście funtów. Ja, kompletnie pozbawiony talentu w tej dziedzinie, zadowalałem mojego pana, przynosząc właśnie tyle, podczas gdy Patsy z pewnością zostałaby wychłostana, zebrawszy mniej niż czterysta funtów.

Krzew bawełny wyrasta na pięć do siedmiu stóp wysokości, każdy ma bardzo wiele gałązek rosnących we wszystkie strony i pochylających się nad rowkiem z wodą.

Niewiele jest widoków równie przyjemnych dla oka, jak rozległe pole kwitnącej bawełny. Wygląda jak nieskalana czystość, jak nieskazitelna jasność, jak świeżo spadły śnieg.

Czasami niewolnik zbiera po jednej stronie rzędu, a potem wraca wzdłuż drugiego; ale częściej jeden pracuje po obu stronach, zbierając wszystko, co rozkwitło, zostawiając zamknięte pąki na później. Kiedy worek jest pełny, opróżnia się go do kosza i całość udeptuje. Idąc po raz pierwszy w pole, trzeba bardzo uważać, żeby nie połamać gałązek krzewów. Epps nigdy nie szczędził najsurowszej kary pechowemu słudze, który — czy to z niedbalstwa, czy niechcący — złamał choćby najmniejszą gałązkę.

Robotnicy muszą być na polu bawełny o świcie i poza dziesięcioma lub piętnastoma minutami w południe, które mają na połknięcie swoich porcji zimnego bekonu, nie pozwala im się na najmniejszą chwilę bezczynności aż do chwili, gdy jest zbyt ciemno, żeby cokolwiek zobaczyć. Gdy księżyc jest w pełni, często pracują oni do późna w nocy. Nie śmieją przerwać nawet, by zjeść kolację, nie wracają też do chat — nieważne, jak byłoby późno — dopóki nadzorca nie wyda im takiego polecenia.

Dzień pracy na polu kończy się wtedy, gdy kosze są zanoszone do odziarniarni, gdzie bawełna jest ważona. Nieważne, jak zmęczony jest niewolnik, nieważne, jak bardzo potrzebuje snu i odpoczynku — do odziarniarni kosz z bawełną niesie zawsze ze strachem. Jeśli jest zbyt lekki, jeśli niewolnik nie wypełnił postawionego przed nim zadania, wie, że będzie cierpiał. A jeśli przekroczył normę o dziesięć lub dwadzieścia funtów, to z całą pewnością następnego dnia pan każe mu zebrać co najmniej tyle samo. Tak więc niezależnie od tego, czy bawełny jest za dużo, czy za mało, niewolnik do odziarniarni zawsze zbliża się z lękiem i drżeniem. Najczęściej jest za mało. Po ważeniu przychodzi czas na chłostę; potem kosze odnosi się do magazynu, ich zawartość układa jak siano, a wszyscy niewolnicy ją udeptują. Jeśli bawełna nie jest mokra, to zamiast odnieść ją zaraz do odziarniarni, układa się ją na platformach na wysokość dwóch stóp i mniej więcej trzy razy takich szerokich i nakrywa deskami, zostawiając między nimi wąskie przejścia.

Na tym praca bynajmniej się nie kończy. Każdy musi teraz wykonać przypisane mu zadania. Jedni karmią muły, inni świnie, ktoś rąbie drewno i tak dalej; poza tym przy świetle świec odbywa się pakowanie. Wreszcie, naprawdę późno, niewolnicy wracają na kwatery, śpiący i wyczerpani po długotrwałym wysiłku. W chacie trzeba rozpalić ogień, zemleć kukurydzę w małym, ręcznym młynku, i przygotować kolację oraz posiłek na następny dzień w polu. Wszystko, co niewolnicy mogą jeść, to kukurydza i bekon, które są wydawane w spichlerzu i wędzarni w każdą niedzielę rano. Każdy otrzymuje tygodniowy przydział trzech lub czterech funtów bekonu i kukurydzy; dosyć, by przeżyć. To wszystko — żadnej herbaty, kawy, cukru i, poza bardzo skąpymi, okazjonalnymi szczyptami, żadnej soli. Po dziesięciu latach życia z panem Eppsem mogę powiedzieć, że żaden z jego niewolników nigdy nie cierpiał na podagrę, będącą wynikiem używania życia. Wieprze pana Eppsa karmione były łuskaną kukurydzą — Murzynom jej skąpił. Jak zapewne uważał, wieprze będą więcej przybierać na wadze, jedząc łuskaną i namaczaną w wodzie kukurydzę. Niewolnicy, gdyby traktować ich tak samo, mogliby utyć za bardzo, żeby pracować. Pan Epps potrafił zręcznie kalkulować i, trzeźwy czy pijany, wiedział, jak radzić sobie ze swoim inwentarzem.

Młyn kukurydziany stał na podwórzu pod dachem. Przypominał zwykły młynek do kawy, ze zbiornikiem mieszczącym około sześciu kwart. Był to jedyny przywilej, którego pan Epps udzielił wszystkim swoim niewolnikom — mogli mleć w nocy swoją kukurydzę w ilości takiej, jakiej potrzebowali każdego dnia, albo mogli cały tygodniowy przydział zemleć na raz, w niedzielę, jak kto wolał. Bardzo wspaniałomyślny człowiek był z tego pana Eppsa!

Ja swoją kukurydzę trzymałem w małym drewnianym pudełku, zaś posiłek w tykwie. Przy okazji — tykwa jest jednym z najbardziej użytecznych i potrzebnych utensyliów na plantacji. Poza tym, że w niewolniczej chacie zastępuje wszystkie możliwe naczynia, używa się jej także do noszenia wody na pole. W drugiej nosi się posiłek. Zwalnia to z konieczności używania wiader, czerpaków, zlewów i wszelkich cynowych czy drewnianych kubków.

Gdy kukurydza jest już zmielona i pali się ogień, z haka zdejmowany jest bekon. Kroi się kawałek i wrzuca na węgle. Większość niewolników nie ma noża ani tym bardziej widelca. Kroją bekon siekierą, na pieńku do rąbania drewna. Mąkę kukurydzianą miesza się z odrobiną wody, umieszcza na ogniu i piecze. Gdy placek zrobi się brązowy, zeskrobuje się popiół; resztę umieszcza się na kawałku drewna, który służy za stół; wówczas mieszkaniec chaty może usiąść na ziemi i zjeść kolację. Zwykle wtedy jest już północ. Strach przed karą, podobnie jak wtedy, gdy niewolnik idzie do odziarniarni, opanowuje go znów, gdy kładzie się spać. To strach przed tym, że rano zaśpi. Takie uchybienie spotka się z karą co najmniej dwudziestu batów.

Z modlitwą, by być na nogach na pierwszy dźwięk rogu, niewolnik zapada w sen.

W niewolniczej chacie z bali nie znajdzie się puchowych łóżek. To, na które padałem rok po roku, było właściwie deską szeroką na dwadzieścia cali, a długą na dziesięć stóp. Za poduszkę służył mi pieniek. Okrywałem się szorstkim kocem, poza tym nie miałem niczego. Można używać mchu, ale to istna wylęgarnia pcheł.

Chaty buduje się z bali, bez podłogi i okien. Okna są zresztą niepotrzebne, bo przez szpary w ścianach przedostaje się wystarczająco dużo światła. Podczas burz natomiast wpada przez nie deszcz, sprawiając, że robi się tam wyjątkowo nieprzyjemnie. Krzywe drzwi wiszą na wielkich, drewnianych zawiasach. W jednym końcu znajduje się niezgrabne palenisko.

Na godzinę przed świtem rozlega się róg. Niewolnicy wstają, przygotowują sobie śniadanie, napełniają tykwy wodą, w inne wkładają posiłek złożony z zimnego bekonu i ciasta kukurydzianego, i znów spieszą na pole. Za przebywanie w kwaterach po świcie wymierza się chłostę. Tak zaczyna się kolejny dzień strachu i pracy; a dopóki nie dobiegnie końca, nie ma czegoś takiego jak odpoczynek. Niewolnik boi się, by w ciągu dnia nie złapano go na nieróbstwie; wieczorem boi się podejść z koszem bawełny do ważenia; gdy się kładzie, boi się, że rano zaśpi. Oto prawdziwy, wierny, nieprzesadzony obraz i opis codziennego życia niewolnika w sezonie zbioru bawełny na brzegach Bayou Boeuf.

Mniej więcej w styczniu kończy się czwarty, ostatni zbiór. Potem następują żniwa kukurydzy. Te zbiory uważane są za drugorzędne i wymagają znacznie mniej starań niż bawełna. Jak już wspomniano, kukurydzę sieje się w lutym. W tym regionie uprawia się ją jako paszę dla świń i niewolników; bardzo niewiele — o ile w ogóle coś — trafia na rynek. To biała odmiana, z wielkimi kolbami, rosnąca na wysokość ośmiu, a często i dziesięciu stóp. W sierpniu odziera się ją z liści, które suszy się na słońcu, wiąże w małe snopki i składuje jako karmę dla mułów i wołów. Potem niewolnicy idą przez pole i obracają kolby w dół, żeby ziarno nie namokło na deszczu. W tym stanie zostawia się je aż do końca zbiorów bawełny. Potem kolby odrywa się od łodyg i trzyma niewyłuskane w spichlerzu; jeśliby wyłuskać ziarno, zniszczy je wołek zbożowy. Łodygi zostawia się na polu.

W tym regionie uprawia się również słodkie ziemniaki, jednakże nie karmi się nimi świń ani bydła i są uważane za mało istotne. Przechowuje się je na pryzmach, przykryte cienką warstwą ziemi lub sieczki kukurydzianej. W Bayou Boeuf nie ma piwnic. Ziemia jest zbyt podmokła. Ziemniaki warte są od czterech do sześciu centów lub szylinga za baryłkę; tyle samo kosztuje kukurydza, chyba że jest na nią wyjątkowy nieurodzaj.

Gdy tylko zbiory bawełny i kukurydzy są zabezpieczone, łodygi się wyrywa, rzuca na sterty i pali. Równocześnie zaczyna się orka, przygotowująca ziemię do kolejnego siewu. W parafiach Rapides i Avoyelles, i – o ile mogłem zaobserwować — w całej tej okolicy, gleba jest niewiarygodnie bogata i żyzna. To rodzaj margla, koloru brązowego lub czerwonawego. Nie wymaga nawożenia kompostem, co konieczne jest na bardziej jałowych ziemiach, a te same rośliny doskonale rosną na tych samych polach przez wiele lat.

Orka, siew, zbiór bawełny, zbiór kukurydzy, wyrywanie i palenie łodyg zajmują wszystkie cztery pory roku. Cięcie i rąbanie drewna, prasowanie bawełny, tuczenie i ubój świń to tylko incydenty.

We wrześniu lub w październiku świnie są wypłaszane z bagien przez psy i zamykane w zagrodach. W któryś zimny poranek, zwykle około Nowego Roku, są szlachtowane. Każdą tuszę przecina się na sześć części i układa jedną na drugiej w soli, na dużych stołach w wędzarni. W tym stanie zostawia się je na dwa tygodnie. Wtedy się je wiesza, rozpala ogień i wędzi je przez około tydzień. To konieczne, żeby w bekonie nie zalęgły się robaki. W tak ciepłym klimacie trudno przechowywać mięso i bardzo wiele razy zdarzało się, że gdy moi towarzysze i ja odbieraliśmy nasz tygodniowy przydział trzech i pół funta, okazywało się, że w bekonie roi się od tych odrażających szkodników.

Chociaż na bagnach znajduje się mnóstwo bydła, nie stanowi ono źródła jakiegokolwiek znaczącego zysku. Plantator wycina swój znak na uchu zwierzęcia lub wypala mu piętno na boku i wypuszcza je na bagna, po których wędruje ono praktycznie bez najmniejszego dozoru. To rasa hiszpańska, mała i o ostrych rogach. Wiem także o stadach przepędzanych z Bayou Boeuf, ale to zdarza się bardzo rzadko. Najlepsze krowy są warte około pięciu dolarów. Dwie kwarty mleka z jednego udoju — to byłoby nadzwyczajnie dużo. Krowy dostarczają niewiele tłuszczu i to kiepskiej jakości. Pomimo wielkiej ilości bydła wałęsającego się po bagnach, w kwestii serów czy masła, kupowanych w Nowym Orleanie, plantatorzy zależni są od Północy. Solonej wołowiny nie spotyka się ani w dużych domach, ani w chatach.

Pan Epps zwykł brać udział w zawodach strzeleckich, których celem jest dostarczenie świeżej wołowiny. Te zabawy odbywały się co tydzień w okolicach Holmesville. Naganiano tam tłuste krowy i strzelano do nich, za co płaciło się określoną kwotę. Strzelec, któremu się powiodło, rozdzielał mięso między swych towarzyszy — tak zaopatrywali się biorący udział w tych zawodach plantatorzy.

Wielka ilość znaczonego i nieznaczonego bydła, od którego roiło się w lasach i bagnach Bayou Boeuf, prawdopodobnie była źródłem tej francuskiej nazwy która oznacza strumień lub... rzekę dzikiego bydła.

To, co rośnie w ogrodach — kabaczki, rzepa i temu podobne — uprawiane jest na użytek pana i jego rodziny. Przez cały rok mają oni zieleninę oraz warzywa. W zimnych, północnych szerokościach „trawa usycha, a kwiaty więdną" pod naporem jesiennych wiatrów, ale w tej ciepłej krainie zieleń jest bujna przez cały rok, a kwiaty kwitną w samym środku zimy.

Nie ma tu łąk odpowiednich do uprawy trawy. Liście kukurydzy dostarczają wystarczającej ilości pożywienia dla pracującego bydła, podczas gdy reszta przez cały rok pasie się sama na wiecznie zielonych pastwiskach.

Jest jeszcze wiele innych szczegółów dotyczących klimatu, zwyczajów, nawyków i sposobu życia

oraz pracy na Południu, ale powyższy opis — jak
sądzę — dał czytelnikowi wgląd w ogólną
ideę życia na plantacji bawełny w Luizjanie. Sposób uprawy trzciny
cukrowej i proces produkcji cukru zostanie
opisany gdzie
indziej.

◊

ROZDZIAŁ XIII

CIEKAWY TRZONEK DO SIEKIERY — SYMPTOMY ZBLIŻAJĄCEJ SIĘ CHOROBY — DALSZY SPADEK FORMY — NIESKUTECZNA CHŁOSTA — OGRANICZONY DO CHATY — WIZYTA DOKTORA WINESA — SZTUKA — CZĘŚCIOWE WYZDROWIENIE — NIEPOWODZENIE W ZBIERANIU BAWEŁNY — CO MOŻNA USŁYSZEĆ NA PLANTACJI EPPSA — KONIEC BATÓW — EPPS W NASTROJU NA CHŁOSTĘ — EPPS W NASTROJU NA TAŃCE — BRAK ODPOCZYNKU NIE JEST USPRAWIEDLIWIENIEM — CECHY EPPSA — JIM BURNS — PRZENOSINY Z HUFF POWER DO BAYOU BOEUF — OPIS WUJKA ABRAMA, WILEYA, CIOTECZKI PHEBE, BOBA, HENRY'EGO I EDWARDA, PATSEY, ZE WSKAZANIEM POCHODZENIA KAŻDEGO Z NICH — COŚ O ICH HISTORII I CECHY SZCZEGÓLNE — ZAZDROŚĆ I ŻĄDZA — PATSEY, OFIARA

P**rzy moim przybyciu** do pana Eppsa, zgodnie z jego poleceniem zrobiłem sobie trzonek do siekiery. Tutaj „trzonek" to po prostu okrągły w przekroju, prosty kołek. Ja zrobiłem sobie wygięty; do tego kształtu przyzwyczaiłem się na Północy. Gdy skończyłem i pokazałem go Eppsowi, popatrzył na niego ze zdziwieniem, nie potrafiąc określić, co to właściwie jest. Nigdy wcześniej nie widział takiego trzonka, a kiedy objaśniłem jego zalety, nowatorstwo tej idei z trudem do niego docierało. Przez długi czas trzymał go w domu, a na prośbę przyjaciół pokazywał jako ciekawostkę.

Trwał sezon pielenia. Zostałem przydzielony na pole kukurydzy, a potem do strzępienia bawełny. Tym zajmowałem się aż do chwili, gdy pielenie dobiegało końca, a ja zacząłem doświadczać objawów zbliżającej się choroby. Miałem dreszcze, a po nich silną gorączkę. Zrobiłem się słaby i wycieńczony, i nachodziły mnie takie zawroty głowy, że słaniałem się i zataczałem jak pijany. Bez względu na to kazano mi dokończyć mój rządek. Będąc zdrowy, nie miałem większych problemów, by dotrzymać kroku swoim towarzyszom, teraz jednak zakrawało to na niemożliwość. Często zostawałem z tyłu, a wtedy na mój grzbiet spadał bat nadzorcy, wlewając w moje chore i omdlewające ciało odrobinę tymczasowej energii. Traciłem ją jednak coraz bardziej, aż wreszcie bicz stał się całkowicie nieefektywny. Nawet najostrzejsze ukąszenie pejcza nie było w stanie mnie poderwać. Wreszcie we wrześniu, gdy sezon zbioru bawełny był tuż-tuż, nie byłem w stanie wyjść z chaty. Aż do tego czasu nie dostałem żadnych lekarstw, a pan ani pani nie interesowali się mną w najmniejszym stopniu. Od czasu do czasu zaglądał do mnie stary kucharz, który przygotowywał mi kawę z kukurydzy, a czasami kawałek bekonu, kiedy zrobiłem się zbyt słaby, żeby sam o siebie zadbać.

Gdy powiedziano panu Eppsowi, że umrę, ten, nie chcąc ponosić straty, którą byłaby śmierć zwierzęcia wartego tysiąc dolarów, uznał, że poniesie wydatek związany z posłaniem do Holmesville po doktora Winesa. Lekarz oświadczył, że to wpływ klimatu i że istnieje prawdopodobieństwo, że Epps mnie straci.

Zalecił, bym nie spożywał mięsa i jadł tylko tyle, ile jest absolutnie konieczne, żeby przeżyć. Minęło kilka tygodni, w którym to czasie, będąc na skąpej diecie, którą mi zalecono, częściowo wyzdrowiałem. Któregoś ranka, na długo przed tym, zanim doszedłem do kondycji pozwalającej na pracę, w drzwiach chaty pojawił się Epps i pokazując mi worek, kazał udać się na pole bawełny. W owym czasie nie miałem żadnego doświadczenia w jej zbieraniu. Oczywiście szło mi to bardzo niezręcznie. Podczas gdy inni używali obu rąk, łapiąc bawełnę i umieszczając ją w worku z precyzją i szybkością, które dla mnie były nieosiągalne, ja jedną ręką sięgałem do torebki nasiennej, a drugą powoli wyciągałem biały kwiat.

Ponadto umieszczenie bawełny w worku było zadaniem, które angażowało zarówno ręce, jak oczy. Równie często jak z krzaka podnosiłem ją z ziemi, gdzie mi spadała. Robiłem też spustoszenie pośród gałązek, ciężkich od jeszcze nierozkwitniętych pąków, a długi, nieporęczny wór kołysał się z boku na bok, w sposób niedopuszczalny na polu bawełny. Gdy po niezwykle pracowitym dniu zaniosłem mój ładunek do ważenia, okazało się, że zebrałem jedynie dziewięćdziesiąt pięć funtów — nawet nie połowę tego, czego wymaga się od najsłabszych zbieraczy. Epps zapowiedział najsroższą chłostę, jednak zważywszy na to, że byłem niedoświadczony, uznał, że tym razem mi wybaczy. Następnego dnia i wiele dni potem nie osiągałem lepszych wyników — ewidentnie nie byłem stworzony do tego rodzaju pracy. Nie miałem daru — szybkich palców i ruchów

Patsey, która przefruwała wzdłuż rzędu krzewów, odzierając je z ich nieskalanej i kędzierzawej bieli z cudowną prędkością. Ani praktyka, ani chłosta nie przynosiły rezultatów, a Epps w końcu się poddał i stwierdził, że jestem porażką, że nie nadawałem się do zbierania bawełny, że nie byłem w stanie nazbierać nawet tyle, by warto było zawracać sobie głowę ważeniem, i że nie powinienem więcej iść na pole bawełny. Teraz zostałem zaangażowany do rąbania i układania drewna, noszenia bawełny z pola do odziarniarni i wszelkich innych prac. Wystarczy powiedzieć, że nie pozwalano mi na bezczynność.

Rzadko się zdarzało, by dzień obył się bez chłosty. Wymierzano ją podczas ważenia bawełny. Delikwent, który uzbierał za mało, był zabierany na zewnątrz, rozbierany i kładziony na ziemi twarzą w dół. Otrzymywał karę proporcjonalną do przewinienia. Na plantacji Eppsa uderzenia bicza i wrzaski niewolników słychać było od zmierzchu do czasu udania się na spoczynek, przez cały sezon zbierania bawełny — to szczera, niepodkoloryzowana prawda.

Liczba batów uzależniona jest od natury sprawy. Dwadzieścia pięć jest za drobiazgi, na przykład za to, że w bawełnie znalazł się suchy liść albo pąk, albo za to, że na polu złamało się gałązkę; pięćdziesiąt to za przewinienia średniego kalibru; sto uznaje się za surową karę: to konsekwencja poważnego przewinienia: bezczynności na polu. Od stu pięćdziesięciu do dwustu otrzymywał niewolnik, który kłócił się ze współmieszkańcami chaty, a pięćset, dobrze wymierzonych — co może dało się porównać z byciem rozszarpanym przez psy — czekało uciekiniera, i skazywało go na tygodnie bólu i agonii.

Podczas tych dwóch lat, które Epps spędził na plantacji w Bayou Huff Power, miał zwyczaj przynajmniej raz na dwa tygodnie wracać do domu z Holmesville pijany. Jego zawody strzeleckie niemal nieuchronnie kończyły się rozpustą. W takich chwilach był porywczy i na wpół oszalały. Często tłukł talerze, niszczył krzesła i wszelkie meble, które mu wpadły w ręce. Gdy miał już dość demolowania domu, brał bicz i wychodził na dziedziniec. To sprawiało, że niewolnicy stawali się czujni i przesadnie ostrożni. Pierwszy, który znalazł się w jego zasięgu, czuł uderzenie bata. Czasami całymi godzinami Epps gonił nas wszędzie, przepędzając po kątach chat. Czasami, gdy wpadał na kogoś, kto go nie zauważył, udawało mu się zadać cios, który zostawiał mocną, grubą pręgę, i było to osiągnięcie, które sprawiało mu największą przyjemność. Wtedy cierpiały młodsze dzieci i starcy, którzy już nie pracowali. Czasem Epps czaił się gdzieś za chatą i z uniesionym biczem czekał, by zdzielić pierwszą czarną twarz, która trwożliwie wyłoni się zza narożnika.

Czasami wracał do domu w mniej brutalnym nastroju. Wtedy musiało się odbywać święto. Wszyscy musieli poruszać się do muzyki. Pan Epps czuł potrzebę uraczenia swoich muzykalnych uszu muzyką skrzypiec. Potem prężnie i radośnie pląsał po werandzie i po całym domu.

Sprzedając mnie, Tibeats poinformował go, że potrafię grać na skrzypcach, którą to informację uzyskał od

Forda. Pod wpływem nalegań pani Epps jej mąż, będąc z wizytą w Nowym Orleanie, kupił mi instrument. Często wzywano mnie do domu, bym zagrał przed rodziną, jako że pani przepadała za muzyką.

Każdy z nas mógł się znaleźć w salonie dużego domu, gdy Epps wracał w nastroju do tańca. Nieważne, jak bardzo byliśmy zmęczeni — tańce musiały się odbywać. Gdy wszyscy już się ustawili, zaczynałem grać.

— Tańczyć, przeklęte czarnuchy, tańczyć! — wykrzykiwał Epps.

Nie mogło być żadnych przerw ani opóźnień, żadnych wolnych czy ospałych ruchów; wszystko musiało być energiczne i żwawe.

— Góra, dół, pięta, palce, i w kółeczko! — brzmiało polecenie. Postawna postać Eppsa kręciła się między wirującymi w półmroku niewolnikami.

Zazwyczaj w dłoni dzierżył pejcz, gotów by strzelić w ucho aroganckiego niewolnika, który ośmielił się na chwilę zwolnić albo nawet stanąć, by złapać oddech. Gdy pan sam się zmęczył, następowała krótka przerwa... Ale bardzo krótka. Z przytupem, szeroko wymachując pejczem, znów zaczynał krzyczeć „Tańczyć, czarnuchy, tańczyć!" i znów wszystko zaczynało się od początku, prawo-lewo, podczas gdy ja, pobudzany od czasu do czasu ostrym smagnięciem bata, siedziałem w kącie, wydobywając ze swoich skrzypiec szybką melodię. Pani często ganiła męża i deklarowała, że wróci do domu swojego ojca w Cheneyville; bywało jednak, że widząc jego wrzaskliwe figle, nie mogła powstrzymać się od śmiechu. Często przetrzymywał nas niemal do rana. Przygarbieni ze znużenia, nade wszystko pragnący odrobiny snu i z poczuciem, że zaraz położą się na ziemi i zaczną płakać, nieszczęśni niewolnicy Edwina Eppsa wiele nocy spędzili w jego domu zmuszani do tańca i śmiechu.

Niezależnie od tych kaprysów nieracjonalnego pana, wraz z pierwszym brzaskiem musieliśmy być na polu, a w ciągu dnia wykonywać zwyczajowe zadania. Jego zachcianki nie usprawiedliwiały w żaden sposób niedowagi zbioru czy tego, że na polu kukurydzy nie pieliło się z normalną szybkością. Chłosty były tak ciężkie, jakbyśmy rano wstawali wzmocnieni i odświeżeni po nocnym wypoczynku. W istocie po tych szaleńczych breweriach Epps zawsze był bardziej skwaszony i surowy niż wcześniej; karał za byle co i używał bata ze wzmożoną energią.

Przepracowałem dla tego człowieka bez żadnej nagrody dziesięć lat. Dziesięć lat mojej nieustającej pracy wpłynęło na zwiększenie jego stanu posiadania. Przez dziesięć lat zmuszany byłem zwracać się do niego ze spuszczonym wzrokiem i gołą głową — na sposób i w języku niewolników. Nie zawdzięczam mu nic, poza niezasłużonym wykorzystywaniem i razami.

Poza zasięgiem jego nieludzkiego bizuna i stojąc na ziemi wolnego stanu, w którym przyszedłem na świat, mogę — Niebiosom niech będą dzięki! — raz jeszcze unieść głowę pomiędzy ludźmi. Mogę mówić o bezeceństwach, jakich doświadczyłem, i tych, którzy byli im winni, z podniesionym czołem. Nie pragnę jednak mówić ani o nim, ani o nikim innym inaczej, niż zgodnie z prawdą. Aby oddać sprawiedliwość Edwinowi Eppsowi, powiem tylko, że w sercu tego człowieka nie gościła ani dobroć, ani sprawiedliwość właśnie. Surowa, brutalna energia, połączona z prymitywnym umysłem i chciwym duchem — oto jego wystarczająca charakterystyka. Jest znany jako człowiek, który „łamie czarnuchów", wyróżniający się zdolnością do tłamszenia ducha niewolników i pyszniący się z tego powodu tak, jak jeździec chlubiący się swoimi umiejętnościami poskramiania narowistych koni. Patrzył na kolorowych nie jak na istoty ludzkie, które swoje niewielkie talenty zawdzięczają swojemu Stwórcy, ale jak na „ruchomości osobiste", zwykły inwentarz, nie lepszy (poza ceną) od jego mułów czy psów. Gdy położono przed nim dowód, jasny i niepodważalny, że jestem wolnym człowiekiem i że mam równe prawa do wolności, co on, gdy w dniu, w którym odszedłem, został poinformowany, że mam żonę i dzieci, równie mi drogie, jak jemu jego, wściekł się tylko i przeklinając prawo, które mu mnie wydziera, oświadczył, że jeśli będzie to leżało w jego mocy, to znajdzie człowieka, który nadał list zdradzający miejsce mojego przetrzymywania, i go zabije. Nie myślał o niczym poza utratą swojej własności i złorzeczył mi za to, że urodziłem się wolny. Stałby nieporuszony i patrzył, jak kleszczami wyrywa się języki jego nieszczęsnych niewolników; mógłby patrzeć, jak przypieka się ich na wolnym ogniu albo jak rozszarpują ich psy — gdyby tylko przyniosło mu to zysk. Takim właśnie: okrutnym, twardym, niesprawiedliwym człowiekiem był Edwin Epps.

Nad Bayou Boeuf był tylko jeden brutal gorszy od niego. Plantacja Jima Burnsa, jak już wspomniałem, była uprawiana wyłącznie przez kobiety. Ten barbarzyńca chłostał je tak bardzo, że nie były w stanie wykonywać zwyczajowych posług wymaganych od niewolników. Burns chlubił się swoim okrucieństwem i w całej okolicy znany był jako człowiek bardziej nawet energiczny niż Epps. Nie miał ani odrobiny miłosierdzia dla swoich ludzi i — jak głupiec — chłostą pozbawiał wszystkich sił te kobiety, od których zależał jego zysk.

Epps przebywał nad Huff Power przez dwa lata. Zebrawszy znaczną sumę pieniędzy, wydał je na zakup plantacji na wschodnim brzegu Bayou Boeuf, gdzie nadal mieszka. Wszedł w jej posiadanie w 1845, po świętach. Zabrał tam ze sobą dziewięcioro niewolników, z których wszyscy, poza mną i Susan, która zmarła, nadal tam przebywają. Nikogo nie dokupił, więc przez osiem lat dzieliłem chatę z Abramem, Wileyem, Phebe, Bobem, Henrym, Edwardem i Patsey. Wszyscy oni, poza Edwardem, który się tu urodził, zostali kupieni przez Eppsa w czasach, gdy był nadzorcą u Archy'ego B. Williamsa, którego plantacja mieści się na brzegu Red River, niedaleko Aleksandrii.

Abram był wysoki, o całą głowę wyższy od każdego przeciętnego mężczyzny. Miał sześćdziesiąt lat i urodził się w Tennessee. Dwadzieścia lat temu kupił go handlarz, który przewiózł go do Południowej Karoliny i sprzedał Jamesowi Bufordowi, mieszkającemu w tym stanie, w hrabstwie Williamsburgh. Za młodych lat Abram znany był ze swej wielkiej siły, jednak wiek i nieustający wysiłek zniszczyły jego potężną postać i osłabiły umysł.

Wiley miał lat czterdzieści osiem. Urodził się w posiadłości Williama Tassle'a i przez wiele lat kierował promem tego dżentelmena, pływającym po Big Black River w Południowej Karolinie.

Phebe poprzednio była niewolnicą Buforda, sąsiada Tassle'a, a gdy wyszła za Wileya, Buford kupił go za jej namową. Buford był dobrym panem, szeryfem hrabstwa i w owych czasach zamożnym człowiekiem.

Bob i Henry byli synami Phebe z pierwszego małżeństwa. Opuściła ich ojca, by zrobić miejsce dla Wileya. Ten pociągający młodzieniec wkradł się w uczucia Phebe; niewierna małżonka delikatnie wykopała swojego pierwszego męża z chaty. Edward urodził się im w Bayou Huff Power.

Patsey miała dwadzieścia trzy lata i także pochodziła z plantacji Buforda. Nie była w żaden sposób związana z pozostałymi, ale dumą napawał ją fakt, że pochodzi od „Murzynów z Gwinei", przywiezionych na Kubę statkiem niewolniczym i sprzedanych Bufordowi, który był właścicielem jej matki.

Tak wygląda genealogia niewolników mojego pana. Przez całe lata byli razem. Często wspominali dawne czasy i wzdychali za domem, za Karoliną. Na ich pana Buforda przyszły kłopoty, które na nich sprowadziły znacznie większe problemy. Popadł w długi i nie będąc w stanie utrzymać swego kurczącego się majątku, musiał sprzedać niektórych swoich niewolników. Całą grupą zostali przewiezieni znad Mississippi na plantację Archy'ego B. Williamsa. Edwin Epps, który przez długi czas był jego nadzorcą i woźnicą, właśnie zakładał własny interes, a kiedy przyjechali, zgodził się, by stanowili jego wynagrodzenie.

Stary Abram był człowiekiem łagodnego serca — swego rodzaju patriarchą pośród nas, znajdującym przyjemność w zabawianiu swoich młodszych braci ponurymi i poważnymi dysputami. Był biegły w tej filozofii, jakiej naucza się w niewolniczych chatach; jednak najbardziej absorbującym hobby Wujka Abrama był generał Jackson, pod którego dowództwem walczył jego młody pan w Tennessee. Uwielbiał wracać w wyobraźni do miejsca swojego urodzenia i wspominać młodość, gdy czarni służyli w armii. Był potężny, a przy tym bystrzejszy i silniejszy niż większość z jego rasy, teraz jednak jego oczy stały się mętne, a wrodzona siła zmalała. Jednakże bardzo często podczas dyskusji o najlepszej metodzie pieczenia ciasta albo rozwodzenia się nad chwałą Jacksona zapominał, gdzie położył swój kapelusz, motykę albo koszyk; wówczas spotykało się to ze śmiechem, jeśli Eppsa nie było, lub z chłostą, jeśli był. Był więc wciąż zagubiony i wzdychał na myśl o postępującej starości i zbliżającej się śmierci. Filozofia, Jackson i demencja odcisnęły na nim swoje piętno. Było wyraźnie widoczne, że ich połączenie szybko wiodło posiwiałą głowę wujaszka Abrama do grobu.

Cioteczka Phebe była doskonałą robotnicą rolną, jednak w późniejszym okresie została przydzielona do kuchni, gdzie już została, poza okazjami, w których sporadycznie była wzywana do innej pracy. Była przebiegłym, starym stworzeniem, a gdy w pobliżu nie było jej pani ani pana, gadatliwym do przesady.

Wiley przeciwnie, był milczkiem. Wykonywał swoje zadania bez słowa skargi, rzadko oddając się luksusowi mowy, z wyjątkiem wyrażania życzenia, by znaleźć się daleko od Eppsa i wrócić do Karoliny Południowej.

Bob i Henry mieli odpowiednio dwadzieścia oraz dwadzieścia trzy lata i nie odznaczali się niczym szczególnym, zaś trzynastoletni Edward, który nie był jeszcze w stanie pracować na polu kukurydzy czy bawełny, zatrudniony był w dużym domu do pilnowania małych Eppsów.

Patsey była szczupła i wyprostowana. Trzymała się prosto — tak, jak to jest przypisane ludzkiej istocie. W jej ruchach była pewna wyniosłość, której nie mogły zniszczyć ani praca, ani zmęczenie, ani kary. Patsey zaiste była wspaniałym stworzeniem, a gdyby zniewolenie nie przytępiło jej intelektu, pogrążając go w nieskończonych ciemnościach, byłaby wodzem tysięcy spośród swego ludu. Była w stanie przesadzić najwyższe ogrodzenie i chyba tylko ogar byłby w stanie prześcignąć ją w biegu. Żaden koń nie był w stanie zrzucić jej z grzbietu. Była świetnym woźnicą i najlepszym oraczem, a w wyznaczaniu bruzd nikt nie mógł się z nią równać. Gdy nocą rozlegało się polecenie zaprzestania pracy, prowadziła swoje muły do zagrody bez uprzęży, karmiła i czyściła je, zanim wujek Abram znalazł swój kapelusz. Jednak nie dlatego była słynna. Poruszała palcami z szybkością błyskawicy, której nie posiadał nikt więcej, i dlatego w sezonie zbioru bawełny Patsey była królową pola.

Miała wesołe i miłe usposobienie, była wierna i posłuszna. Była też naturalnie radosnym stworzeniem, roześmianą dziewczyną o lekkim sercu, cieszącą się samym istnieniem. Jednak Patsey płakała częściej i cierpiała bardziej niż którykolwiek z jej towarzyszy. Miała dosłownie zdartą skórę. Jej plecy nosiły blizny po tysiącach batów; nie dlatego, że była opieszała w pracy, nie dlatego, że była niedbałego i buntowniczego ducha, ale dlatego, że zdarzyło się jej być niewolnicą rozpustnego pana i zazdrosnej pani. Wzdrygała się pod pożądliwym wzrokiem pana, w rękach pani jej życie było w niebezpieczeństwie, a tkwiąc pomiędzy nimi, była skazana. W dużym domu często padały głośne i gniewne słowa, panowały tam urazy; małżonkowie odsunęli się od siebie, czego była niewinną przyczyną. Nic nie sprawiało pani większej przyjemności, jak widok cierpiącej Patsey. Wielokrotnie, gdy Epps odmawiał jej sprzedaży, łapówkami próbowała mnie nakłonić, bym ją dyskretnie zabił i pogrzebał jej ciało w jakimś opuszczonym miejscu na skraju bagien. Patsey chętnie zaspokoiłaby tego bezlitosnego ducha, gdyby było to w jej mocy, nie odważyła się jednak na ucieczkę. Nie miała łatwego życia. Jeśli choć słowem sprzeciwiłaby się woli pana, bicz natychmiast poszedłby w ruch, by zmusić ją do poddania się; jeśli nie była ostrożna, idąc do chaty albo przechodząc przez dziedziniec, w twarz mógł trafić ją nieoczekiwanie kawałek drewna lub rozbita butelka, ciśnięta ręką pani. Patsey, zniewolona ofiara żądzy i nienawiści, znajdowała się między młotem a kowadłem.

Oto byli moi towarzysze — niewolnicy, z którymi chodziłem na pole i z którymi przez dziesięć lat mieszkałem w chatach z bali na plantacji Edwina Eppsa. Jeśli jeszcze żyją, to trudzą się na brzegach Bayou Boeuf, nie mając szansy na to, by — tak jak ja w tej chwili — odetchnąć błogosławionym powietrzem wolności, nie mogąc zrzucić ciężkich kajdan, które ich pętają, dopóki na wieczność nie legną w pyle.

◊

ROZDZIAŁ XIV

ZNISZCZENIE ZBIORÓW BAWEŁNY W 1845 — ZAPOTRZEBOWANIE NA ROBOTNIKÓW W PARAFII ST. MARY — WYSŁANIE NAS TAM — PORZĄDEK MARSZU — GRAND COTEAU — WYNAJĘTY JUDGE'OWI TURNEROWI W BAYOU SALLE — WYZNACZONY NA WOŹNICĘ W JEGO CUKROWNI — NIEDZIELNE MSZE — WSZELKIE PRZYBORY NIEWOLNIKÓW, JAK JE ZDOBYĆ — PRZYJĘCIE U YARNEYA W CENTREVILLE — DOBRY LOS — KAPITAN PAROWCA ODMAWIA UKRYCIA MNIE — POWRÓT DO BAYOU BOEUF — WIDOK TIBEATSA — SMUTKI PATSEY — WRZAWA I NIEPOROZUMIENIE — POLOWANIE NA SZOPY I PUŁAPKA — OPOSY — KIEPSKA KONDYCJA NIEWOLNIKA — OPIS PUŁAPKI NA RYBY — ZAMORDOWANIE CZŁOWIEKA Z NATCHEZ — EPPS WYZWANY PRZEZ MARSHALLA — WPŁYW NIEWOLNICTWA — UMIŁOWANIE WOLNOŚCI

W **1845 roku** — pierwszym roku zamieszkiwania Eppsa nad *bayou* — zbiory bawełny w całym regionie zostały prawie całkowicie zniszczone przez gąsienice. Niewiele zostało do roboty, więc niewolnicy niemal połowę czasu spędzali bezczynnie. Jednakże do Bayou Boeuf dotarły plotki, że zbiory w parafii St. Mary były tak duże, iż bardzo potrzeba niewolników na tamtejsze plantacje. Parafia ta usytuowana jest na wybrzeżu Zatoki Meksykańskiej, jakieś sto czterdzieści mil od Avoyelles. Przez St. Mary przepływa duży potok, Rio Teche, który wpada do zatoki.

Po otrzymaniu tej wiadomości plantatorzy zadecydowali, by posłać transport niewolników do Tuckapaw w St. Mary, w celu wynajęcia ich do pracy na polach trzcinowych. W sierpniu w Holmesvillle zebrała się zatem grupa stu czterdziestu siedmiu robotników, a wśród nich Abram, Bob i ja. Połowę stanowiły kobiety. Epps, Alonson Pierce, Henry Toler i Addison Roberts byli białymi wybranymi do pilnowania nas i pobrania opłaty za naszą pracę. Mieli dla siebie powóz zaprzężony w parę koni i dwa wierzchowce pod siodłem. Na dużym wozie, ciągniętym przez cztery konie i powożonym przez Johna, chłopca należącego do pana Robertsa, jechały koce i zapasy.

Około drugiej po południu nakarmiono nas i byliśmy gotowi do podróży. Mnie wyznaczono obowiązek pilnowania koców i jedzenia, a także dbania o to, by nikt się nie zgubił po drodze. Najpierw jechał powóz, na samym końcu zaś wóz; między nimi szli niewolnicy, których pilnowali dwaj konni — w takim to porządku nasza procesja ruszyła do Holmesville.

Tej nocy dotarliśmy do plantacji pana McCrow. Po pokonaniu około piętnastu mil otrzymaliśmy polecenie, by się zatrzymać. Zbudowano duże ogniska i każdy rozłożył sobie koc na ziemi. Biali zatrzymali się w dużym domu. Godzinę przed świtem obudzili nas strzelający z batów nadzorcy, każąc nam wstawać. Zwinięto koce, które następnie odbierałem i składałem na wozie. Procesja znów ruszyła.

Następnej nocy spadła potężna ulewa. Wszyscy byliśmy przemoczeni, a nasze ubrania były ubłocone.

Dotarliśmy do otwartej szopy, dawnej odziarniarni, gdzie znaleźliśmy prowizoryczne schronienie. Nie było dosyć miejsca, żeby wszyscy się położyli, ale tam właśnie zostaliśmy, stłoczeni razem, przez noc. Rano, jak zwykle, ruszyliśmy dalej. Podczas podróży karmiono nas dwa razy dziennie, usmażywszy bekon i upiekłszy ciasto kukurydziane na ogniskach, tak samo, jak w chatach. Przeszliśmy przez Lafayetteville, Mountsville, New Town do Centreville, gdzie wynajęto Boba i wujaszka Abrama. Nasza liczba malała w miarę marszu — na prawie każdej planacji trzciny cukrowej potrzebowano pomocy jednej lub więcej osób.

Po drodze przeszliśmy przez Grand Coteau lub prerię, rozległą połać płaskiej, jednostajnej ziemi, bez drzew — poza pojedynczymi okazami, które zostały posadzone przy jakimś rozpadającym się domostwie. Uprawniano tu ziemię; kraina ta była niegdyś gęsto zaludniona, jednak z jakiegoś powodu została opuszczona. Jej nieliczni mieszkańcy zajmują się głównie hodowlą bydła. Przechodziliśmy obok wielkich, pasących się stad. W samym sercu Grand Coteau można się poczuć jak na środku oceanu. Wszędzie, dokąd sięga wzrok, we wszystkich kierunkach, widać tylko zrujnowane i opustoszałe pozostałości ludzkich domów.

Zostałem odnajęty Judge'owi Turnerowi — dystyngowanemu mężczyźnie posiadającemu rozległą plantację — którego duża posiadłość mieści się nad Bayou Salle, kilka mil od zatoki. Bayou Salle to mały strumień, wpadający do zatoki Atchafalaya. Przez kilka dni zajmowałem się tam naprawą cukrowni, a potem dostałem do ręki maczetę i wraz z trzydzieściorgiem lub czterdzieściorgiem innych zostałem posłany na pole. Cięcie trzciny cukrowej okazało się dla mnie łatwiejsze od zbierania bawełny. Przychodziło mi to naturalnie i intuicyjnie; po krótkim czasie byłem w stanie dotrzymać kroku najszybszym ścinaczom. Jednakże zanim zbiory się skończyły, Judge Turner przeniósł mnie z pola do cukrowni, bym pracował tam jako woźnica. Od momentu rozpoczęcia produkcji cukru mielenie i gotowanie nie ustawało ani we dnie, ani w nocy. Otrzymałem bat oraz polecenie, by używać go wobec tych, którzy stoją bezczynnie. Jeśli nie potrafiłem zmusić ludzi do posłuszeństwa, czułem go na własnym grzbiecie. Dodatkowo moim obowiązkiem było wzywanie i zwalnianie różnych grup o właściwej porze. Nie miałem wyznaczonych pór odpoczynku i nigdy nie udało mi się przespać dłużej niż przez kilka chwil.

Jest zwyczajem w Luizjanie, a zapewne też w innych pozwalających na niewolnictwo stanach, że niewolnik może zatrzymać wszelkie wynagrodzenie, jakie otrzyma z tytułu pracy w niedzielę. Tylko w taki sposób jest w stanie zapewnić sobie jakiekolwiek dobra luksusowe czy udogodnienia. Gdy niewolnik zakupiony bądź porwany na Północy trafia do chaty nad Bayou Boeuf, nie ma ani noża, ani widelca, ani talerza, kociołka czy czegokolwiek innego ze sztućców, naczyń lub mebli. Zanim dotrze na miejsce, dostaje koc, a jeśli jego pan nie ma dla niego pracy, to może się nim owinąć i stać tak albo położyć się na ziemi bądź na pokładzie. Może znaleźć sobie tykwę do przechowywania jedzenia albo jeść swoją kukurydzę z kolby, jak woli. Zwrócenie się do pana z prośbą o nóż, kociołek czy cokolwiek w tym rodzaju spotka się z kopniakiem lub zostanie wyśmiane, potraktowane jako żart. Wszelkie tego rodzaju przedmioty, które znaleźć można w niewolniczej chacie, są kupowane za niedzielne pieniądze. Choć źle to robi na morale, pozwolenie na złamanie szabatu z pewnością stanowi błogosławieństwo dla kondycji fizycznej niewolnika. Inaczej nie miałby szans, by zaopatrzyć się w jakiekolwiek utensylia niezbędne każdemu, kto musi sobie sam gotować.

Na plantacji trzciny cukrowej w czasie produkcji cukru nie ma rozróżnienia na dni tygodnia. To zrozumiałe, że wszyscy muszą pracować w szabas i jest równie jasne, że ci, którzy zostali dodatkowo wynajęci — jak ja Judge'owi Turnerowi i inni w następnych latach — otrzymają za to zapłatę. Ta sama zasada obowiązuje również w najgorętszych okresach zbioru bawełny. Dzięki niej niewolnicy mogą sobie pozwolić na nabycie noża, garnka, tytoniu i tym podobnych. Kobiety, niezainteresowane tym ostatnim dobrem, wydają swoje niewielkie oszczędności na kolorowe wstążki, którymi ozdabiają włosy podczas świąt.

Przebywałem w St. Mary do pierwszego stycznia. W tym czasie suma moich niedzielnych pieniędzy urosła do dziesięciu dolarów. Spotkał mnie też inny fart, który zawdzięczam moim skrzypcom, stałym towarzyszom, źródłu dochodu i ukojeniu smutków przez lata niewoli. W Centreville, wiosce w pobliżu plantacji Turnera, u pana Yarneya odbywało się wielkie przyjęcie dla białych. Zostałem wynajęty, by dla nich grać. Goście byli tak zadowoleni z mojego występu, że dostałem wynagrodzenie, dzięki któremu moje oszczędności wzrosły do siedemnastu dolarów.

Z powodu posiadania takiej sumy byłem postrzegany przez moich towarzyszy jako milioner. Patrzenie na nią sprawiało mi wielką przyjemność — przeliczałem moje pieniądze wciąż na nowo, dzień po dniu. Przez głowę przelatywały mi wizje rzeczy do chaty, wiader albo noży kieszonkowych, nowych butów, płaszczy i kapeluszy; pławiłem się w triumfalnej kontemplacji faktu, że byłem najbogatszym „Murzynem" nad Bayou Boeuf.

W górę Rio Teche pływały statki do Centreville. Będąc tam któregoś dnia, znalazłem w sobie tyle śmiałości, by przedstawić się kapitanowi parowca i błagać o pozwolenie ukrycia się pomiędzy ładunkiem. Do tak odważnego kroku skłoniła mnie, pomimo niebezpieczeństwa, podsłuchana rozmowa, z której wywnioskowałem, że kapitan pochodził z Północy. Nie wprowadziłem go w szczegóły mojej historii, wyraziłem tylko żarliwą chęć ucieczki do wolnego stanu. Żałował mnie, ale powiedział, że nie da się uniknąć bardzo szczegółowej kontroli celnej w Nowym Orleanie, a znalezienie mnie spowodowałoby, że on zostałby ukarany, a jego statek skonfiskowany. Moje żarliwe błaganie wyraźnie wzbudziło w nim współczucie i bez wątpienia zgodziłby się, gdyby nie stanowiło to dla niego takiego zagrożenia. Musiałem zagasić nagły płomień, który rozgorzał w mojej piersi wraz ze słodką nadzieją na uwolnienie, i po raz kolejny zwrócić swe kroki w stronę gęstniejącej ciemności rozpaczy.

Zaraz po tym zdarzeniu do Centreville dotarła gromada niewolników wraz z kilkoma właścicielami, którzy przyjechali pobrać opłatę za nasze usługi, a następnie wróciliśmy do Bayou Boeuf. W trakcie drogi powrotnej, kiedy przechodziliśmy przez niewielką wioskę, zauważyłem usadzonego w drzwiach brudnego sklepu Tibeatsa. Był obszarpany i wyniszczony. Bez wątpienia był to skutek kiepskiej whisky i gniewu.

Od cioteczki Phebe i Patsey dowiedziałem się, że podczas naszej nieobecności ta druga coraz bardziej pogrążała się w kłopotach. Biedna dziewczyna! Naprawdę była godna pożałowania. „Stary świński ryj", jak nazywali go niewolnicy między sobą, bił ją mocniej i częściej niż zwykle. Kiedy wracał z Holmesville, podniecony alkoholem — co w tamtych dniach zdarzało się często — chłostał ją zawsze, choćby po to, żeby usatysfakcjonować panią; karał ją, doprowadzając dziewczynę niemal na skraj wytrzymałości, za przewinienia, których winien był wyłącznie on sam. Także w chwilach trzeźwości nie zawsze był w stanie pohamować nienasyconą żądzę zemsty swojej żony.

Pozbyć się Patsey — żeby zniknęła z zasięgu wzroku, czy to za sprawą sprzedaży, czy śmierci, czy czegokolwiek — w późniejszych latach stało się główną myślą i pasją mojej pani. Patsey jako dziecko była bardzo faworyzowana. Głaskano ją i podziwiano za niezwykłą eteryczność i miłe usposobienie. Często, jak opowiadał wujek Abram, była karmiona, nawet biszkoptami i mlekiem; kiedy pani była młodsza, wzywała ją na werandę i pieściła, jakby była rozbrykanym kociakiem. Ale w duszy tej kobiety zaszła smutna zmiana. W świątyni jej serca rozpanoszyły się czarne i gniewne demony, aż nie mogła patrzeć na Patsey inaczej niż z płonącą nienawiścią.

Pani Epps mimo wszystko nie była kobietą złą z natury. To prawda, opętał ją diabeł — zazdrość — ale poza tym w jej charakterze było wiele cech godnych podziwu. Jej ojciec, pan Roberts, mieszkał w Cheneyville i był wpływowym, honorowym człowiekiem, bardzo szanowanym w parafii. Pani odebrała dobrą edukację w jakiejś szkole po tej stronie Mississippi; była piękna, utalentowana i zazwyczaj w dobrym humorze. I miła dla nas wszystkich, poza Patsey — często pod nieobecność męża przysyłała nam smakołyki z własnego stołu. W innej sytuacji, w innym społeczeństwie niż to, które egzystowało na brzegach Bayou Boeuf, byłaby uznawana za elegancką i fascynującą kobietę. W ramiona Eppsa zagnał ją jakiś zły wicher.

Pan szanował i kochał swoją żonę na tyle, na ile jest w stanie kochać natura tak szorstka, jak jego, jednak najwyższy egoizm zawsze pokonywał małżeńską miłość.

„Kochał tak, jak tylko był w stanie,
Lecz marna w nim dusza — i marne kochanie".

Był gotów spełnić każdą jej zachciankę; spełniał każdą prośbę pod warunkiem, że nie było to zbyt kosztowne. Na polu bawełny Patsey równała się dwóm jego niewolnikom. Za pieniądze, które by za nią dostał, nie kupiłby nikogo, kto mógłby ją zastąpić. Dlatego pomysł pozbycia się jej był dla niego nie do przyjęcia. Pani widziała to w innym świetle. W tej wyniosłej kobiecie obudziła się duma; gorąca, południowa krew wrzała na widok Patsey i zadowolić mogłaby ją tylko śmierć tej bezbronnej niewolnicy.

Czasami potok jej wściekłości zwracał się przeciwko mężowi, którego miała za co nienawidzić. Jednak burza gniewnych słów w końcu cichła i znów następował czas spokoju. W takich momentach Patsey drżała ze strachu i płakała tak, jakby miało jej pęknąć serce, ponieważ z bolesnego doświadczenia wiedziała, że jeśli pani doprowadzi się do furii, Epps wreszcie uspokoi ją obietnicą, że Patsey zostanie wychłostana, którą to obietnicę spełniał zawsze. Tak oto duma, zazdrość i mściwość walczyły z chciwością i brutalnością w domu mojego pana, co dzień wypełniając go zgiełkiem i niezgodą. Nad głową biednej Patsey — prostodusznej niewolnicy, w której sercu Bóg posiał nasiona cnoty — w końcu załamała się cała ta domowa nawałnica.

W ciągu lata, które nastąpiło po moim powrocie z parafii St. Mary, obmyśliłem plan zaopatrzenia się w jedzenie, który — choć prosty — powiódł się nadzwyczajnie. Następnie skorzystało z niego wielu ludzi w moim stanie, w górę i w dół *bayou*, i przyniosło to takie efekty, że jestem niemal przekonany, że powinienem patrzeć na siebie jak na dobroczyńcę. Tamtego lata w bekonie zalęgły się robaki. Nic oprócz szarpiącego głodu nie skłoniłoby nas, by go przełknąć. Tygodniowy przydział mięsa ledwie wystarczał. Tak pośród nas, jak w całym regionie, było przyjęte, że jeśli przydział wyczerpie się przez sobotnim wieczorem bądź jest w stanie, który uniemożliwia jego spożycie, poluje się na bagnach na szopy i oposy. Trzeba to jednak robić w nocy, po pracy. Są plantatorzy, których niewolnicy całymi miesiącami nie miewają innego mięsa, poza zdobytym w taki sposób. Nikt nie zabrania takiego polowania, o ile nie korzysta się z wędzarni, także dlatego, że każdy grasujący szop, który zostanie zabity, oznacza o jednego szkodnika mniej w kukurydzy. Poluje się na nie z psami i pałkami; niewolnikom nie wolno używać strzelb.

Mięsa szopa jest smaczne, ale nie ma nic tak pysznego, jak pieczony opos — zwierzątko małe, okrągłe, o ciele raczej wydłużonym, białawej sierści, z nosem jak świnia i szczurzym ogonem. Oposy zakopują się między korzeniami i w dziuplach drzew, są niezgrabne i poruszają się powoli. To podstępne i przebiegłe stworzenia. Gdy poczują najmniejsze dotknięcie kija, zwijają się na ziemi i udają martwe. Jeśli myśliwy zostawi je tak, nie złamawszy im karku, to nie może liczyć, że odnajdzie je po powrocie; tak te małe zwierzęta oszukują wroga. Ale po długim i ciężkim dniu pracy znużeni niewolnicy nie bardzo mają chęć iść na bagna po swoją kolację i zazwyczaj wolą położyć się na podłodze chaty bez niej. W interesie pana leży, aby słudzy nie tracili zdrowia z głodu, i w jego interesie leży również, by z przekarmienia nie zrobili się tłuści. W ocenie właściciela niewolnik jest najbardziej zdatny do pracy, gdy jest raczej chudy, tak jak w przypadku koni wyścigowych, więc na plantacjach trzciny i bawełny wzdłuż Red River generalnie utrzymuje się niewolników w takiej właśnie kondycji.

Moja kabina stała kilkanaście stóp od brzegu *bayou*, a że potrzeba jest matką wynalazku, wymyśliłem sposób, by zdobyć konieczną ilość jedzenia bez potrzeby chodzenia nocą do lasu. Skonstruowałem pułapkę na ryby. Mając w głowie sposób, w jaki powinna być zbudowana, w następną niedzielę przystąpiłem do jej wykonania. Być może nie zdołam w pełni i poprawnie objaśnić czytelnikowi jej konstrukcji, ale poniżej podaję jej ogólny opis:

Zrobiłem skrzynkę o rozmiarach dwóch na trzy stopy, wyższą lub niższą, w zależności od głębokości wody. Aby zrobić moją pułapkę, na trzech bokach skrzynki należy przybić listewki czy deszczułki, jednak niezbyt blisko siebie, żeby woda mogła przez nie swobodnie przepływać. Do czwartej ścianki trzeba przyczepić drzwiczki tak, by łatwo przesuwały się w górę i w dół w wyżłobionych rowkach. Ruchome dno powinno bez trudności unieść się do góry. W środku ruchomego dna wierci się gwintowany otwór i wkłada w niego uchwyt lub okrągły patyk tak, by swobodnie się obracał. Rączka sięga od środka ruchomego dna do góry ramy, albo wyżej, w miarę potrzeby. Wzdłuż tego uchwytu wywiercone są małe dziurki, w które wkłada się małe patyczki sięgające przeciwnych stron skrzynki. Tych patyków wystających na wszystkie strony jest tak dużo, że żadna większa ryba nie może przepłynąć obok nich tak, by się na nie nie otrzeć. Skrzynkę należy włożyć do wody i zabezpieczyć, by została na swoim miejscu.

Pułapkę „zastawia się” przez przesunięcie drzwiczek i podparciu ich w tej pozycji kolejnym kijkiem, który jednym końcem opiera się o nacięcie wewnątrz, a drugim o nacięcie w uchwycie, który osadzony jest w ruchomym dnie. Przynętą jest garść namoczonej mąki i bawełny, które uprzednio należy ugnieść, aż zrobią się twarde. Umieszcza się je z tyłu skrzyneczki. Ryba płynąca przez otwarte drzwiczki uderza w któryś z patyczków na kołku, co uwalnia kijek blokujący drzwiczki, ruchome dno podrywa się do powierzchni wody... I można wyjąć rybę. Być może zanim ja skonstruowałem swoją, w użyciu były inne pułapki, sam jednak nigdy wcześniej żadnej nie widziałem. Bayou Boeuf obfituje w smaczne ryby dużych rozmiarów; od tego czasu bardzo rzadko brakowało ich mnie i moim towarzyszom. W ten sposób istna „kopalnia" stanęła otworem — pojawiło się nowe źródło pożywienia, dotychczas nie do pomyślenia dla zniewolonych dzieci Afryki, które trudzą się i cierpią głód wzdłuż tego powolnego, ale bogatego strumienia.

Mniej więcej w czasie, który teraz opisuję, w naszym bezpośrednim sąsiedztwie miało miejsce pewne zdarzenie, które wywarło na mnie głębokie wrażenie i które pokazuje stan tutejszego społeczeństwa i sposób, w jaki często odpłaca się tu za zniewagi. Dokładnie naprzeciwko naszych kwater, po drugiej stronie *bayou*, mieściła się plantacja pana Marshalla. Należał on do najbogatszej i najbardziej arystokratycznej rodziny w tej krainie. Dżentelmen z okolic Natchez negocjował z nim kupno posiadłości. Któregoś dnia na naszą plantację w wielkim pośpiechu przybył posłaniec, oznajmiając, że na ziemi Marshalla toczy się krwawa i straszliwa bitwa, że polała się krew i że jeśli walczących szybko się nie rozdzieli, to rezultaty będą katastrofalne.

Po przybyciu do domu Marshalla naszym oczom ukazała się scena, która aż błagała o opis. Na podłodze jednego z pokojów spoczywało straszne ciało człowieka z Natchez; Marshall zaś, rozwścieczony i pokryty ranami oraz krwią, chodził w tę z i powrotem, wykrzykując pogróżki i przekleństwa. W toku negocjacji pojawiły się trudności, padły gniewne słowa, została nawet wyciągnięta broń. Spór zakończył się wyjątkowo niefortunnie.

Marshall nigdy nie trafił do aresztu. W Marksville odbyło się coś na kształt procesu czy śledztwa, podczas którego został uniewinniony i wrócił na swoją plantację, bardziej jeszcze szanowany, jak sądzę, niż kiedykolwiek, dlatego że jego duszę splamiła krew innej ludzkiej istoty.

Epps bardzo się tym zainteresował. Towarzyszył mu do Marksville i przy każdej okazjo głośno go usprawiedliwiał, jednak jego wysiłki w tym kierunku nie zniechęciły później krewnego tego samego Marshalla do nastawania na jego życie. Przy stoliku karcianym nawiązał się między nimi spór, który przerodził się w krwawą waśń. Któregoś dnia Marshall, uzbrojony w nóż i pistolety, przyjechał konno przed dom Eppsa i wyzwał go do wyjścia i rozwiązania sporu raz na zawsze. W przeciwnym razie — zapewniał — nazwie go tchórzem i przy pierwszej okazji zastrzeli jak psa. W mojej opinii Epps nie przyjął wyzwania nie ze względu na tchórzostwo ani na jakieś skrupuły, ale z uwagi na żonę. Później jednakże doszło do pogodzenia, od czasu którego pozostawali w najbliższej zażyłości.

Wydarzenia, które w północnych stanach skończyłyby się procesem i sprawiedliwym wyrokiem, są częste nad *bayou* i mijają niezauważone, niemal bez komentarzy. Każdy mężczyzna nosi przy sobie nóż myśliwski, a kiedy dwóch ludzi się poróżni, tną się i kłują bardziej jak dzikusy niż jak istoty cywilizowane i oświecone.

Niewolnictwo w jego najbardziej okrutnej formie ma tendencje do brutalizowania człowieka i zabijania lepszych części jego natury. Codzienne świadkowanie ludzkiemu ucierpieniu, słuchanie udręczonych jęków niewolników, sprawianie, że wiją się pod bezlitosnymi razami bata, są bici i szarpani przez psy, umierają niezauważenie i są grzebani bez całunu czy trumny... Nie można oczekiwać, że panowie nie staną się brutalni i nie będą lekceważyli ludzkiego życia. Prawdą jest, że w parafii Avoyelles jest wielu dobrych ludzi łagodnego serca — takich jak William Ford — którzy z litością spoglądają na cierpienie niewolników, tak jak na całym świecie są wrażliwe i współczujące duchy, które nie są w stanie patrzeć obojętnie na cierpienie jakiegokolwiek stworzenia, które Wszechmogący obdarzył życiem. Nie jest winą właściciela niewolnika, że jest okrutny; równie winny jest system, w którym żyje. Nie może przeciwstawić się wpływowi nawyków i powiązań, które go otaczają. Od najwcześniejszego dzieciństwa uczony, że kij przeznaczony jest do bicia grzbietu niewolnika, widząc to i słysząc na każdym kroku, w późniejszych latach nie będzie skłonny do zmiany opinii.

Jest wielu ludzkich panów, tak jak z pewnością są i nieludzcy — bywają niewolnicy dobrze odziani, dobrze karmieni i szczęśliwi, tak jak z pewnością istnieją noszący łachmany, na wpół zagłodzeni i godni pożałowania; tym niemniej instytucja, która toleruje takie zło i odczłowieczenie, jakiego byłem świadkiem, jest okrutna, niesprawiedliwa i barbarzyńska. Ludzie mogą pisać fikcyjne historie opisujące ponure życie takim, jakie ono jest lub nie, mogą rozwodzić się nad nim z dostojną posępnością, choć są ignorantami, siedząc w wygodnych fotelach mówić z lekceważeniem o przyjemnościach niewolniczego życia; ale niech potrudzą się z niewolnikami w polu, pośpią z nimi w chacie, pożywią się ochłapami; niech zobaczą, jak niewolników się chłoszcze, bije, jak się na nich poluje — a wrócą z kolejną opowieścią na ustach. Niech poznają *serce* nieszczęsnego niewolnika, jego najskrytsze myśli — myśli, których nie ma śmiałości wyrazić w zasięgu słuchu białego człowieka — niech usiądą z nim w nocy, porozmawiają w zaufaniu o „życiu, wolności i dążeniu do szczęścia", a odkryją, że dziewięćdziesięciu dziewięciu z każdych stu jest wystarczająco inteligentnych, żeby rozumieć swoją sytuację i by w głębi duszy nosić umiłowanie swobody, równie namiętnie, jak oni sami.

◊

ROZDZIAŁ XV

PRACA NA PLANTACJACH CUKRU — SPOSÓB UPRAWIANIA TRZCINY — PIELENIE TRZCINY — STOGI TRZCINY — ŚCINANIE TRZCINY — OPIS POKOSU NOŻEM DO TRZCINY — PRZYGOTOWANIA DO ZBLIŻAJĄCYCH SIĘ ŻNIW — OPIS MŁYNU CUKROWEGO HAWKINSA W BAYOU BOEUF — ŚWIĘTA BOŻEGO NARODZENIA — SEZON ZABAW DLA NIEWOLNIKÓW — ŚWIĄTECZNA KOLACJA — CZERWONY, ULUBIONY KOLOR — SKRZYPCE I POGODZENIE, DO KTÓRYCH SIĘ PRZYCZYNIŁY — ŚWIĄTECZNE TAŃCE — LIVELY, KOKIETKA — SAM ROBERTS I JEGO RYWALE — PIOSENKI NIEWOLNIKÓW — ŻYCIE NA POŁUDNIU — TRZY DNI W ROKU — SYSTEM ZAWIERANIA MAŁŻEŃSTW — POGARDA WUJA ABRAMA WOBEC MAŁŻEŃSTWA

Z uwagi na mój brak zdolności do zbierania bawełny, Epps nabrał zwyczaju wynajmowania mnie na plantacje podczas sezonu cięcia trzciny i produkcji cukru. Za moje usługi dostawał dolara dziennie, które to pieniądze pozwalały mu zatrudnić kogoś na moje miejsce przy bawełnie. Ścinanie trzciny było zajęciem, w którym się odnajdowałem, i przez trzy kolejne lata pracowałem u Hawkinsa, przewodząc grupie liczącej od pięćdziesięciu do stu osób.

Wcześniej opisałem sposób uprawy bawełny. Nadszedł czas, by opowiedzieć, jak wygląda uprawa trzciny.

Ziemię orze się tak samo, jak w przypadku bawełny, poza tym, że głębiej. Tak samo robi się rowki. Sadzenie zaczyna się w styczniu i trwa do kwietnia. Trzeba pamiętać, by pole trzciny obsadzać tylko raz na trzy lata. Zanim nasiona czy sadzonki opadną z sił, plon zbiera się trzykrotnie.

Do tej operacji zatrudnia się trzy grupy. Jedna wyciąga trzcinę ze stogu i przycina łodygę od góry i dołu, zostawiając tylko tę część, która jest jędrna i zdrowa. Każdy kawałek trzciny ma oczko, jak ziemniak, z którego po wsadzeniu do ziemi wyrasta pęd. Kolejna grupa umieszcza trzcinę w dołkach, po dwie sadzonki, następne w odległości od czterech do sześciu cali. Trzecia grupa idzie z motykami i rzuca ziemię na sadzonki, zakrywając je na głębokość trzech cali.

Najdalej po czterech tygodniach nad ziemią pojawiają się pędy; od tej chwili wzrost następuje bardzo szybko. Pole trzciny cukrowej pieli się trzy razy, tak samo jak bawełnę, ale na korzenie narzuca się więcej ziemi. Do pierwszego sierpnia jest już zazwyczaj po pieleniu. Mniej więcej w połowie września tnie się trzcinę na sadzonki i układa ją w stogi. W październiku jest gotowa do młyna lub cukrowni — i wtedy zaczynają się żniwa. Ostrze noża do trzciny ma piętnaście cali długości, trzy cale szerokości pośrodku i zwęża się przy czubku oraz rękojeści. Jest cienkie, a żeby spełniało swoją rolę, musi być bardzo ostre. Co trzeci robotnik przejmuje prowadzenie nad dwoma innymi, którzy ustawiają się po jego bokach. Podstawowym zadaniem lidera jest odcinanie liści od pędów. Następnie odcina on zielony czubek. Musi uważać, aby oddzielić całą zieloną część od dojrzałej, ponieważ sok z zielonej części zakwasza melasę i sprawia, że staje się ona bezużyteczna. Potem odcina łodygę przy korzeniach i kładzie dokładnie za sobą. Jego towarzysze z prawej i lewej strony dokładają swoje łodygi, przycięte w taki sam sposób, na jego. Do każdej trójki przydzielony jest wózek, który podąża za nimi; młodsi niewolnicy wrzucają na niego pędy, po czym odprowadzają go do cukrowni; następuje zrzucanie. Jeśli plantator obawia się przymrozku, trzcina jest cięta. Polega to na obcięciu pędów we wczesnym okresie i ułożeniu jej w rowach. W takim stanie mogą pozostać przez trzy tygodnie do miesiąca, nie kwaśniejąc, zabezpieczone przed mrozem. Któregoś suchego dnia pod te łatwopalne odpady podkłada się ogień, który przelatuje nad polem, zostawiając je nagie i czyste, gotowe do pielenia. Ziemia przy korzeniach tworzących ściernisko jest obruszana; z czasem wystrzelą z nich kolejne pędy. Tak samo dzieje się w kolejnym roku; jednak w trzecim roku pędy tracą siłę — pole trzeba zaorać i obsadzić na nowo. W drugim roku trzcina jest słodsza i bardziej plenna niż w pierwszym, a w trzecim bardziej niż w drugim.

Pracowałem u Hawkinsa przez trzy sezony, w tym czasie często byłem zatrudniany w cukrowni. Hawkins jest chwalony jako producent najlepszego białego cukru. Poniżej zamieszczam ogólny opis jego cukrowni i procesu produkcji:

Młyn to ogromny, ceglany budynek stojący na brzegu *bayou*. Przylega do niego wiata, długa na co najmniej sto stóp i na czterdzieści lub pięćdziesiąt szeroka. Bojler, w którym powstaje para, umieszczony jest na zewnątrz głównego budynku; maszyneria i silnik spoczywają na ceglanej podmurówce, piętnaście stóp nad podłogą, wewnątrz budynku. Maszyneria ta napędza dwa wielkie, żelazne wałki o średnicy dwóch do trzech stóp i sześciu lub ośmiu stopach długości. Są one wyniesione ponad ceglaną podmurówkę i obracają się w przeciwne strony. Wózki, którymi przywozi się świeżo ściętą trzcinę, są rozładowywane po bokach wiaty. Niekończący się strumień wózków obsługiwany jest przez dzieci-niewolników, których zadaniem jest ładowanie na nie trzciny i przenoszenie jej przez wiatę do głównego budynku. Tam trzcina spada pomiędzy wałki i jest miażdżona, po czym spada na kolejny wózek, którym trzeba ją wywieźć z budynku w przeciwną stronę i złożyć na szczycie komina nad ogniem, który ją pochłonie. Trzcinę trzeba palić w taki sposób, ponieważ wkrótce by skwaśniała, co grozi chorobą. Sok z trzciny trafia do rynny pod żelaznymi rolkami i płynie do zbiornika. Stamtąd rurami doprowadzany jest do pięciu mieszczących się w beczkach filtrów. Filtry te wypełnione są zwęglonymi prażonymi kośćmi, substancją przypominającą sproszkowany węgiel drzewny. Służy ona do odbarwienia — poprzez filtrację — soku z trzciny, zanim ten trafi do gotowania. Sok przechodzi po kolei przez pięć takich filtrów, a potem płynie do dużego zbiornika w piwnicy, skąd za pomocą pompy parowej niesiony jest w górę do osadnika zrobionego z blachy, gdzie para podgrzewa go aż do zagotowania. Z pierwszego osadnika rurami trafia do drugiego i kolejnego, a stamtąd — na żelazne patelnie, przez które biegną wypełnione parą rury. Gotujący się sok trafia kolejno na trzy patelnie, a potem następnymi rurami spada do chłodziarek w piwnicy. Chłodziarki to drewniane skrzynie z wykonanymi z najlepszego drutu sitami na dnie. Gdy tylko sok przejdzie przez chłodziarki i spotka się z powietrzem, ziarninuje się, a melasa natychmiast spływa przez sito do cysterny poniżej. Wówczas otrzymujemy głowę białego cukru najlepszego gatunku — czystą i białą jak śnieg. Gdy ostygnie, cukier jest wyjmowany, pakowany w beczki i gotów do wysłania na rynek. Melasa z cysterny trafia znów na wyższe piętro i inny proces sprawia, że zamienia się w cukier brązowy.

Istnieją większe młyny, skonstruowane inaczej niż ten, który nieudolnie opisałem, ale w Bayou Boeuf chyba żaden nie jest bardziej chwalony. Partnerem Hawkinsa jest Lambert z Nowego Orleanu; to człowiek ogromnie bogaty, prowadzący interesy, jak mi powiedziano, z ponad czterdziestoma plantacjami trzciny cukrowej w Luizjanie.

Jedynym czasem odpoczynku od ciągłej, całorocznej pracy są dla niewolników święta Bożego Narodzenia. Epps zezwalał na trzy dni wolnego, inni na cztery, pięć lub sześć, w zależności od własnej wspaniałomyślności. To jedyny okres, którego niewolnicy wyczekują z jakimkolwiek zainteresowaniem lub przyjemnością. Cieszą się, gdy zapada noc, nie tylko dlatego, że przynosi im kilka godzin odpoczynku, ale dlatego, że zbliża ich do Bożego Narodzenia. Święta oczekiwane są z jednakim podnieceniem przez starych i młodych; pośród świątecznej radości nawet wujaszek Abram przestaje wychwalać Andrew Jacksona, a Patsey zapomina o swoich licznych smutkach. To czas zabawy, swawoli i muzykowania — karnawał dla dzieci kajdan. Jedyne dni, gdy dostają odrobinę swobody, którą cieszą się z całego serca.

Zwyczajowo jeden z plantatorów wydaje „bożonarodzeniową kolację", zapraszając niewolników z sąsiednich plantacji, by przy tej okazji dołączyli do jego własnych; na przykład w jednym roku kolację wydawał Epps, w kolejnym Marshall, następnego roku Hawkins i tak dalej. Zwykle brało w niej udział od trzystu do pięciuset osób, przybywających na piechotę, wózkami, konno i na mułach, jadąc po dwóch i po trzech, czasami chłopiec z dziewczyną, czasem dziewczyna i dwóch chłopców, a jeszcze czasem dziewczyna, chłopiec i staruszka. Wujek Abram dosiadający człapiącego muła, mający za sobą cioteczkę Phebe i Patsey i zmierzający na kolację nie stanowiłby w Bayou Boeuf niezwykłego widoku.

W ten najważniejszy dzień w roku niewolnicy zakładali swoje najlepsze stroje. Bawełniany płaszcz był czyszczony, buty woskowane łojową świeczką, a jeśli jakiś szczęśliwiec posiadał kapelusz pozbawiony ronda, beztrosko nasadzał go na głowę. Jednak nawet jeśli ludzie przybywali na święto z gołą głową czy boso, byli witani równie serdecznie. Kobiety owijały sobie głowy chustami, a jeśli zdarzyło im się posiadać jaskrawoczerwoną wstążkę albo znoszony czepek po babci swojej pani, z całą pewnością zakładały go właśnie na tę okazję.

Czerwony — głęboka czerwień krwi — to zdecydowanie ulubiony kolor moich znajomych niewolniczych dam. Jeśli w tym dniu niewolnica nie ma czerwonej wstążki na szyi, to z pewnością znajdzie się ją w jej wełnistych włosach, zaplecioną z czerwonymi sznureczkami.

Stół rozstawia się na powietrzu i zapełnia rozmaitymi mięsami i stosami warzyw. Przy tej okazji nie ma bekonu i kukurydzianych placków. Czasami gotowanie odbywa się w kuchni na plantacji, a czasem w cieniu rozłożystych drzew. W tym drugim przypadku w ziemi kopie się dół, układa w nim drewno i je podpala, aż zostaną z niego jakby żarzące się węgle, na których piecze się kurczaki, kaczki, indyki, świnie, a wcale nierzadko i całego dzikiego wołu. Do tego wypieka się z mąki biszkopty, często z brzoskwiniami czy innymi owocami, tarty i wszelkie rodzaje placków, poza tymi z mięsem, których tu nie znają. Tylko ten niewolnik, który żyje całe lata na mące kukurydzianej i bekonie, może docenić taką kolację. Świadkami tej gastronomicznej przyjemności są biali w dużej liczbie.

Niewolnicy siadają przy prostym stole — mężczyźni po jednej, kobiety po drugiej stronie. Tym, między którymi może nastąpić wymiana czułości, zawsze udaje się usiąść naprzeciwko siebie; wszechobecny Kupidyn chętnie razi swoimi strzałami proste serca niewolników. Czyste i niezmącone szczęście rozjaśnia ciemne twarze ich wszystkich. Białe zęby, odbijające od ciemnej cery, na całej długości stołu tworzą białe strumienie. Wszędzie widać wywracające się w zachwycie oczy. Chichoty, śmiech i szczękanie sztućców narastają. Cuffee szturcha sąsiada łokciem w bok, wiedziony nagłym impulsem zadowolenia; Nelly potrząsa palcem nad Sambo i śmieje się, sama nie wie z czego, i tak zabawa oraz radość udzielają się wszystkim.

Gdy jedzenie znika, a głód pracujących ludzi zostanie zaspokojony, następuje kolejna rozrywka — świąteczne tańce. Moim zadaniem podczas tych radosnych dni była gra na skrzypcach. Afrykańska rasa rozmiłowana jest w muzyce. Pośród moich zniewolonych towarzyszy wielu było takich, których narządy głosowe były nadzwyczaj rozwinięte, i którzy szarpali kciukiem struny banjo z niezwykłą prędkością; jednak egoistycznie muszę powiedzieć, że sam byłem bardziej poważany w Bayou Boeuf. Mój pan często dostawał listy, czasami wysyłane z odległości dziesięciu mil, z prośbami, aby przysłał mnie jako muzyka na jakiś bal czy festiwal białych. Dostawał za to zapłatę, a i ja zazwyczaj wracałem z kieszeniami pełnymi monet — dodatkowe wynagrodzenie od tych, którym sprawiłem przyjemność. W ten sposób zrobiłem się znany w górę i w dół *bayou*. Gdy tylko widziało się Platta Eppsa, jak przechodzi przez miasto ze skrzypcami w ręku, młodzi mężczyźni i panny w Holmesville wiedzieli, że gdzieś szykuje się zabawa. „Platt, dokąd idziesz?" i „Gdzie dziś grasz, Platt?" padało z każdych drzwi i każdego okna, a wiele razy, gdy nie było specjalnego pośpiechu, Platt — ulegając naciskom natrętów — czasem siedząc na mule, grał dla tłumku zachwyconej dziatwy, zebranej wokół niego na ulicy.

Gdyby nie moje ukochane skrzypce, nie wiem, jak zniósłbym długie lata niewoli! Dzięki nim miałem wstęp do dużych domów — co było ulgą od codziennej pracy w polu, zaopatrywałem moją chatę w różne potrzebne przedmioty: w fajki i tytoń, dodatkową parę butów; często dzięki nim mogłem też umknąć twardemu panu i oglądać sceny radości oraz szczęścia. Były moim towarzyszem — przyjacielem mego serca, grającym głośno, gdy się cieszyłem, i łkającym łagodnie i melodyjnie, gdy byłem smutny. Często o północy, gdy sen nie chciał przyjść do chaty, a moja dusza była znękana i zasmucona kontemplowaniem mojego losu, śpiewały mi pieśń pokoju. W święte dni szabasu, gdy pozwalano na godzinę lub dwie lenistwa, towarzyszyły mi w jakimś cichym miejscu na brzegu *bayou* i podniesionym głosem przemawiały łagodnie i słodko. Rozgłaszały moje imię w całej okolicy, zdobywały mi przyjaciół, którzy inaczej nie zwróciliby na mnie uwagi, dawały mi miejsce honorowe podczas dorocznych uczt i zapewniały najgłośniejsze, najserdeczniejsze przywitanie na świątecznych tańcach. Świąteczne tańce! Och, wy, szukający przyjemności synowie i córki lenistwa, którzy poruszacie się odmierzonymi kroczkami, apatycznie i niczym ślimaki poprzez powolne kotyliony! Jeśli chcielibyście zerknąć na prędkość, a nie na „poezję ruchu", a przy tym prawdziwe szczęście, szczere i niepohamowane — pojedźcie do Luizjany i popatrzcie na tańczących w świetle gwiazd w noc Bożego Narodzenia niewolników.

W te konkretne święta, o których myślę teraz, a które posłużą do opisu tego dnia w ogóle, bal rozpoczęli panna Lively i pan Sam — ona należąca do Stewarta, on do Robertsa. Było powszechnie wiadome, że Sam żywi namiętne uczucie do Lively, podobnie jak jeden z chłopców Marshalla i jeden Careya; Lively była tak pełna życia, jak wskazywało na to jej imię, a do tego była łamiącą serca kokietką. To, że gdy wstali od biesiady, podała dłoń do pierwszej figury właśnie Samowi Robertsowi, było dla niego zwycięstwem odniesionym nad rywalami. Tym nieco oklapły piórka, a ich gniewnie potrząsanie głowami nie wróżyło panu Samowi dobrze. Jednak nic nie mąciło radości Samuela, gdy jego nogi fruwały na zewnątrz i do środka, a u boku miał swoją czarującą partnerkę. Całe towarzystwo zachęcało ich hałaśliwie, a oni, podekscytowani aplauzem, tańczyli dalej, nawet gdy wszyscy inni opadli z sił i przerwali na chwilę, żeby złapać oddech. Jednak wielki wysiłek w końcu pokonał Sama i zostawił swoją wirującą partnerkę samą. Wtedy wkroczył Pete Marshall, jeden z rywali Sama, i z całą mocą wyginał się, podskakiwał i pokazywał wszystkie możliwe figury, jakby za wszelką cenę chciał pokazać pannie Lively i całemu światu, że Sam Roberts jest bez szans.

Jednakże uczucie Pete'a było większe od jego rozsądku. Tak wymagające ćwiczenie dosłownie pozbawiło go tchu i opadł jak przekłuty pęcherz. Wówczas szczęścia spróbował Harry Carey; jednak Lively wkrótce i jego wykończyła, pośród okrzyków i śmiechów, w pełni udowadniając, że jej reputacja „najszybszej dziewczyny nad *bayou*" jest w pełni zasłużona.

Gdy kończył się jeden taniec, momentalnie rozpoczynał się następny, a kobieta lub mężczyzna, którzy wytrzymali na parkiecie najdłużej, otrzymywali wrzaskliwe pochwały; i tak tańce trwały aż do białego rana. Gdy milkły skrzypce, rozlegała się muzyka charakterystyczna dla niewolników. Nazywa się to *patting* i towarzyszy piosenkom bez tytułów, ułożonych raczej tak, by pasowały do określonego rytmu niż do wyrażania jakiejś konkretnej idei. *Patting* robi się, uderzając dłońmi o kolana, potem klaszcząc w dłonie, następnie uderzając się jedną ręką w prawe ramię, dalej drugą w lewe — cały czas nadążając za krokami i śpiewając na przykład taką piosenkę:

„Strumień i rycząca rzeka,
to, ma miła, na nas czeka,
tam spotkamy naszą nację,
a wieczorem przy kolacji,
czeka żonka i plantacja.

Referen: W górę wiosła, rzeka płynie,
nadzorca skacze po biednym Murzynie".

Albo, jeśli te słowa nie pasowały do melodii, do których je stworzono, można było zaśpiewać „Hopsasa". To raczej zadziwiający sposób wersyfikacji, jednakże trudno go docenić, jeśli nie usłyszy się go na Południu:

„Kto tu był, nie widząc mnie?
Dziewczyna przyszła we dnie.
Hopsasa!
Hopsasa!
Hopsa hopsasa!

Od dnia, kiedym się urodził,
Nikt tu nigdy nie przechodził.
Hopsasa!
Hopsasa!
Hopsa hopsasa!”

Może to być też coś w rodzaju poniższej piosenki, równie nonsensownej, jednakże — gdy wychodzi z ust czarnego — pełnej melodii:

„Ebo Dick i Jurdan Jo,
ci dwaj skradli mi koło.

Refren:
Hop, hula hop
Hop, hula hop
Hop, hula hop

Stary Dan, co czarny jest,
cieszy się, że nie jest pies.

Hop, hula hop...”

W czasie wolnych dni po Bożym Narodzeniu niewolnicy dostają przepustki i pozwala im się chodzić, gdzie chcą, w ramach określonej odległości; mogą też zostać i pracować na plantacji, za co otrzymują wynagrodzenie. Jednak bardzo rzadko zdarza się, by ktoś skorzystał z tej drugiej możliwości. W tym czasie można zobaczyć, jak niewolnicy spieszą we wszystkich kierunkach, a równie szczęśliwych śmiertelników nie znajdziesz na całej ziemi! To zupełnie inni ludzie niż ci, którzy pracują w polu; chwilowy odpoczynek, krótka ulga od strachu i od bata, skutkuje całkowitą metamorfozą ich wyglądu i zachowania. Spędzają czas na składaniu wizyt, przejażdżkach, odnawianiu starych przyjaźni albo, przy odrobinie szczęścia, dawnych uczuć, bądź zażywaniu wszelkich przyjemności. To jest „życie na Południu" przez trzy dni w roku tak, jak je widziałem — a po przeciwnej stronie trzysta sześćdziesiąt dwa dni zmęczenia, strachu, cierpienia i nieustannej pracy.

Podczas świąt często zawierane są małżeństwa, jeśli można mówić o istnieniu takiej instytucji wśród niewolników. Jedyną ceremonią wymaganą przed wstąpieniem w ten „święty związek" jest uzyskanie zgody właścicieli zainteresowanych. Zazwyczaj zachęcają do tego właściciele niewolnic. Każda strona może mieć tylu mężów lub żon, na ile pozwoli właściciel, i każda może odrzucić pozostałych. Prawa stanowiące o rozwodach, o bigamii i tak dalej oczywiście nie mają zastosowania wobec własności. Jeżeli żona nie należy do tej samej plantacji, co mąż, ten drugi może ją odwiedzać w soboty wieczorem, o ile odległość nie jest zbyt duża. Żona wujaszka Abrama mieszkała siedem mil od Eppsa. Miał pozwolenie, by odwiedzać ją raz na dwa tygodnie, ale starzał się, jak już powiedziałem, i ostatnimi czasy często o niej zapominał. Wuj Abram nie miał czasu, bo rozmyślał o generale Jacksonie — małżeńskie igraszki są dobre dla młodych i bezmyślnych, jednak nie przystoją poważnemu filozofowi, takiemu jak on sam.

ROZDZIAŁ XVI

NADZORCY — JAK SĄ UZBROJENI — ZABÓJCA — JEGO EGZEKUCJA W MARKSVILLE — NIEWOLNICZY POGANIACZE — WYZNACZONY POGANIACZEM — PRAKTYKA CZYNI MISTRZA — EPPS PRÓBUJE PODERŻNĄĆ MI GARDŁO — UCIECZKA OD NIEGO — CHRONIONY PRZEZ PANIĄ — ZAKAZUJE CZYTANIA I PISANIA — ZDOBYCIE KARTKI PAPIERU PO DZIEWIĘCIU LATACH STARAŃ — LIST — ARMSBY, NIKCZEMNY BIAŁY — CZĘŚCIOWE ZAUFANIE DO NIEGO — JEGO ZDRADA — PODEJRZENIA EPPSA — JAK ZOSTAŁY UCISZONE — SPALENIE LISTU — ARMSBY OPUSZCZA BAYOU — ROZCZAROWANIE I ROZPACZ

Z **wyjątkiem mojej podróży** do parafii St. Mary i nieobecności w sezonie zbioru bawełny, byłem na stałe zatrudniony na plantacji pana Eppsa. Był niewielkim plantatorem, nie miał na tyle dużo niewolników, żeby potrzebować usług nadzorcy, więc sam zajmował się tym zadaniem. Nie był w stanie zwiększyć liczby rąk do pracy, zatem w sezonie zatrudniał kogoś do pomocy.

W większych posiadłościach, zatrudniających pięćdziesięciu, stu lub nawet dwustu ludzi, nie można się obejść bez nadzorcy. Ci dżentelmeni jadą na pole konno i – z tego co pamiętam — wszyscy, bez wyjątków, uzbrojeni są w pistolety, nóż myśliwski oraz bicz, a towarzyszy im kilka psów. Wyposażeni w taki sposób, jeżdżą pośród niewolników, pilnując ich uważnie. Pożądanymi cechami człowieka na tym stanowisku są: brak serca, brutalność i okrucieństwo. Jego zadaniem jest osiągnięcie wysokich zbiorów, a jeśli się to udaje, nie ma znaczenia, ile cierpienia mogło to kosztować. Obecność psów jest niezbędna, by prześcignąć ewentualnego zbiega; do ucieczek dochodzi czasem, gdy słaby lub chory nie jest w stanie skończyć swojego rzędu ani wytrzymać ciosów bicza. Pistolety są zarezerwowane na sytuacje naprawdę niebezpieczne, gdy ich użycie jest absolutnie konieczne. Niewolnik doprowadzony do całkowitego szaleństwa może się czasem nawet zwrócić przeciwko swojemu ciemiężycielowi. W styczniu zeszłego roku w Marksville stanęły szubienice; na jednej z nich niewolnik został stracony za zabicie nadzorcy. Wydarzyło się to kilka mil od plantacji Eppsa nad Red River. Niewolnikowi kazano rozszczepiać kłody. W ciągu dnia nadzorca posłał go z jakimś innym poleceniem, co zajęło tyle czasu, że nie był już w stanie dokończyć pielenia. Następnego dnia został wezwany do złożenia wyjaśnień, jednak strata czasu, będąca wynikiem spełniania polecenia, nie była wystarczającym usprawiedliwieniem, i kazano mu uklęknąć i obnażyć plecy do chłosty. Byli w lesie sami, poza zasięgiem wzroku czy słuchu. Chłopak poddał się, choć był wściekły na taką niesprawiedliwość, aż oszalały z bólu poderwał się na nogi, złapał siekierę i dosłownie porąbał nadzorcę na kawałki. Nie próbował się ukrywać. Poszedł do swojego pana, zrelacjonował całą sprawę i zadeklarował gotowość odkupienia zła przez poświęcenie własnego życia. Powiedziono go na szafot, a gdy miał już pętlę na szyi, w ostatnich słowach, niezrażony, bez strachu pogodził się ze śmiercią.

Nadzorcy mają pod sobą poganiaczy, w liczbie zależnej od ilości robotników na polu. Poganiacze są czarni i, poza swoją normalną pracą, są zmuszani do chłostania swoich grup. Przez szyje mają przewieszone bicze, a jeśli wzdrygają się przed ich użyciem, sami są chłostani. Mają jednak kilka przywilejów; na przykład podczas cięcia trzciny zwykłym robotnikom nie wolno usiąść na czas wystarczająco długi, by zjeść posiłek, gdy w południe na pole przyjeżdżają wózki wyładowane upieczonymi w kuchni plackami kukurydzianymi. Placki te są rozdawane przez poganiaczy i muszą zostać zjedzone możliwie najszybciej.

Kiedy niewolnik przestaje się pocić, jak często się zdarza, gdy pracuje ponad swoje siły, upada na ziemię i staje się całkowicie bezradny. Wówczas obowiązkiem poganiacza jest zawleczenie go w cień krzewów bawełny albo trzciny, albo pod pobliskie drzewo, gdzie wylewa na niego wiadra wody i stosuje inne środki, żeby przywrócić pocenie, po czym każe mu wracać na miejsce i zmusza do kontynuowania pracy.

Gdy trafiłem do Eppsa, poganiaczem w Huff Power był Tom, jeden z Murzynów Robertsa. Był zwalistym mężczyzną, surowym do przesady. Po przeprowadzce Eppsa do Bayou Boeuf wątpliwy honor poganiacza spadł na mnie. Aż do swojego odejścia, przebywając w polu, musiałem nosić bicz na szyi. Jeśli Epps był obecny, nie śmiałem okazać najmniejszej wyrozumiałości, nie miałem w sobie chrześcijańskiego męstwa pewnego dobrze znanego czytelnikowi Wuja Toma, który był wystarczająco odważny, by wyrazić swój gniew i odmówić wykonywania swoich zajęć. W ten sposób uniknąłem mąk, które były jego udziałem i jednocześnie ocaliłem moich towarzyszy przed większym cierpieniem, jak się okazało na końcu. Epps, co wkrótce stwierdziłem, obserwował nas niezależnie od tego, czy był na polu, czy nie. Z werandy, zza jakiegoś drzewa czy z ukrytego punktu obserwacyjnego, pilnował nas bez przerwy. Jeśli w ciągu dnia ktoś z nas nie nadążał albo stał bezczynnie, mieliśmy obowiązek powiedzieć o tym po powrocie na kwatery. Epps karał za każde nieposłuszeństwo, o którym wiedział; winny mógł być pewien, że za swoją opieszałość dostanie baty. Ja również byłem karany za to, że na nie pozwoliłem.

Z drugiej strony, gdy Epps widział, że ochoczo używam bata, był zadowolony. „Praktyka czyni mistrza". Zaiste; podczas tych ośmiu lat, gdy byłem poganiaczem, nauczyłem się używać bata z niezwykłą prędkością i precyzją, uderzając nim o włos od pleców, ucha, nosa, jednak nawet nie muskając ciała. Jeśli Epps obserwował nas z daleka albo mieliśmy powody, by podejrzewać, że czai się gdzieś w pobliżu, zaczynałem używać bata z większym wigorem, a moi towarzysze, zgodnie z ustaleniami, wili się i wrzeszczeli jak odzierani ze skóry, choć żaden z nich nie miał nawet zadraśnięcia. Jeśli pan pojawił się na polu, Patsey korzystała z okazji i w zasięgu jego słuchu jęczała cicho, że ten Platt chłosta ich bez przerwy, a wujaszek Abram z właściwą sobie uczciwością w kółko powtarzał, że spuściłem im baty gorsze, niż generał Jackson swoim wrogom w Nowym Orleanie. Jeśli Epps nie był pijany ani nie miał jednego z tych swoich brutalnych nastrojów, to ogólnie był zadowolony. Jeśli był pijany, to któreś z nas niezawodnie musiało odcierpieć swoje. Czasami jego brutalność przyjmowała niebezpieczną formę, wystawiającą życie jego ludzkiego inwentarza na niebezpieczeństwo. Przy jakiejś okazji ten pijany szaleniec chciał się zabawić, podrzynając mi gardło.

Pojechał do Holmesville na zawody strzeleckie i nikt z nas nie był świadomy jego powrotu. Gdy pieliłem obok Patsey, nagle powiedziała przyciszonym głosem:

— Platt, widziałeś, jak ten stary wieprz na mnie kiwa?

Rozejrzałem się dookoła i zobaczyłem go na skraju pola, kręcącego się i wykrzywiającego, co było oznaką, że jest na wpół pijany. Patsey, świadoma jego lubieżnych intencji, zaczęła płakać. Szepnąłem do niej, żeby nie podnosiła wzroku i pracowała dalej, jakby go nie zauważyła. Jednak on domyślił się prawdy i po chwili podszedł do mnie, wielce rozgniewany.

— Co powiedziałeś Pats? — zapytał, dołączając do tego przekleństwo. Udzieliłem mu wymijającej odpowiedzi, co tylko bardziej go rozwścieczyło.

— Od kiedy jesteś właścicielem tej plantacji, co, ty przeklęty czarnuchu? — powiedział ze złośliwym uśmieszkiem, w tej samej chwili chwytając mnie ręką za kołnierzyk koszuli, a drugą gmerając w kieszeni. — Poderżnę ci to twoje czarne gardło, ot co — oznajmił, wyciągając z kieszeni składany nóż. Ale nie był w stanie otworzyć go jedną ręką. Wreszcie złapał ostrze zębami, a ja doszedłem do wniosku, że w swym obecnym stanie nie żartuje. Gdy obróciłem się i szybko od niego odskoczyłem, z przodu rozerwała mi się koszula; ponieważ nie zwolnił uchwytu, została mu w ręce. Teraz bez trudu mogłem mu umknąć. Ścigał mnie, aż dostał zadyszki, potem stanął, by odsapnąć i poprzeklinać, i wznowił pościg. Teraz wzywał, żebym do niego podszedł, namawiał mnie do tego, ale trzymałem się na odległość. W ten sposób kilkakrotnie okrążyliśmy pole, on robił desperackie wypady, ja zawsze go wyprzedzałem, bardziej zdumiony niż przestraszony, wiedząc dobrze, że gdy wytrzeźwieje, będzie się śmiał ze swoich pijackich wyskoków. Wreszcie zauważyłem, że przy ogrodzeniu otaczającym pole stoi pani, przyglądająca się naszym na wpół poważnym, na wpół komicznym manewrom. Przemknąłem obok Eppsa i pobiegłem prosto do niej. Gdy pan ją zobaczył, nie pospieszył za mną. Został na polu jeszcze przez jakąś godzinę, a ja przez ten czas stałem z panią, opowiadając jej szczegółowo, co się wydarzyło. Teraz to *ona* się uniosła, oskarżając po równo swojego męża i Patsey. Wreszcie Epps poszedł do domu, do tego czasu prawie trzeźwy, idąc spokojnie z rękami za plecami i starając się wyglądać niewinnie jak dziecko.

Jednakże gdy się zbliżył, pani Epps zaczęła mu wymyślać, obrzucając go mnóstwem epitetów i domagając się wyjaśnienia, z jakiego powodu chciał mi poderżnąć gardło. Epps udawał niewiniątko i, ku mojemu zaskoczeniu, przysiągł na wszystkich świętych, że tego dnia ze mną nie rozmawiał.

— Platt, ty kłamliwy czarnuchu, *rozmawiałem*? — zwrócił się do mnie bezczelnie.

Nie jest bezpiecznie przeciwstawiać się panu, nawet w imię prawdy. Milczałem więc, a gdy wszedł do domu, wróciłem na pole. Nigdy więcej nie wrócono do tej afery.

Niedługo potem zaistniały takie okoliczności, że niemal ujawniłem tajemnicę mojego prawdziwego imienia i historii, które ukrywałem tak długo i tak starannie, i od czego, jak byłem przekonany, zależała moja ucieczka. Niedługo po tym, jak Epps mnie kupił, zapytał, czy potrafię czytać i pisać, a gdy został poinformowany, że odebrałem pewne nauki w tym zakresie, zapewnił mnie z naciskiem, że jeśli kiedykolwiek złapie mnie z książką albo piórem i atramentem, wymierzy mi sto batów. Powiedział, że mam zrozumieć, że kupuje Murzynów do pracy, a nie do nauki. Nigdy nie zapytał o moje dawne życie ani o to, skąd pochodzę. Jednakże pani często wypytywała mnie szczegółowo o Waszyngton, o którym sądziła, że jest moim miastem rodzinnym, i wiele razy zauważyła, że nie mówię ani nie zachowuję się jak inne „czarnuchy". Była pewna, że widziałem więcej świata, niż się do tego przyznawałem.

Moim wielkim problemem było zawsze wymyślenie sposobu, aby w tajemnicy dostarczyć list na pocztę i wysłać go do któregoś z moich przyjaciół lub rodziny na Północy. Była to trudność nie do pokonania, skoro ciążyły na mnie tak surowe restrykcje. Przede wszystkim nie miałem pióra, atramentu ani papieru. Po drugie, niewolnik nie może opuścić plantacji, nie mając przepustki, a żaden poczmistrz nie przyjmie listu, jeśli nie dostanie drugiego, z instrukcjami od właściciela niewolnika. Byłem w niewoli od dziewięciu lat i zawsze czujnie wypatrywałem okazji, by zdobyć kartkę papieru. Gdy którejś zimy Epps był w Nowym Orleanie, by sprzedać swoją bawełnę, pani posłała mnie do Holmesville z poleceniem kupienia kilku artykułów, między innymi pewnej ilości papieru listowego. Przywłaszczyłem sobie kartkę i ukryłem ją w chacie pod deską, na której sypiałem.

Po różnych eksperymentach udało mi się uzyskać atrament z gotowanej kory klonu, a z pióra wyrwanego ze skrzydła kaczki zrobiłem takie do pisania. Gdy wszyscy w chacie spali, ja — w świetle żarzących się węgli — leżąc na swojej pryczy, zdołałem skończyć dość długą epistołę. Była zaadresowana do pewnego starego znajomego z Sandy Hill; opisywała mój stan i ponaglała go do podjęcia działań mających na celu zwrócenie mi wolności. Trzymałem ten list przez długi czas, rozważając sposoby, dzięki którym mógłbym bezpiecznie dostarczyć go do urzędu pocztowego. Wreszcie w okolicy pojawił się człowiek o imieniu Armsby, dotąd mi nieznany, który szukał zajęcia jako nadzorca. Zgłosił się do Eppsa i przez kilka dni przebywał na plantacji. Potem powędrował kawałek dalej, do Shawa, i został u niego przez kilka tygodni. Wokół Shawa generalnie kręciło się sporo takich bezwartościowych osobników, jako że sam znany był jako hazardzista i człowiek pozbawiony zasad. Ożenił się ze swoją niewolnicą Charlotte i w jego domu rosło stadko mulatów, których spłodził. Armsby upadł wreszcie tak nisko, że był zmuszony pracować wraz z niewolnikami. Biały człowiek pracujący w polu w Bayou Boeuf stanowi rzadki i niezwykły widok. Przy każdej okazji starałem się zacieśniać naszą znajomość, pragnąc zdobyć jego przyjaźń, by móc powierzyć mu mój list. Armsby często bywał w Marksville, miasteczku, jak mnie poinformował, odległym o dwadzieścia mil. Uznałem, że właśnie stamtąd list mój powinien zostać nadany.

Starannie rozważając najlepszy sposób wprowadzenia go w sprawę, uznałem wreszcie, że po prostu spytam go, czy następnym razem, gdy będzie w Marksville, nada mój list, nie zdradzając mu, czego dotyczył ani jakie zawierał szczegóły. Miałem jednak obawy, że Armsby może mnie zdradzić, i wiedziałem, że muszę jakoś zadośćuczynić jego sprzedajnej naturze, zanim będę mógł bezpiecznie mu go powierzyć. Którejś nocy, o pierwszej, wykradłem się bezgłośnie ze swojej chaty i poszedłem przez pole do Shawa. Zastałem Armsby'ego śpiącego na werandzie. Miałem tylko parę monet — wynagrodzenie za moje muzykowanie — ale obiecałem mu wszystko, co miałem, jeśli tylko spełni moją prośbę. Błagałem, żeby mnie nie wydał, jeśli nie będzie mógł tego zrobić. Poprzysiągł na swój honor, że zaniesie list na pocztę w Marksville i na wieki zachowa to w tajemnicy. Choć miałem wtedy list w kieszeni, nie odważyłem się mu go przekazać; zamiast tego powiedziałem, że napiszę go za dzień lub dwa, życzyłem mu dobrej nocy i wróciłem do swojej chaty. Nie potrafiłem sobie wytłumaczyć podejrzeń, które powziąłem, i przez całą noc leżałem bezsennie, głowiąc się nad najbezpieczniejszym sposobem działania. Zamierzałem podjąć ogromne ryzyko, aby osiągnąć swój cel, ale gdyby ten list jakoś trafił w ręce Eppsa, oznaczałoby to koniec moich aspiracji do wolności. Byłem w kropce.

Moje podejrzenia nie były bezpodstawne, jak się potem okazało. Dwa dni później, gdy strzępiliśmy bawełnę na polu, Epps usadowił się na płocie między plantacją Shawa a jego własną, by doglądać naszej pracy. Zaraz potem pojawił się Armsby, wspiął się na ogrodzenie i usiadł obok niego. Siedzieli tak przez dwie czy trzy godziny, podczas gdy ja umierałem z niepokoju.

Tego wieczora, kiedy smażyłem sobie bekon, do chaty wszedł Epps, w dłoni trzymając swój pejcz.

— No, chłopcze — powiedział — jak rozumiem, mam tu kształconego czarnucha, który pisuje listy i próbuje nakłaniać białych, żeby je wysyłali. Jesteś ciekawy, kto to taki?

Spełniły się moje najgorsze obawy. Uciekanie się do obłudy i fałszu, nawet najbardziej niewiarygodnego, było moim jedynym ratunkiem.

— Nic o tym nie wiem, panie Epps — odpowiedziałem, robiąc zdumioną minę. — Nic a nic, sir.

— Nie poszedłeś wczoraj w nocy do Shawa? — indagował.

— Nie, panie — odpowiedziałem.

— I nie prosiłeś tego faceta, Armsby'ego, żeby wysłał w Marksville twój list?

— Ależ, na Boga, panie! W życiu nie zamieniłem z nim nawet słowa. Nie wiem, o co chodzi.

— Cóż — ciągnął — Armsby powiedział mi dzisiaj, że mam między swoimi Murzynami diabła; że mam tu jednego, którego trzeba dobrze pilnować; a gdy spytałem go dlaczego, powiedział, że przyszedłeś do Shawa, obudziłeś go w nocy i chciałeś, żeby zaniósł list do Marksville. No i co masz do powiedzenia?

— Panie, tylko tyle — odparłem — że to nieprawda. Jak miałbym napisać list bez atramentu i papieru? Nie ma nikogo, do kogo chciałbym pisać, bo o ile mi wiadomo, moi przyjaciele nie żyją. Ten cały Armsby łże. Mówią, że to pijak, i nikt mu nie wierzy. Pan wie, że zawsze mówię prawdę i że nigdy nie oddaliłem się z plantacji bez przepustki. I teraz widzę jasno, panie, o co mu chodzi. Nie chciał się tu zatrudnić jako nadzorca?

— Owszem, chciał — przyznał Epps.

— No właśnie — powiedziałem. — Chce, żeby pan uwierzył, że wszyscy zamierzamy uciec, i myśli, że zatrudni go pan, żeby nas pilnował. Zmyślił sobie to wszystko, bo chce dostać pracę. Panie, to wszystko nieprawda.

Epps dumał przez chwilę, wyraźnie pod wrażeniem wiarygodności mojej teorii i wykrzyknął:

— Niech mnie szlag, Platt, jeśli nie wierzę, że mówisz prawdę! Chyba mnie ma za miękkiego, skoro sądzi, że złapię się na takie brednie? Może mu się wydaje, że mnie nabierze; może myśli, że ja nic nie wiem, że nie potrafię dopilnować własnych Murzynów, też coś! Stary, miękki piernik Epps, myślałby kto! Ha, ha, ha! Przeklęty Armsby! Platt, poszczuję go psami!

Wykrzykując kolejne słowa opisujące charakter Armsby'ego, swój talent do dbania o własne interesy i własnych czarnuchów, pan Epps wyszedł z chaty. Gdy tylko zniknął, wrzuciłem list do ognia i z przygnębieniem i rozpaczą w sercu patrzyłem, jak ów list, który kosztował mnie tyle niepokoju i namysłu i który, jak miałem nadzieję, doprowadzi mnie do wolnej ziemi, skręca się i czernieje na węglach, a potem znika w popiele oraz dymie. Arsmby, zdradziecka kreatura, niedługo potem wyniósł się z plantacji Shawa, ku mojej wielkiej uldze, ponieważ bałem się, że może wrócić do tej rozmowy i przekonać Eppsa, by ten mu uwierzył.

Nie widziałem już, gdzie szukać wybawienia. Nadzieja rozkwitała w moim sercu, by zaraz ulec zniszczeniu. Lato mego życia przemijało; czułem, że przedwcześnie się starzeję; że jeszcze kilka lat wysiłku, żalu i trujących wyziewów z bagien dokona dzieła — że wpędzą mnie do grobu, gdzie zgniję w zapomnieniu. Odrzucony, zdradzony, odcięty, bez nadziei na odsiecz, mogłem tylko legnąć na ziemi i szlochać z niewypowiedzianej rozpaczy. Nadzieja na ratunek była jedynym światłem, które dawało memu sercu nieco ukojenia. Teraz drżało ono, ledwie pełgające. Kolejne rozczarowanie zagasi je na zawsze, zostawiając mnie błądzącego w ciemnościach po kres życia.

◊

ROZDZIAŁ XVII

WILEY NIE SŁUCHA RAD CIOTECZKI PHEBE I WUJA ABRAMA I ZOSTAJE SCHYTANY PRZEZ PATROL — ORGANIZACJA I OBOWIĄZKI PATROLU — WILEY UCIEKA — SPEKULACJE ODNOŚNIE DO JEGO OSOBY — JEGO NIEOCZEKIWANY POWRÓT — SCHWYTANIE GO NAD RED RIVER I WTRĄCENIE DO WIĘZIENIA W ALEKSANDRII — ODKRYTY PRZEZ PSY GOŃCZE JOSEPHA B. ROBERTSA — UCIEKINIERZY W WIELKICH LASACH SOSNOWYCH — SCHWYTANI PRZEZ ADAMA TAYDEMA I INDIAN — AUGUSTUS ZABITY PRZEZ PSY — NELLY, NIEWOLNICA ELDRETA — HISTORIA CELESTE — UZGODNIONE DZIAŁANIE — LEW CHENEY, ZDRAJCA — POMYSŁ POWSTANIA

Rok 1850 — przed czasami, do których teraz doszedłem — nie był szczególnie interesujący dla czytelnika, był jednak pechowy dla Wileya, męża Phebe, którego milcząca i wycofana natura trzymała dotąd mocno na ziemi. Pomimo że Wiley rzadko otwierał usta i bez słowa skargi trzymał się swojej orbity, pielęgnował w sobie potrzebę kontaktu z ludźmi. Na własną rękę, odrzucając filozofię wujaszka Abrama i całkowicie lekceważąc rady cioteczki Phebe, nocami bez przepustki wymykał się do chat na sąsiednich plantacjach.

Towarzystwo, jakie tam znajdował, było tak atrakcyjne, że Wiley ledwie zauważał mijające godziny i zanim się spostrzegł, zaczynało dnieć. Biegnąc do domu tak szybko, jak tylko mógł, miał nadzieję, że dotrze do kwater, zanim rozlegnie się dźwięk rogu; jednak, niestety, pewnego razu po drodze wyśledził go patrol.

Nie wiem, jak to wygląda w innych stanach, gdzie niewolnictwo jest legalne, ale nad Bayou Boeuf istnieje instytucja patroli, które zajmują się ściganiem i chłostaniem każdego niewolnika, którego znajdą poza jego plantacją. Jego członkowie jeżdżą na koniach pod dowództwem kapitana, są uzbrojeni i towarzyszą im psy. Mogą, zgodnie z prawem i ogólnym porozumieniem, wedle uznania wymierzać kary każdemu czarnemu, którego złapią bez przepustki poza granicami plantacji jego pana, mogą go nawet zastrzelić, jeśli próbuje uciekać. Każda kompania objeżdża określony odcinek w górę i w dół *bayou*. Patrole są wynagradzane przez plantatorów, którzy składają się proporcjonalnie do liczby posiadanych niewolników. Stukot kopyt ich koni słychać całymi dniami i często można zobaczyć, jak niewolnik idzie przed nimi bądź jest wleczony na linie na plantację swojego pana.

Wiley uciekł przed jednym z tych oddziałów, sądząc, że zdąży wrócić do chaty, zanim go schwytają; ale jeden z ich psów, wielki, wygłodniały gończy, złapał go za nogę i przytrzymał. Patrolowi wychłostali go surowo i zabrali, jako więźnia, do Eppsa. Od niego dostał kolejną chłostę, jeszcze gorszą. Od rozcięć od bata i ugryzień psa zrobił się obolały, sztywny i umęczony do tego stopnia, że ledwie był w stanie się poruszać. W żaden sposób nie mógł pracować; w konsekwencji przez cały dzień na grzbiet zmasakrowanego i krwawiącego Wileya spadał pejcz jego pana. Cierpienie mężczyzny stało się nie do zniesienia i wreszcie postanowił uciec. Nie zdradzając się z tą myślą przed swoją żoną, Phebe, powziął pewne przygotowania, by wprowadzić swój plan w życie. Ugotował swój cały tygodniowy przydział i w niedzielę w nocy, gdy jego współtowarzysze posnęli, ostrożnie wyszedł z chaty. Gdy rano zabrzmiał róg, Wiley się nie pojawił. Przeszukano chaty, stodołę, odziarniarnię i wszystkie zakątki plantacji. Każdego z nas przesłuchano, chcąc określić, czy wiemy coś, co mogłoby rzucić światło na jego nagłe zniknięcie albo obecne miejsce pobytu. Epps szalał z wściekłości i wsiadłszy na konia, pogalopował na sąsiednie plantacje, wszędzie rozpytując o zbiega. Poszukiwania te były bezowocne. Wiley przepadł jak kamień w wodę. Poprowadzono na bagna psy, ale nie znalazły jego tropu. Krążyły po lesie z nosami przy ziemi, jednak cały czas wracały do miejsca, z którego je wypuszczono.

Wiley uciekł — i to tak potajemnie i ostrożnie, że zwiódł cały pościg. Mijały dni i tygodnie, a nie było o nim żadnych wieści. Epps tylko przeklinał. My rozmawialiśmy wyłącznie o tym. Pozwalaliśmy sobie na całe mnóstwo spekulacji odnośnie do Wileya; zgodnie z jedną z nich utonął w *bayou*, jako że był marnym pływakiem; według innej został pożarty przez aligatory albo ukąszony przez mokasyna, którego jad to pewna i szybka śmierć. Jednak wszyscy dobrze mu życzyliśmy i żałowaliśmy biednego Wileya, gdziekolwiek był. Z ust wujaszka Abrama spłynęło wiele żarliwych modlitw z prośbą o bezpieczeństwo dla wędrowca.

Po jakichś trzech tygodniach, gdy porzuciliśmy już wszelką nadzieję, że go jeszcze ujrzymy, któregoś dnia pojawił się wśród nas. Gdy opuścił plantację, wyjaśnił, miał zamiar wrócić do Południowej Karoliny — do dawnych kwater u pana Buforda. W ciągu dnia się ukrywał, czasami na drzewach, a nocami szedł przez bagna. Wreszcie któregoś ranka o świcie stanął na brzegu Red River. Gdy tak stał i zastanawiał się, jak pokonać rzekę, zaczepił go biały i zażądał przepustki. Nie miał jej, zatem ewidentnie był uciekinierem, zabrano go więc do Aleksandrii, miasta w parafii Rapides, i wtrącono do więzienia. Tak się zdarzyło, że kilka dni po tym wydarzeniu w Aleksandrii przebywał Joseph B. Roberts, wuj pani Epps, który poszedł do więzienia i go rozpoznał. Wiley pracował na jego plantacji, gdy Epps mieszkał w Huff Power. Roberts zapłacił za niego grzywnę i wypisał przepustkę, pod którą umieścił notkę do Eppsa z prośbą, by ten nie chłostał Wileya. Odesłał go do Bayou Boeuf. Nadzieja, że prośba ta zostanie spełniona, o czym zapewniał Roberts, podtrzymywała Wileya w drodze do domu. Jednakże zalecenie to, jak można się było spodziewać, zostało całkowicie zignorowane. Wileya przez trzy dni trzymano w niepewności, po czym zdarto z niego koszulę i wymierzono jedną z tych nieludzkich chłost, którym tak często podlega biedny niewolnik. Była to pierwsza i ostatnia próba ucieczki, którą podjął Wiley. Długie blizny na jego plecach, które będzie nosił aż do śmierci, zawsze będą mu przypominać o niebezpieczeństwie związanym z takim postępkiem.

Przez tych dziesięć lat, kiedy należałem do Eppsa, nie było ani jednego dnia, żebym sam nie myślał o ucieczce. Ułożyłem wiele planów, które w danym momencie wydawały mi się znakomite, ale porzucałem je jeden po drugim. Nikt, kto nie był w takiej sytuacji, nie może sobie wyobrazić tysięcy trudności piętrzących się przed uciekającym niewolnikiem. Zwróci się przeciwko niemu każdy biały człowiek, będą go szukać patrole, psy, gotowe, by ruszyć jego śladem, a natura tej krainy nie daje nadziei na jej bezpieczne pokonanie.

Jednak myślałem, że może nadejść taki czas, że znów będę uciekał przez bagna. Wówczas musiałbym być przygotowany na to, że moim tropem ruszą także psy Eppsa. Miał ich kilka, jeden z nich był znanym łowcą niewolników, najbardziej zajadłym i agresywnym przedstawicielem swojej rasy. Gdy samotnie polowałem na szopy lub oposy, nigdy nie skorzystałem z możliwości, aby uciec, ale przy każdej okazji bezlitośnie tłukłem te psy batem. W ten sposób udało mi się w końcu całkowicie je sobie podporządkować. Bały się mnie i słuchały natychmiast, podczas gdy inni nie mieli nad nimi żadnej kontroli. Wątpię, że odważyłyby się mnie zaatakować, gdyby za mną ruszyły.

Pomimo pewności, że uciekinierzy zostaną schwytani, nie brakuje ich w lasach i na bagnach. Wielu ucieka, gdy są chorzy albo tak wyczerpani, że nie mogą wypełniać swoich zadań, gotowi odcierpieć karę za takie przewinienie, żeby tylko mieć dzień czy dwa odpoczynku.

Gdy należałem do Forda, niechcący odkryłem kryjówkę sześciu czy ośmiu uciekinierów, którzy zamieszkali w Wielkich Lasach Sosnowych. Adam Taydam często posyłał mnie po zapasy; całą drogę szło się między gęstymi sosnami. Około dziesiątej, gdy w pięknym świetle księżyca szedłem drogą teksaską, wracając do młynów, w worku na plecach niosąc poćwiartowaną świnię, usłyszałem za sobą kroki. Kiedy się odwróciłem, ujrzałem dwóch czarnych mężczyzn, którzy zbliżali się do mnie szybkim krokiem. Gdy byli blisko, jeden z nich uniósł pałkę, jakby miał zamiar mnie uderzyć; drugi szarpnął worek. Udało mi się wymknąć im obu; złapałem jakąś gałąź i jednego z nich uderzyłem w głowę z taką siłą, że zwalił się bez zmysłów na ziemię. Wtedy z boku pojawiło się kolejnych dwóch. Jednak zanim mnie złapali, udało mi się ich wyminąć. Mocno przestraszony, rzuciłem się do ucieczki. Kiedy opowiedziałem Adamowi o tej przygodzie, pojechał prosto do wioski Indian i wraz z Cascallą oraz kilkorgiem ludzi z jego plemienia rozpoczęli pościg za uciekinierami. Towarzyszyłem im do miejsca, w którym mnie zaatakowali. Na drodze znaleźliśmy plamę krwi w miejscu, w którym upadł człowiek, którego uderzyłem gałęzią. Po długich poszukiwaniach jeden z ludzi Cascalli zauważył dym unoszący się nad gałęziami kilku powalonych sosen, które stykały się czubkami. Miejsce to zostało ciasno otoczone; wszystkich pojmano. Uciekli z plantacji w pobliżu Lamourie i ukrywali się tam od trzech tygodni. Nie chcieli zrobić mi nic złego, jedynie zabrać mi świnię. O zmroku widzieli, jak zmierzam w stronę plantacji Forda, i domyślając się, jaka była natura mojej wyprawy, poszli za mną. Zobaczyli, jak szlachtuję i ćwiartuję świniaka, i zaczekali, aż będę wracał. Nie mieli jedzenia; do tego kroku przywiodła ich konieczność. Adam przekazał ich do aresztu i został hojnie wynagrodzony.

Wcale często zdarza się, że niewolnicy tracą życie przy próbie ucieczki. Posesja Eppsa przylegała do posiadłości Careya, wielkiego plantatora trzciny cukrowej. Corocznie uprawia on co najmniej tysiąc pięćset akrów trzciny, produkując dwa tysiące dwieście lub dwa tysiące trzysta głów cukru; z akra uzyskuje się przeciętnie półtorej głowy. Ponadto uprawia jeszcze pięćset czy sześćset akrów kukurydzy i bawełny. W zeszłym roku miał stu pięćdziesięciu trzech niewolników, oprócz tego niemal drugie tyle dzieci, i co roku podczas sezonu zbiorów zatrudnia pomoc z tej strony Mississippi.

Jeden z jego czarnych poganiaczy, miły, inteligentny chłopak, miał na imię Augustus. W święta i okazjonalnie pracując na sąsiednich polach, miałem okazję się z nim zapoznać, co w końcu przerodziło się w ciepłą i obustronną sympatię. Poprzedniego lata pechowo ściagnął na siebie niezadowolenie nadzorcy — prostackiego, pozbawionego uczuć brutala, który wychłostał go z wielkim okrucieństwem. Augustus uciekł. Doszedł do stogu trzciny na plantacji Hawkinsa i ukrył się w nim. Jego tropem puszczono wszystkie psy Careya — około piętnastu — które wkrótce trafiły do kryjówki po zapachu. Otoczyły stóg, kopiąc i drapiąc, ale nie mogły się do niego dostać. Wreszcie, prowadzeni psim jazgotem, pojawili się gończy, a nadzorca wspiął się na stóg i wyciągnął zbiega. Gdy Augustus stoczył się na ziemię, psy rzuciły się na niego i zanim udało się je odciągnąć, poszarpały i zmasakrowały jego ciało w straszliwy sposób. Ich zęby w setkach miejsc doszły do kości. Podniesiono go, przywiązano do muła i zabrano do domu. Męczył się do następnego dnia, gdy oto po nieszczęsnego chłopaka przyszła śmierć, która łagodnie uwolniła go od cierpień.

Równie często jak niewolnicy, próbowały uciekać niewolnice. Nelly, dziewczyna Eldreta, z którą przez jakiś czas rąbałem drewno w Wielkich Zaroślach Trzcinowych, przez trzy dni ukrywała się w stodole Eppsa. Nocą, gdy jego rodzina spała, zakradała się do kwater po jedzenie i wracała do stodoły. Uznaliśmy, że nie może tam dłużej zostać, bo sprowadza na nas niebezpieczeństwo, a wtedy wróciła do własnej chaty.

Jednak najlepszym przykładem udanej ucieczki przed psami i myśliwymi jest ten:

Pośród dziewczyn Careya była niejaka Celeste. Miała dziewiętnaście albo dwadzieścia lat i była znacznie bielsza od swojego właściciela czy któregokolwiek z jego potomstwa. Trzeba było bardzo uważnych oględzin, żeby w jej rysach doszukać się najlżejszego śladu krwi afrykańskiej. Ktoś obcy nigdy by się nie domyślił, że była dzieckiem niewolników. Którejś nocy siedziałem przed swoją chatą i grałem na skrzypcach, gdy drzwi uchyliły się nieznacznie i stanęła przede mną Celeste. Była blada i wynędzniała. Nie mógłbym zdziwić się bardziej, gdyby wyrosła spod ziemi.

— Kim jesteś? — spytałem, gapiąc się na nią.

— Jestem głodna; daj mi trochę bekonu — odpowiedziała.

W pierwszej chwili pomyślałem, że była jakąś obłąkaną, młodą panią, która uciekła z domu i zabłądziwszy, trafiła do mojej chaty za dźwiękiem skrzypiec. Jednakże surowa, niewolnicza sukienka, jaką miała na sobie, szybko obaliła to przypuszczenie.

— Jak masz na imię? — znów zapytałem.

— Celeste — odparła. — Należę do Careya i od dwóch dni ukrywam się w zagajniku palmowym. Jestem chora i nie mogę pracować; wolę raczej umrzeć na bagnach niż dać się zachłostać nadzorcy na śmierć. Psy Careya za mną nie pójdą. Próbowali je za mną puścić. One i Celeste mają swoją tajemnicę, więc nie posłuchają szatańskich rozkazów nadzorcy. Daj mi trochę mięsa... Umieram z głodu.

Podzieliłem się z nią moją skromną porcją, a pochłaniając ją, opowiedziała mi, jak udało jej się uciec i opisała swoją kryjówkę. Na skraju bagien, nawet nie pół mili od domu Eppsa, była wielka przestrzeń, tysiące akrów porośniętych gęsto palmami karłowatymi. Wysokie drzewa, których długie liście zachodziły na siebie, tworzyły kopułę tak gęstą, że nie przepuszczała słońca. Nawet w samym środku najjaśniejszego dnia panował tam półmrok. W sercu tego lasu, gdzie zapuszczały się tylko węże, w miejscu ponurym i opuszczonym, Celeste postawiła prymitywną chatę z gałęzi, które spadły na ziemię, i pokryła ją liśćmi palm. Taką wybrała sobie pustelnię. Psów Careya bała się nie bardziej niż ja gończych Eppsa. Nigdy nie udało mi się wyjaśnić, co sprawia, że śladami niektórych ludzi psy po prostu nie chcą podążać. Celeste była jedną z takich osób.

Przez kilka nocy przychodziła do mojej chaty po jedzenie. Któregoś razu, gdy się zbliżała, zaszczekał pies; obudziło to Eppsa, który przyszedł sprawdzić, co się dzieje. Nie odkrył jej, ale po tym wydarzeniu jej wizyty byłyby nierozsądne. Gdy panował spokój, przynosiłem jej zapasy w ustalone miejsce.

W ten sposób Celeste przetrwała większą część lata. Odzyskała zdrowie, stała się silna i energiczna. Na bagnach przez cały rok nie milkną nawoływania dzikich zwierząt. Kilka razy w środku nocy ich warkoty wyrywały ją ze snu. Przerażona takimi nieprzyjemnymi pobudkami, wreszcie zdecydowała się opuścić swoje samotne domostwo; a kiedy wróciła do swojego pana, została zakuta w dyby, wychłostana i ponownie posłana na pole.

W roku poprzedzającym moje przybycie, pośród niewolników w Bayou Boeuf istniał zorganizowany ruch, którego historia skończyła się zaiste tragicznie. Podejrzewam, że pisano o tym w gazetach, ale cała moja wiedza na ten temat pochodzi od osób, które wówczas żyły w sąsiedztwie tych wydarzeń. Stały się one przedmiotem ogólnego i ciągłego zainteresowania w każdej niewolniczej chacie nad *bayou*, i bez wątpienia zostaną przekazane kolejnym pokoleniom jako część tradycji. Lew Cheney, z którym się zapoznałem — sprytny, przebiegły Murzyn, bardziej inteligentny niż ogół jego rasy, jednak pozbawiony skrupułów i skłonny do zdrady — wpadł na pomysł stworzenia oddziału dość silnego, aby przebić się na terytorium sąsiedniego Meksyku.

W odległym miejscu, głęboko na bagnach, na tyłach

plantacji Hawkinga znajdował się punkt zborny. Lew pod osłoną nocy przemykał z jednej plantacji na drugą, zwołując krucjatę do Meksyku i wywołując ogromne podniecenie wszędzie, gdzie się pokazał. Wreszcie zebrała się wielka liczba uciekinierów; z pól skradziono muły i kukurydzę, z wędzarni zniknął bekon, a wszystko to ukryto w lasach. Wyprawa już miała ruszać, gdy odkryto ich kryjówkę. Lew Cheney, przekonany o nieuchronnej porażce swojego projektu, aby zaskarbić sobie łaski swojego pana i uniknąć konsekwencji, rozmyślnie zdecydował się poświęcić swoich towarzyszy. W sekrecie wymknął się z obozowiska, zdradził plantatorom, ilu ludzi ukrywa się na bagnach i zamiast zgodnie z prawdą wyłożyć, jaki cel im przyświecał, oznajmił, że ich zamiarem było opuszczenie kryjówki przy pierwszej dogodnej okazji i wymordowanie wszystkich białych nad *bayou*.

To oświadczenie, wyolbrzymione w miarę przekazywania z ust do ust, wypełniło przerażeniem cały kraj. Zbiegowie zostali otoczeni; wzięto jeńców, których powiedziono w łańcuchach do Aleksandrii, gdzie zostali powieszeni. Nie tylko ich, ale także wielu, których nie ominęły podejrzenia, nawet zupełnie niewinnych, zabrano z pól i chat i bez nawet namiastki procesu zaprowadzono na szafot. Plantatorzy z Bayou Boeuf w końcu powstali przeciwko tak lekkomyślnemu pozbawianiu ich majątku, ale żeby powstrzymać rzeź trzeba było regimentu żołnierzy przysłanych z jakiegoś fortu na teksańskiej granicy, żeby rozebrali szubienice i otworzyli wrota więzienia w Aleksandrii. Lew Cheney uciekł, a za swoją zdradę otrzymał nagrodę. Nadal żyje, ale jego imię jest w pogardzie i nienawiści u wszystkich jego pobratymców w parafiach Rapides i Avoyelles.

Jednak sama idea powstania nie jest nowa wśród niewolników Bayou Boeuf. Wiele razy brałem udział w poważnych rozmowach, w trakcie których omawiano ten temat, i bywały takie czasy, gdy jedno słowo z mojej strony mogło poderwać do buntu setki moich zniewolonych towarzyszy. Jednak nie mieliśmy broni ani amunicji, a nawet gdybyśmy je mieli, widziałem, że taki krok skończyłby się pewną porażką, katastrofą i śmiercią, i zawsze wypowiadałem się przeciwko niemu.

Pamiętam, jak wielkie nadzieje wzbudziła wojna meksykańska. Wieści o zwycięstwie napełniły duży dom radością, ale w chatach panowały żal i rozczarowanie. W mojej opinii — a wiem coś o uczuciach, o których mówię — na brzegach Bayou Boeuf znalazłoby się może z pięćdziesięciu niewolników, którzy nie powitaliby nadciągającej armii z niezmierzoną radością.

Samych siebie oszukują ci, którzy sądzą, iż żyjący w niewiedzy i upodlony niewolnik nie ma pojęcia o wielkości swoich krzywd. Oszukują się ci, którzy wyobrażają sobie, że podniesie się on z kolan, z plecami poranionymi i spływającymi krwią, pielęgnując w sobie ducha łagodności i przebaczenia. Może nadejść taki dzień — a taki dzień nadjedzie, jeśli modlitwy niewolników zostaną wysłuchane — straszliwy dzień pomsty, kiedy to z kolei panowie na próżno błagać będą o litość.

◊

ROZDZIAŁ XVIII

O'NIEL, GARBARZ – PODSŁUCHANA ROZMOWA Z CIOTECZKĄ PHEBE – EPPS W GARBARSTWIE – WUJ ABRAM DŹGNIĘTY NOŻEM – PASKUDNA RANA – EPPS JEST ZAZDROSNY – ZAGINIĘCIE PATSEY – JEJ POWRÓT OD SHAWA – HARRIET, CZARNA ŻONA SHAWA – EPPS ROZWŚCIECZONY – PATSEY ODPIERA JEGO ZARZUTY – JEST PRZYWIĄZANA NAGO DO CZTERECH PALIKÓW – NIELUDZKA CHŁOSTA – PATSEY ODZIERANA ZE SKÓRY – URODA DNIA – WIADRO SŁONEJ WODY – SUKIENKA SZTYWNA OD KRWI – PATSEY POPADA W MELANCHOLIĘ – JEJ POJMOWANIE DOBRA I WIECZNOŚCI, NIEBA I WOLNOŚCI – EFEKT BICZOWANIA NIEWOLNIKÓW – NAJSTARSZY SYN EPPSA – „CZYM SKORUPKA ZA MŁODU NASIĄKNIE"

Wiley okrutnie cierpiał w rękach Eppsa, jak to opisano w poprzednim rozdziale, ale radził sobie nie gorzej od swoich nieszczęsnych towarzyszy. Nasz pan nie zwykł szczędzić rózgi. Cały czas podlegał zmiennym nastrojom, a gdy miał zły humor, najmniejsza prowokacja skutkowała karą. Okoliczności związane z ostatnią chłostą, jaką otrzymałem, pokażą, jak trywialne powody wystarczały mu, aby wyciągnąć bat.

Pan O'Niel, mieszkający w okolicach Wielkich Lasów Sosnowych, zwrócił się do Eppsa, chcąc mnie kupić. Zajmował się garbarstwem i wyprawianiem skór; prowadził rozległe interesy i chciał umieścić mnie w którymś departamencie swojej firmy. Cioteczka Phebe, nakrywając stół w dużym domu, podsłuchała ich rozmowę. Wróciwszy wieczorem na dziedziniec, zaraz mnie odszukała, chcąc — oczywiście — podzielić się nowinami. W minutę opowiedziała o wszystkim, co usłyszała, a trzeba czytelnikom wiedzieć, że cioteczka Phebe należała do tych osób, którym nie umknie żadne słowo wypowiedziane w zasięgu ich słuchu. Rozwodziła się nad faktem, że „Massa Epps zamiarował sprzedać mnie garbarzowi z Lasów Sosnowych" tak długo i tak głośno, że przyciągnęła uwagę pani, która przysłuchiwała się naszej rozmowie, stojąc niezauważona na werandzie.

— Cóż, cioteczko Phebe — powiedziałem — Cieszę się. Jestem zmęczony strzępieniem bawełny i wolałbym być garbarzem. Mam nadzieję, że mnie kupi.

Jednakże O'Niel mnie nie kupił, strony nie mogły się porozumieć co do ceny i następnego ranka po przyjeździe gość wrócił do domu. Niedługo potem Epps przyszedł na pole. Nic nie mogło rozwścieczyć go bardziej niż napomknienie, że któryś z jego sług chciałby go opuścić. Jak później się dowiedziałem, pani Epps poprzedniego wieczoru powtórzyła mu moje słowa, bo wspomniała cioteczce Phebe, że nas podsłuchała. Epps wkroczył na pole i podszedł prosto do mnie.

— Co, Platt, masz dosyć strzępienia bawełny, tak? Chciałbyś zmienić pana, co? Lubisz podróżować, co? Aha, lubisz może podróżować dla zdrowia? Pewnie masz dosyć bawełny. Więc zamierzasz zająć się garbarstwem? Dobry biznes, piekielnie dobry biznes. Przedsiębiorczy czarnuch! Wierz mi, sam się zajmę tym biznesem. Na kolana i zdejmuj koszulę! Zobaczymy, jak mi idzie garbowanie skóry.

Błagałem żarliwie i próbowałem zmiękczyć go przeprosinami, ale bezskutecznie. Nie było alternatywy; uklęknąłem więc i wystawiłem nagi grzbiet na razy bicza.

— Jak ci się podoba *garbowanie*? — krzyknął, gdy pejcz opadł na moje ciało. — Jak ci się podoba *garbowanie*? — powtarzał przy każdym uderzeniu. W ten sposób wymierzył mi dwadzieścia czy trzydzieści batów, nieustannie kładąc nacisk na słowo „garbowanie" w takiej czy innej formie. Gdy wystarczająco mnie „wygarbował", pozwolił mi wstać i ze złośliwym śmiechem zapewnił, że jeśli nadal ciekawi mnie ten biznes, to w każdej chwili może mi udzielić dalszych instrukcji. Tym razem, zaznaczył, dał mi tylko krótką lekcję „garbowania" — następnym mnie „wyprawi".

Także wujek Abram często spotykał się z bardzo brutalnym traktowaniem, chociaż był jednym z najłagodniejszych i najwierniejszych stworzeń na świecie. Przez całe lata był moim współlokatorem w chacie. Miał na twarzy wyraz takiej życzliwości, na którą przyjemnie było patrzeć. Obdarzał nas swoiście ojcowskimi uczuciami, zawsze udzielając nam rad z głęboką powagą i namysłem.

Kiedy któregoś popołudnia wróciłem z plantacji Marshalla, dokąd z jakimiś poleceniami posłała mnie pani, zastałem go na podłodze chaty, z ubraniami przesiąkniętymi krwią. Poinformował mnie, że został pocięty nożem! Gdy rozkładał bawełnę na rusztowaniu, Epps wrócił pijany z Holmesville. Dopatrzył się błędów we wszystkim, wydając tyle kompletnie sprzecznych rozkazów, że nie dało się wypełnić żadnego z nich. Wujek Abram, którego umysł słabł, pogubił się i popełnił pomyłkę, która nie wiązała się z jakimiś szczególnymi konsekwencjami. Jednak Epps tak się rozgniewał, że z pijacką bezmyślnością napadł na staruszka i wbił mu nóż w plecy. Była to długa, paskudna rana, ale nie na tyle głęboka, żeby zrobić biedakowi poważną krzywdę. Została zszyta przez panią, która potępiła męża z wielką surowością, nie tylko wyrzekając na jego brak człowieczeństwa, ale oświadczając, że tylko czeka, kiedy doprowadzi rodzinę do ruiny; kiedy w pijackim amoku pozabija wszystkich niewolników na plantacji.

Często zdarzało mu się także powalić cioteczkę Phebe krzesłem czy polanem. Jednak najbardziej okrutna chłosta, jaką zmuszony byłem oglądać — której nie mogę wspominać inaczej, niż ze zgrozą — stała się udziałem nieszczęsnej Patsey.

Widać było wyraźnie, że zazdrość i nienawiść pani Epps zamieniły w koszmar życie jej młodej i obrotnej niewolnicy. Jestem szczęśliwy, że dzięki mnie ta niewinna dziewczyna — jak sądzę — wielokrotnie uniknęła kary. Pod nieobecność Eppsa pani często kazała mi ją wychłostać pod byle pretekstem. Odmawiałem, mówiąc, że boję się niezadowolenia mojego pana, i kilka razy odważyłem się zaprotestować przed nią przeciwko traktowaniu, które było udziałem Patsey. Starałem się ją przekonać, że Patsey nie była winna czynów, na które pani się skarżyła, ale że była niewolnicą i całkowicie podlegała woli swojego pana.

Wreszcie „zielonooki potwór" wkradł się również w duszę Eppsa, a wtedy dołączył on do swojej gniewnej żony w piekielnej radości przysparzania tej dziewczynie niedoli.

W dzień szabasu, w porze pielenia, nie tak dawno temu, byliśmy na brzegu *bayou*, piorąc uprania, co było naszym obyczajem. Patsey nie było. Epps wołał głośno, ale nie odzywała się. Nikt nie widział, żeby wychodziła z dziedzińca, i dziwiliśmy się, dokąd poszła. Po kilku godzinach zobaczyliśmy, jak nadchodzi od strony plantacji Shawa. Człowiek ten, jak już zostało powiedziane, był notorycznym rozpustnikiem, jednak pomimo tego nie był w szczególnie przyjaznych stosunkach z Eppsem. Harriet, jego żona, wiedząc o kłopotach Patsey, była dla niej miła, przez co ta ostatnia zwykła odwiedzać ją przy każdej okazji. Jej wizyty podyktowane były wyłącznie przyjaźnią, ale w mózgu Eppsa stopniowo narastało podejrzenie, że wiodła ją tam inna i bardziej przyziemna potrzeba — że to nie z Harriet pragnęła się spotkać, ale raczej z tym bezwstydnym libertynem, jego sąsiadem. Po powrocie Patsey zastała naszego pana straszliwie rozwścieczonego. Jego gwałtowność tak ją przestraszyła, że początkowo próbowała udzielać mu wymijających odpowiedzi, co tylko nasiliło jego podejrzenia. Wreszcie wyprostowała się dumnie i z oburzeniem, śmiało zaprzeczyła jego zarzutom.

— Pani nie dała mi mydła do prania, jak innym — powiedziała Patsey — i pan wie dlaczego. Poszłam do Harriet po kawałek — mówiąc to, wyciągnęła mydło z kieszeni sukienki i pokazała mu. — Po to poszłam do Shawa, Massa Epps — mówiła dalej — i Bóg wie, że to wszystko.

— Kłamiesz, ty czarna dziewucho! — wrzasnął Epps.

— *Nie* kłamię, Massa. Może mnie pan zabić, jest mi wszystko jedno.

— Och! Już ja ci pokażę. Oduczę cię łazić do Shawa! Stłukę cię na kwaśne jabłko! — syczał wściekle przez zaciśnięte zęby.

Potem zwrócił się do mnie i kazał wbić w ziemię cztery paliki, czubkiem buta wskazując miejsca, w których miały się znaleźć. Gdy paliki zostały wkopane, kazał Patsey zdjąć całe ubranie. Przyniesiono sznury, a nagą dziewczynę położono twarzą do ziemi, z kostkami i nadgarstkami przywiązanymi pewnie do palików. Poszedł na werandę, zabrał ciężki bat i włożywszy mi go w rękę, rozkazał ją wychłostać. Nie mając wyjścia, musiałem go posłuchać. Ośmielę się powiedzieć, że nigdy nie byłem świadkiem tak straszliwego widowiska, jak to, które potem nastąpiło.

Pani Epps wraz z dziećmi stała na werandzie, przyglądając się tej scenie z wyrazem bezlitosnego zadowolenia. Niewolnicy tłoczyli się opodal, a na ich obliczach gościł bezbrzeżny smutek. Biedna Patsey modliła się żałośnie o litość, ale jej modły trafiały w pustkę. Epps zazgrzytał zębami i tupał, wrzeszcząc na mnie jak szaleniec, że mam uderzać *mocniej*.

— Mocniej, albo ty będziesz następny, ty ścierwo! — krzyknął.

— Panie, łaski! Och, miej łaskę, błagam! O Boże, zlituj się nade mną! — krzyczała Patsey, szarpiąc się bezskutecznie. Jej ciało dygotało przy każdym uderzeniu.

Kiedy już wymierzyłem jej trzydzieści batów, przerwałem i obróciłem się do Eppsa w nadziei, że był usatysfakcjonowany; ale ten, wykrzykując jeszcze gorsze przekleństwa i pogróżki, kazał mi kontynuować. Wymierzyłem jeszcze dziesięć lub piętnaście uderzeń. Tym razem jej plecy pokryły się długimi pręgami, krzyżującymi się jak sieć. Epps jednak nadal miotał się w furii, krzycząc, że jeśli jeszcze raz pójdzie do Shawa, to będzie chłostał ją tak długo, aż pożałuje, że nie jest w piekle. Opuściłem bicz i oświadczyłem, że nie mogę karać jej dłużej. Kazał mi bić dalej, grożąc mi gorszą chłostą niż jej, jeśli odmówię. Moje serce zbuntowało się przy tej nieludzkiej scenie i ryzykując konsekwencje, z całą stanowczością odmówiłem uniesienia bata. Wówczas chwycił go sam i zaczął bić z siłą dziesięć razy większą niż ja. Powietrze wypełniały okrzyki bólu i wycie torturowanej Patsey, mieszające się z głośnymi i wściekłymi przekleństwami Eppsa. Była straszliwie poraniona — nie będzie przesadą, jeśli powiem, że miała pozdzieraną skórę. Bat był mokry od krwi, która spływała jej po bokach i kapała na ziemię. Wreszcie dziewczyna przestała się szarpać. Głowa opadła jej bezsilnie na ziemię. Jej krzyki oraz błagania stopniowo ustawały, zamarły wraz z cichym jękiem. Myślałem, że umiera!

To był Dzień Pański. Pola uśmiechały się w ciepłym świetle słońca, pośród listowia radośnie świergotały ptaki, wszędzie wydawały się panować szczęście i spokój; wszędzie — poza sercem Eppsa, jego dyszącej ofiary i milczących świadków, zgromadzonych dookoła. Gwałtowne emocje, które tam panowały, nie pasowały do spokoju i cichego piękna tego dnia. Spoglądałem na Eppsa z niewypowiedzianym wstrętem i odrazą, i myślałem sobie — ty diable, prędzej czy później dopadnie cię wieczysta sprawiedliwość i odpowiesz za ten grzech!

Wreszcie pan przerwał chłostę ze zwykłego zmęczenia i kazał Phebe przynieść wiadro wody z solą. Patsey została nią gruntownie obmyta i kazano mi zabrać ją do jej chaty. Rozwiązałem sznury i uniosłem ją. Nie była w stanie utrzymać się na nogach, a kiedy jej głowa opierała się na moim ramieniu, powtarzała głosem tak słabym, że niemal niesłyszalnym: „och, Platt, och, Platt!", ale nic ponadto. Nałożono jej ubranie, ale sukienka przywarła do jej pleców i szybko zesztywniała od krwi. Położyliśmy ją w chacie, gdzie leżała przez długi czas z zamkniętymi oczami, jęcząc z udręki. W nocy Phebe nałożyła jej na rany stopiony łój. Zajmowaliśmy się nią wszyscy na tyle, na ile byliśmy w stanie. Patsey leżała w chacie dzień po dniu, twarzą do dołu, gdyż rany nie pozwalały na żadną inną pozycję.

Spotkałoby ją błogosławieństwo — oszczędzono by jej dni, tygodni i miesięcy męki — gdyby już nigdy nie uniosła głowy. W istocie od tamtego czasu nie była już tą osobą, co niegdyś. Jej ducha przygniótł ciężar głębokiej melancholii. Nie poruszała się już tanecznym, żywym krokiem, w jej oczach nie było już tej radosnej iskierki, co kiedyś. Spętany wigor — ten dziarski, roześmiany duch jej młodości — zniknął. Popadła w żałobny i posępny nastrój, i często wstawała we śnie, z uniesionymi rękami błagając o litość. Stała się bardziej milcząca; pracując z nami przez cały dzień, nie wypowiadała ani jednego słowa. Na jej twarzy pojawił się wyraz troski i żalu, i teraz bardziej była skłonna do płaczu niż do śmiechu. Serce Patsey zostało złamane przez cierpienie i okrucieństwo.

Traktowano ją nie lepiej niż zwierzę należące do pana, ledwie jak cenny i ładny okaz — i w związku z tym posiadała określony, ograniczony zasób wiedzy. A jednak jej intelekt rozjaśniało wątłe światełko tak, że nie była całkiem ciemna. Miała niejasną koncepcję Boga i wieczności, i jeszcze bardziej niejasno pojmowała Zbawcę, który umarł nawet za takich, jak ona. Radowała się i trapiła wzmiankami o przyszłym życiu — nie ogarniała różnicy między życiem doczesnym a duchowym. Szczęście, w jej umyśle, było uwolnieniem od bicia, od pracy, od okrucieństwa panów i nadzorców. Jej idea radości niebiańskiej oznaczała po prostu *odpoczynek* i w pełni wyraża ją ta melancholijna pieśń:

„Nie proszę o wspaniałość raju,
co tu, na ziemi, ma przyczynę,

jedyne Niebo, o którym śnię,
to odpoczynek, wieczny odpoczynek".

Wśród wielu posiadaczy niewolników panuje błędne przekonanie, że niewolnicy nie rozumieją pojęcia wolności, nie pojmują tej idei. Tymczasem nawet nad Bayou Boeuf, gdzie niewolnictwo funkcjonuje w swojej najpodlejszej i najokrutniejszej formie, ukazującej cechy nieznane na Północy, najmniej bystrzy z niewolników pojmują całą głębię jej znaczenia. Rozumieją przywileje i ulgi, które się z nią wiążą — że korzystaliby z owoców własnej pracy i że byłaby ona dla nich zabezpieczeniem szczęścia domowego. Doskonale widzą różnicę między sytuacją swoją, a najpodlejszego białego, i mają świadomość niesprawiedliwości praw, które zezwalają panom nie tylko na czerpanie zysków z ich pracy, ale także do wymierzania im niezasłużonej i niesprawiedliwej kary bez środków czy prawa stawiania oporu lub możliwości protestu.

Życie Patsey, zwłaszcza po tej chłoście, było jednym wielkim marzeniem o wolności. Wiedziała, że gdzieś daleko — w jej przekonaniu: niewyobrażalnie daleko — znajduje się kraj swobody. Tysiące razy słyszała, że gdzieś na dalekiej Północy nie było niewolników ani panów. W jej przekonaniu był to cudowny kraj, raj na Ziemi. Zamieszkać gdzieś, gdzie czarny człowiek może pracować na siebie, mieszkać we własnej chacie, uprawiać własną ziemię — to było rozkosznym marzeniem Patsey. Niestety! Marzeniem, którego nigdy nie będzie mogła zrealizować.

Ten pokaz brutalności zrobił na domownikach oczywiste wrażenie. Najstarszy syn Eppsa to inteligentny młodzieniec w wieku dziesięciu, może dwunastu lat. Żal było patrzeć, jak czasem karał czcigodnego wuja Abrama. Wzywał go do wyjaśnienia, a jeśli w jego dziecinnej ocenie konieczna była kara, skazywał go na określoną liczbę batów, które wymierzał z powagą i namysłem. Często jeździł na kucu w pole ze swoim biczem, bawiąc się w nadzorcę, ku zachwytowi ojca. Wówczas używał pejcza i ponaglał niewolników krzykami oraz okazjonalnymi przekleństwami, co wzbudzało śmiech Eppsa, który jeszcze go zachęcał.

„Czym skorupka za młodu nasiąknie...". Przy takim treningu nieważne, jakie miałby wrodzone predyspozycje — wszedłszy w dorosłość, na cierpienie i niedolę niewolników patrzyłby z całkowitą obojętnością. Taki system sprzyja wykształceniu niewzruszonego i okrutnego ducha nawet w sercach tych, którzy pośród sobie równych uważani są za ludzkich i wspaniałomyślnych.

Młody panicz Epps posiadał pewne szlachetne cechy, jednak żaden proces rozumowania nie mógł doprowadzić go do konkluzji, że w oczach Wszechmogącego nie ma rozróżnienia na kolor skóry. Na czarnego człowieka spoglądał jak na zwykłe zwierzę, nie robiąc żadnej różnicy między nimi, poza darem mowy i posiadaniem jakichś wyższych instynktów; niewolnik był przez to mimo wszystko bardziej wartościowym zwierzęciem. Pracować jak muły jego ojca, być chłostanym, kopanym i przeklinanym przez całe życie, zwracać się do białych, trzymając kapelusz w ręce, oczy mając poddańczo wbite w ziemię — to było według niego naturalnym i odpowiednim przeznaczeniem niewolnika. Skoro młodzi wzrastają pośród takich idei — w przekonaniu, że my, czarni, stoimy poza nawiasem człowieczeństwa — nic dziwnego, że oprawcy mego ludu to bezlitosna i nieubłagana rasa.

◊

ROZDZIAŁ XIX

AVERY ZNAD BAYOU ROUGE — OSOBLIWOŚĆ DOMOSTWA — EPPS STAWIA NOWY DOM — BASS, STOLARZ — JEGO SZLACHETNE CECHY — JEGO WYGLĄD I EKSCENTRYZMY — BASS I EPPS DYSKUTUJĄ O NIEWOLNICTWIE — OPINIA EPPSA O BASSIE — PRZEDSTAWIAM SIĘ MU — NASZA ROZMOWA — JEGO ZASKOCZENIE — SPOTKANIE O PÓŁNOCY NA BRZEGU *BAYOU* — ZAPEWNIENIA BASSA — WYPOWIADA WOJNĘ NIEWOLNICTWU — DLACZEGO NIE UJAWNIŁEM SWOJEJ HISTORII — BASS PISZE LISTY — KOPIA JEGO LISTU DO PANÓW PARKERA I PERRY'EGO — NIECIERPLIWOŚĆ — ROZCZROWANIA — BASS PRÓBUJE MNIE POCIESZYĆ — MOJA WIARA W NIEGO

W **czerwcu 1852 roku**, na mocy poprzedniej umowy, pan Avery, stolarz z Bayou Rouge, rozpoczął budowę domu dla pana Eppsa. Jak już chyba wspominałem, w Bayou Boeuf nie ma piwnic; jednocześnie ziemia jest tak podmokła, że domy zwykle stawia się na palach. Kolejną osobliwością jest to, że pokoje nie są tynkowane; ich ściany i sufity pokrywa się boazerią z drzewa cyprysowego, pomalowanego na kolor zgodny z gustem właściciela. Deski tną piłami niewolnicy, jako że w promieniu wielu mil nie ma tam strumieni o nurcie dość silnym, by pobudować tartak. Kiedy stanie już domostwo plantatora, jego niewolnicy mają mnóstwo dodatkowej pracy. Ponieważ pracując dla Tibeatsa nabrałem niejakiego doświadczenia, zostałem odwołany z pola i przydzielony do pomocy Avery'emu i jego ludziom.

Był wśród nich człowiek, wobec którego mam niezmierzony dług wdzięczności. Gdyby nie on, to wedle wszelkiego prawdopodobieństwa dożyłbym kresu moich dni w niewoli. Był moim wybawicielem, człowiekiem, którego szczere serce pełne było szlachetnych i wspaniałomyślnych uczuć. Do samej śmierci wspominać go będę z uczuciem wdzięczności. Nazywał się Bass i w owym czasie mieszkał w Marksville. Trudno będzie stworzyć właściwy opis jego wyglądu czy charakteru. Był dużym mężczyzną, między czterdziestym a pięćdziesiątym rokiem życia, o jasnej skórze i jasnych włosach. Był bardzo opanowany i spokojny, chętnie dyskutował, ale zawsze mówił z wielkim namysłem. Był taką osobą, której zachowanie w żaden sposób nikogo nie raziło. To, co w innych ustach byłoby oburzające, on mógł powiedzieć bezkarnie. Nad Red River nie było chyba człowieka, który zgodziłby się z nim co do polityki czy religii, ani takiego — śmiem przypuszczać — który dyskutowałby na te tematy choć w połowie tak dużo. Wydawało się, że w każdej sprawie poprze mniej popularną stronę, a ci, którzy go słuchali, zawsze reagowali raczej zdumieniem niż niechęcią na jego nietypowe i oryginalne podejście do kwestii kontrowersyjnych. Był kawalerem — „starym kawalerem", zgodnie z prawdziwym wydźwiękiem tego terminu — który, o ile wiedział, nie miał na świecie żadnych krewnych. Nie miał także stałego miejsca zamieszkania — wędrował od jednego stanu do drugiego, jak mu dyktowała fantazja. Od trzech czy czterech tygodni przebywał w Marksville i świadczył usługi stolarskie; a dzięki swoim szczególnym przymiotom był dość szeroko znany w parafii Avoyelles. Bass był liberałem do szpiku kości; a wiele aktów dobroci i wyraźna prawość serca zdobyły mu popularność w społeczności, sentyment, który nieustannie zwalczał.

Pochodził z Kanady, skąd wywędrował jako młodzieniec. Zwiedziwszy wszystkie ważniejsze miasta w północnych i zachodnich Stanach, w toku swoich peregrynacji trafił w niezdrowy region Red River. Ostatnim miejscem jego pobytu było Illinois. Gdzie przebywa obecnie — z żalem muszę powiedzieć, że nie wiem. Zebrał swoje rzeczy i dyskretnie wyjechał z Marksville dzień przede mną, co było konieczne, jako że podejrzewano jego udział w moim uwolnieniu. Gdyby pozostał w zasięgu, niewolników z Bayou Boeuf czekałaby chłosta, a jego, za to, że popełnił czyn dobry i sprawiedliwy, z pewnością spotkałaby śmierć.

Któregoś dnia, podczas pracy przy nowym domu, Bass i Epps wdali się w dyskusję, której — jak można się spodziewać — przysłuchiwałem się z rosnącym zainteresowaniem. Dotyczyła bowiem kwestii niewolnictwa.

— Powiem panu, co to jest, panie Epps — powiedział Bass. — To jest złe, bardzo złe, sir, nie ma w tym nic prawego ani sprawiedliwego. Nie miałbym niewolnika, nawet gdybym był bogaty jak Krezus, a nie jestem, czego moi wierzyciele są doskonale świadomi. To kolejny humbug, system kredytowy, humbug, sir.

Nie ma kredytu, nie ma długu. Kredyty wodzą ludzi na pokuszenie. Gotówka to jedyne, co broni ich przed diabłem. Ale wracając do kwestii *niewolnictwa*; jakie ma pan *prawo* do swoich Murzynów, skoro już o tym mowa?

— Jakie prawo! — odpowiedział Epps ze śmiechem. — Kupiłem ich i zapłaciłem za nich.

— *Oczywiście*, że to pan to zrobił; prawo mówi, że można mieć Murzyna, ale upraszając prawo o wybaczenie, to *kłamstwo*. Czy można uznać, że wszystko jest w porządku, ponieważ prawo na to pozwala? Załóżmy, że powstaje prawo, które odbiera panu wolność i robi z pana niewolnika. Co wtedy?

— Och, to przypadek nie do pomyślenia — odparł Epps, wciąż się śmiejąc. — Bass, mam nadzieję, że nie porównujesz mnie pan do czarnucha.

— Cóż — poważnie odpowiedział Bass. — Nie, niezupełnie. Ale widziałem Murzynów tak dobrych jak ja, i w tych stronach nie znam żadnego białego, który byłby ode mnie choć trochę lepszy. Wobec tego, Epps, jaka jest w oczach Boga różnica między białym a czarnym?

— Zasadnicza — zareplikował Epps. — Równie dobrze mógłbyś pan zapytać, jaka jest różnica między białym człowiekiem a szympansem. Widziałem jednego takiego stwora w Nowym Orleanie i wiedział tyle, co każdy czarnuch, którego mam. Pewnie nazwałbyś je pan obywatelami, co? — i Epps zaśmiał się głośno ze swojego żartu.

— Epps, niech pan spojrzy — ciągnął jego towarzysz. — W ten sposób mnie pan nie rozbawi. Są ludzie dowcipni, i są tacy, którzy tylko sobie tacy się wydają. Teraz zadam panu pytanie. Czy zgodnie z Deklaracją Niepodległości wszyscy ludzie rodzą się wolni i równi?

— Tak — powiedział Epps. — Ale wszyscy ludzie, a nie czarnuchy i małpy — i wybuchnął jeszcze bardziej hałaśliwym śmiechem niż poprzednio.

— Skoro już o tym mowa, to małpy można znaleźć zarówno między białymi, jak i czarnymi ludźmi — chłodno zauważył Bass. — Znam białych, którzy uciekają się do argumentów, których nie użyłaby żadna czująca małpa. Ale mniejsza z tym. Ci Murzyni to istoty ludzkie. Jeśli nie wiedzą tyle, co ich panowie, to czyja to wina? *Nie pozwala* im się czegokolwiek wiedzieć. Pan ma książki i gazety, może pan chodzić, gdzie się panu podoba, i rozwijać inteligencję na tysiące sposobów. Ale pańscy niewolnicy nie mają takich przywilejów. Gdyby przyłapał pan jakiegoś z książką, wychłostałby go pan. Są trzymani w niewoli, pokolenie po pokoleniu, pozbawiani możliwości rozwoju mentalnego... Więc kto by oczekiwał, że będą mieli jakąś większą wiedzę? Jeśli są jak szympansy albo w skali inteligencji nie stoją wyżej od tych zwierząt, pan i ludzie panu podobni będziecie musieli za to odpowiedzieć. Ten naród winien jest grzechu, straszliwego grzechu, który w końcu zostanie ukarany. Jeszcze przyjdzie dzień rozrachunku... Tak, Epps, nadchodzi dzień, który przyniesie ogień. Może to będzie wcześniej, może później, ale nadejdzie z całą pewnością.

— Skoro mieszkałeś pan w Nowej Anglii między tymi Jankesami — powiedział Epps — to można się spodziewać, że będziesz pan jednym z tych przeklętych fanatyków, którzy wiedzą więcej od konstytucji, którzy kręcą się w kółko i namawiają czarnuchów do ucieczki.

— Gdybym był w Nowej Anglii — odciął się Bass — byłbym dokładnie tym, kim jestem. Mówiłbym, że niewolnictwo jest niegodziwe i powinno zostać zniesione. Mówiłbym, że nie ma ani powodu, ani prawa, ani konstytucji, które pozwalają na to, by jeden człowiek trzymał drugiego w niewoli. Trudno by panu było pogodzić się z utratą własności, to na pewno, ale nawet nie w połowie tak trudno, jak z utratą wolności. Jeśli dokładnie trzymać się litery prawa, to nie ma pan lepiej uzasadnionych pretensji do swojej wolności, jak ten tam wujaszek Abram. Mówi się o czarnej skórze i czarnej krwi; a dlaczego? Ilu nad tym *bayou* jest Murzynów równie białych jak pan czy ja? Jaka jest różnica w kolorze duszy? Pff! Cały ten system jest równie absurdalny, co okrutny. Może pan sobie mieć Murzynów, ale ja nie wziąłbym niewolnika nawet za najlepszą plantację w Luizjanie.

— Bass, pan lubisz słuchać swojego głosu bardziej niż ktokolwiek. Kłóciłbyś się pan, że czarne jest białe albo białe jest czarne, byle by tylko ktoś się z panem spierał. Z niczego na tym świecie nie jesteś pan zadowolony, i pewnie na następnym też nie będziesz.

Bardzo często prowadzili podobne rozmowy; Epps prowokował go bardziej po to, by pośmiać się jego kosztem, niż żeby faktycznie dyskutować o poważnych sprawach. Postrzegał Bassa jako człowieka gotowego powiedzieć cokolwiek dla samej przyjemności usłyszenia własnego głosu; być może jako kogoś nieco zarozumiałego, występującego przeciwko wierze i prawu tylko po to, by pokazać swoją zręczność w argumentacji.

Bass został u Eppsa przez lato, odwiedzając Marksville mniej więcej raz na dwa tygodnie. Im bardziej mu się przyglądałem, tym bardziej byłem przekonany, że to człowiek, któremu mógłbym zaufać. Tym niemniej mój uprzedni pech nauczył mnie skrajnej ostrożności. Nie wolno mi było odezwać się do białego człowieka, jeśli on nie zrobił tego pierwszy, ale nie traciłem żadnej okazji, żeby wejść mu w drogę i na wszystkie możliwe sposoby starałem się przyciągnąć jego uwagę. Na początku sierpnia pracowaliśmy razem w domu; pozostali cieśle wyszli, a Epps był na polu. Musiałem poruszyć temat — teraz albo nigdy; zdecydowałem się to zrobić niezależnie od wszelkich konsekwencji, które mogłem ponieść. Tego popołudnia byliśmy bardzo zajęci. Nagle przerwałem pracę.

— Panie Bass — powiedziałem. — Chciałbym pana zapytać, z jakiej części kraju pan pochodzi.

— Platt, a po co ci to wiedzieć? — zdziwił się. — Nie wiem, czy powinienem ci mówić. — A po chwili dodał: — Urodziłem się w Kanadzie; teraz zgadnij, gdzie to jest.

— Och, wiem, gdzie leży Kanada — odparłem. — Sam tam byłem.

— Tak, i pewnie dobrze ją znasz — powiedział, śmiejąc się z niedowierzaniem.

— Owszem, panie Bass — odpowiedziałem. — Byłem tam. Byłem w Montrealu i Kingston, i Queenston, i jeszcze w bardzo wielu miejscach, byłem też w Nowym Jorku, w Buffalo, Rochester i Albany, i mogę panu podać nazwy miasteczek nad kanałami Erie i Champlain.

Bass odwrócił się i spojrzał na mnie, nic nie mówiąc.

— Jak się tu znalazłeś? — zapytał w końcu.

— Panie Bass — powiedziałem — gdyby istniała sprawiedliwość, nigdy by mnie tu nie było.

— Jak to? — powiedział. — Kim ty jesteś? Z pewnością byłeś w Kanadzie; znam wszystkie miejsca, o których wspomniałeś. Jak to się stało, że tu trafiłeś? Chodź, opowiedz mi o tym.

— Nie mam tutaj przyjaciół — brzmiała moja odpowiedź — którym mógłbym zaufać. Boję się panu powiedzieć, choć nie wierzę, żeby poszedł pan z tym do pana Eppsa.

Zapewnił mnie, że każde moje słowo zachowa dla siebie i ewidentnie był bardzo zaciekawiony. To długa historia, poinformowałem go, i opowiedzenie jej zajmie trochę czasu. Pan Epps niedługo wróci, ciągnąłem, ale jeśli spotka się ze mną w nocy, kiedy wszyscy zasną, opowiem mu ją. Chętnie przystał na to. Poprosił, żebym przyszedł do budynku, w którym wówczas pracowaliśmy, gdzie go zastanę. Koło północy, gdy wszystko było spokojne i ciche, wykradłem się ostrożnie ze swojej chaty i wszedłem do nieskończonego budynku. Już na mnie czekał.

Po dalszych zapewnieniach z jego strony, że nie powinienem bać się zdrady, zacząłem opowiadać historię mojego życia i złego losu. Był bardzo zainteresowany i zadawał mnóstwo pytań o kwestie lokalne i wydarzenia. Gdy skończyłem opowiadać, poprosiłem go, by napisał do pewnych moich przyjaciół z Północy, powiadomił ich o mojej sytuacji i błagał, by przesłali dokumenty poświadczające, że jestem wolnym człowiekiem albo podjęli właściwe kroki, aby doprowadzić do mojego uwolnienia. Obiecał, że to zrobi, ale długo rozwodził się nad niebezpieczeństwem grożącym w razie wykrycia takiego działania. Podkreślił też konieczność zachowania całkowitego milczenia i tajemnicy. Zanim się rozstaliśmy, powstał plan działania.

Postanowiliśmy spotkać się następnej nocy w wyznaczonym miejscu w wysokich zaroślach na brzegu *bayou*, w pewnej odległości od domostwa pana. Tam spisał sobie nazwiska i adresy kilku osób, starych przyjaciół na Północy, do których przy następnej swojej bytności w Marksville miał nadać listy. Nie było rozsądnie spotykać się w nowym domu, ponieważ mogłoby nas zdradzić światło, którego potrzebowaliśmy. W ciągu dnia udało mi się zdobyć kilka zapałek i ogarek świecy, które pod nieobecność cioteczki Phebe ukradkiem zabrałem z kuchni. Bass miał ołówek i papier w skrzynce z narzędziami.

O umówionej godzinie spotkaliśmy się na brzegu *bayou*. Przysiedliśmy w zaroślach. Zapaliłem świeczkę, a on wyciągnął papier oraz ołówek i przygotował się do działania. Podałem mu nazwiska Williama Perry'ego, Cephasa Parkera i Judge'a Marvina, którzy mieszkali w Saratoga Springs, w hrabstwie Saratoga, w stanie Nowy Jork. Ten ostatni zatrudniał mnie w United States Hotel, a z pozostałymi prowadziłem interesy;

ufałem, że przynajmniej jeden z nich wciąż mieszkał w tym samym miejscu. Bass starannie zapisał nazwiska, a potem zauważył z namysłem:

— Wyjechałeś z Saratogi tak dawno temu, że wszyscy mogą już nie żyć albo tam nie mieszkać. Wspominałeś, że w urzędzie celnym w Nowym Jorku wyrobiłeś sobie dokumenty. Być może mają tam archiwa? Sądzę, że warto byłoby do nich napisać i się upewnić.

Zgodziłem się z nim i raz jeszcze opisałem okoliczności, które wiązały się z moją wizytą w urzędzie celnym w towarzystwie Browna i Hamiltona. Spędziliśmy na brzegu *bayou* jakąś godzinę albo trochę więcej, rozmawiając o temacie, który teraz zajmował nasze myśli. Nie mogłem dłużej wątpić w jego uczciwość i swobodnie rozmawiałem z nim o wielu smutkach, które od tak dawna znosiłem w milczeniu. Mówiłem o mojej żonie i dzieciach, wspominałem ich imiona i wiek, rozwodziłem się też nad niewypowiedzianym szczęściem, jakim byłoby przygarnięcie ich do serca jeszcze raz przed śmiercią. Chwyciłem go za rękę i ze łzami prosiłem żarliwie, by był mi przyjacielem, by zwrócił mnie moim bliskim i wolności; obiecywałem też, że przez resztę życia będę zanosił modlitwy z prośbą, by niebiosa go błogosławiły. W upojeniu wolnością — otoczony dziećmi i znów na łonie mojej rodziny — nie zapomniałem o danym słowie i nie zapomnę nigdy, dopóki będę miał siły, aby wznieść błagalny wzrok ku niebu.

„Czuwaj nad jego krokami
i w potrzebie podaj mu ramię,

błogosław mu przez całe życie,
póki się tu nie spotkamy".

Zasypał mnie zapewnieniami o swojej przyjaźni i dochowaniu wiary, mówiąc, że nigdy dotąd nie zainteresował się tak bardzo niczyim losem. Opowiadał o sobie w nieco ponurym tonie, jako o człowieku samotnym, tułającym się po świecie — o tym, że się starzał i wkrótce dotrze do kresu swojej ziemskiej drogi, i że gdy uda się na wieczny odpoczynek, nie zapłaczą po nim dzieci ani krewni i nikt nie będzie o nim pamiętał. Że jego życie nie ma dla niego wielkiej wartości i że odtąd poświęci się sprawie mojego oswobodzenia i nieustannej walce przeciwko przeklętej hańbie niewolnictwa.

Później rzadko rozmawialiśmy albo zwracaliśmy na siebie uwagę. Ponadto w rozmowach o niewolnictwie, które prowadził z Eppsem, był bardziej powściągliwy. W głowie Eppsa ani żadnej innej osoby na plantacji, czy to białej, czy czarnej, nigdy nie powstał nawet cień podejrzenia, że łączyła nas jakaś niezwykła zażyłość, że dzieliliśmy jakąś tajemnicę.

Często jestem pytany z niedowierzaniem, jak mi się udało przez tyle lat ukrywać przed towarzyszami moje prawdziwe imię i historię. Burch udzielił mi okropnej lekcji, trwale umieszczając mi w głowie przekonanie, że wspominanie o tym, iż jestem wolnym człowiekiem, jest niebezpieczne i bezużyteczne. Poza tym nie było możliwości, żeby jakikolwiek niewolnik mi pomógł, za to istniało prawdopodobieństwo, że mnie wyda. Gdy wracam do tych czasów i przypominam sobie, że przez całych dwanaście lat myślałem o ucieczce, nie ma się co dziwić, że zawsze miałem się na baczności. Głupotą byłoby ogłaszać moje *prawo* do wolności; stałbym się tylko obiektem surowszej dyscypliny — prawdopodobnie wysłano by mnie do jakiegoś jeszcze dalszego i trudniej dostępnego regionu niż Bayou Boeuf. Edwin Epps zupełnie nie liczył się z prawami czy krzywdami czarnego człowieka. Był całkowicie pozbawiony naturalnego poczucia sprawiedliwości — o tym przekonałem się aż za dobrze. Dlatego utrzymywanie go w niewiedzy odnośnie do mojej historii było ważne nie tylko ze względu na nadzieję na uwolnienie, ale także przez wzgląd na tych kilka osobistych przywilejów, którymi pozwolono mi się cieszyć.

W sobotni wieczór po naszym spotkaniu nad wodą Bass pojechał do domu, do Marksville. Następnego dnia, w niedzielę, w swoim domu, zabrał się do pisania listów. Jeden wysłał do urzędu celnego w Nowym Jorku, kolejny do Judge'a Marvina, ostatni do panów Parkera i Perry'ego. Ten ostatni był tym, który doprowadził do mojego uwolnienia. Bass podpisał się moim prawdziwym nazwiskiem, ale w postscriptum zaznaczył, że nie ja byłem autorem listu. Sam list pokazuje, że mój przyjaciel czuł, iż zaangażował się w niebezpieczne przedsięwzięcie, że w razie wykrycia zagrożone było jego życie. Nie widziałem tego pisma przed wysłaniem, ale dostałem kopię, którą tu załączam:

„Bayou Boeuf, 15 sierpnia 1852 r.

Do Panów WILLIAMA PERRY'EGO
i CEPHASA PARKERA:

Panowie! Minęło wiele czasu, odkąd miałem od was jakieś wieści, a nie wiedząc, czy jeszcze żyjecie, piszę do Was z niepewnością, jednak w sprawie tak ważnej, że musi wystarczyć za usprawiedliwienie.

Urodziłem się wolny, niedaleko od Was, i jestem pewien, że mnie znacie. Obecnie jestem niewolnikiem. Chciałbym, byście zdobyli dla mnie dokumenty poświadczające, że jestem wolnym człowiekiem, i przesłali je do Marksville, Luizjana, parafia Avoyelles.

Pozostaję zobowiązany,
SOLOMON NORTHUP

Sposób, w jaki zostałem niewolnikiem: w Waszyngtonie zachorowałem i przez jakiś czas byłem nieprzytomny. Gdy odzyskałem zmysły, odkryłem, że skradziono mi dokumenty i w kajdanach zostałem posłany do tego stanu; aż do teraz nie mogłem znaleźć nikogo, kto napisałby list; a teraz pisze on dla mnie, ryzykując życiem, jeśli zostanie odkryty".

Aluzja do mnie samego w niedawno wydanym dziele, zatytułowanym *Chata Wuja Toma*, zawiera pierwszą część tego listu, omijającą postscriptum. Ponadto w pełnych nazwiskach dżentelmenów, do których jest zaadresowany, pojawiła się drobna pomyłka, przypuszczalnie błąd typograficzny. Jak się okazuje, to bardziej postscriptum niż zasadniczej części listu zawdzięczam swoje uwolnienie.

Gdy Bass wrócił z Marksville, poinformował mnie o tym, co zrobił. Nadal spotykaliśmy się nocami i nie rozmawialiśmy ze sobą w ciągu dnia, poza tym, co było niezbędne do pracy. O ile był w stanie to określić, trzeba było dwóch tygodni, żeby list dotarł do Saratogi i tyle samo, by nadeszła odpowiedź. Uznaliśmy, że odpowiedź przyjdzie najdalej w ciągu sześciu tygodni, o ile w ogóle przyjdzie. Wysuwaliśmy teraz całe mnóstwo przypuszczeń i bardzo dużo rozmawialiśmy o najbezpieczniejszym sposobie działania po otrzymaniu dokumentów. W przypadku, gdybyśmy zostali zatrzymani i aresztowaniu podczas wyjazdu z kraju, byłyby one jego zabezpieczeniem. Żadne prawo nie zabraniało pomagać wolnemu człowiekowi w odzyskaniu swobody, choć mogło to sprowokować ludzką wrogość...

Pod koniec czwartego tygodnia znów pojechał do Marksville, ale odpowiedzi nie było. Czułem gorzkie rozczarowanie, ale nadal pocieszałem się myślą, że nie minęło jeszcze wystarczająco dużo czasu, że zawsze mogą być jakieś opóźnienia i że, na zdrowy rozum, nie powinienem jeszcze się jej spodziewać. Jednak minęło sześć, siedem, osiem i dziesięć tygodni, i nic nie nadeszło. Ledwie mogłem wytrzymać z niecierpliwości, kiedy Bass jechał do Marksville i ledwie mogłem spać, dopóki nie wrócił. W noc przed jego wyjazdem całkowicie poddałem się rozpaczy. Przywarłem do niego jak tonący czepia się kawałka drewna, wiedząc, że jeśli go puści, to na wieki pogrąży się w falach. Cała wielka nadzieja, której trzymałem się tak desperacko, rozpadała się w proch. Czułem się, jakbym tonął, tonął w gorzkich wodach niewolnictwa, w niewyobrażalnych głębinach, z których nie wynurzę się już nigdy.

Na widok mojego żalu wspaniałomyślne serce mojego przyjaciela i dobroczyńcy ścisnęło się ze smutku. Próbował mnie pocieszyć, obiecując, że wróci tuż przed Bożym Narodzeniem, a jeśli w tym czasie nie nadejdzie żadna informacja, to podejmie dalsze kroki, aby zrealizować nasz plan. Usilnie namawiał mnie, bym nie tracił ducha, bym polegał na jego wysiłkach, podejmowanych w moim imieniu, zapewniał mnie najszczerszymi i przejmującymi słowami, że od tej pory moje uwolnienie będzie myślą przewodnią jego życia.

Pod jego nieobecność czas mijał bardzo wolno. Z silnym niepokojem i niecierpliwością wypatrywałem Bożego Narodzenia. Już miałem porzucić wszelką nadzieję na otrzymanie odpowiedzi na moje listy. Mogły nie dotrzeć albo trafić pod zły adres. Być może ci wszyscy, do których miały dotrzeć w Saratodze, już nie żyli; być może zajęci swoimi sprawami nie przejmowali się losem ledwie znanego, nieszczęśliwego, czarnego człowieka. Całe moje zaufanie pokładałem w Bassie. Wiara w niego dawała mi siłę i pozwalała przeciwstawić się przytłaczającemu rozczarowaniu.

Byłem tak bardzo zaabsorbowany rozmyślaniem o mojej sytuacji i widokach na przyszłość, że zauważali to ci, z którymi pracowałem w polu. Patsey pytała, czy

nie jestem chory, a wujaszek Abram, Bob i Wiley
często pytali z zaciekawieniem, o czym tak
myślę. Udzielałem jednak wymijających odpowiedzi i trzymałem moje myśli
dla siebie.

◊

ROZDZIAŁ XX

BASS WIERNY DANEMU SŁOWU – JEGO PRZYJAZD W WIECZÓR WIGILIJNY – TRUDNOŚĆ NAWIĄZANIA ROZMOWY – SPOTKANIE W CHACIE – LIST NIE PRZYSZEDŁ – BASS OGŁASZA CHĘĆ WYJAZDU NA PÓŁNOC – BOŻE NARODZENIE – ROZMOWA MIĘDZY EPPSEM A BASSEM – MŁODA PANI MCCOY, PIĘKNOŚĆ BAYOU BOEUF – *NE PLUS ULTRA* POSIŁKÓW – MUZYKA I TAŃCE – OBECNOŚĆ PANI – JEJ NADZWYCZAJNA URODA – OSTATNI TANIEC NIEWOLNIKÓW – WILLIAM PIERCE – ZASPAŁEM – OSTATNIA CHŁOSTA – UPADEK DUCHA – ZIMNY PORANEK – PRZEJEŻDŻAJĄCY POWÓZ – OBCY IDĄCY PRZEZ POLE BAWEŁNY – OSTATNIA GODIZNA NAD BAYOU BOEUF

W **dniu poprzedzającym** Boże Narodzenie, o zmroku, Bass, wierny danemu słowu, wjechał konno na dziedziniec.

— Jak tam? – zapytał Epps, potrząsając jego ręką. — Dobrze pana widzieć.

Nie użyłby słowa „dobrze", gdyby znał powód jego przyjazdu.

— Nieźle, nieźle — odparł Bass. — Miałem sprawy nad *bayou* i pomyślałem, że do pana zajrzę i zostanę na noc.

Epps kazał niewolnikom zająć się jego koniem; rozmawiając i śmiejąc się, zniknął wraz z gościem we wnętrzu domu; wcześniej jednakże Bass spojrzał na mnie znacząco, jakby mówił „po zmroku, rozumiemy się”. Była dziesiąta wieczorem, zanim skończyliśmy pracę. Wszedłem do chaty, którą dzieliłem wówczas z wujaszkiem Abramem i Bobem. Położyłem się na swojej desce i udawałem, że śpię. Gdy moi towarzysze zapadli w głęboki sen, ostrożnie wyszedłem na zewnątrz. Wypatrywałem i nasłuchiwałem uważnie jakiegoś znaku od Bassa. Stałem tak długo, dawno minęła północ, jednak niczego nie zauważyłem ani nie usłyszałem. Tak jak się spodziewałem, nie odważył się wyjść z domu, z obawy, że wzbudzi podejrzenia jego mieszkańców. Uznałem — prawidłowo — że wstanie wcześniej, niż miał to w zwyczaju, i spróbuje się ze mną spotkać, zanim Epps się obudzi. Wobec tego obudziłem wujaszka Abrama o godzinę wcześniej niż zazwyczaj i posłałem go do domu, żeby rozpalił ogień, co o tej porze roku było częścią jego obowiązków.

Także Bobem mocno potrząsnąłem i spytałem, czy ma zamiar spać do południa, i czekać, aż pan obudzi się, zanim on nakarmi muły. Dobrze wiedział, jakie byłyby tego konsekwencje, więc zerwał się na nogi i pognał na pastwisko.

Wreszcie gdy obu nie było, do chaty wślizgnął się Bass.

— Platt, nie ma listu — powiedział.

Zdanie to zaciażyło na moim sercu jak ołów.

— Och, panie Bass, proszę napisać ponownie — załkałem. — Podam panu nazwiska wszystkich, których znam. Na pewno nie wszyscy umarli. Na pewno ktoś mnie pożałuje.

— Lepiej nie — odparł Bass. — Lepiej nie. Zastanawiałem się nad tym. Obawiam się, że poczmistrz w Marksville zacznie coś podejrzewać, tak często pytałem o przesyłki. Zbyt niepewne... Zbyt ryzykowne.

— A więc to koniec! — wykrzyknąłem. — O mój Boże, jak mogę tu umrzeć!

— Nie umrzesz tutaj — powiedział. — Chyba że się pospieszysz. Myślę, że w tej sprawie wszystko sprowadza się do determinacji. Są inne sposoby, żeby to załatwić, lepsze i pewniejsze od pisania listów. Mam jedno czy dwa zlecenia, które skończę do marca lub kwietnia. Do tego czasu zgromadzę większą sumę pieniędzy, a wtedy, Platt, sam pojadę do Saratogi.

Ledwie mogłem uwierzyć w słowa, które padły. Jednak zapewnił mnie w sposób, który rozwiewał wszelkie wątpliwości co do czystości jego intencji, że jeśli na wiosnę będzie żył, to z pewnością podejmie tę podróż.

— Mieszkam tu już wystarczająco długo — stwierdził. — A mogę mieszkać wszędzie. Od dawna zastanawiam się nad powrotem bliżej miejsca mojego urodzenia. Jestem zmęczony niewolnictwem tak samo, jak ty. Jeśli uda mi się cię stąd wyciągnąć, będzie to dobry uczynek, o którym będę lubił myśleć przez całe życie. A *uda mi się*, Platt; jestem tego pewien. Powiem ci teraz, czego chcę. Epps niedługo wstanie i lepiej, żeby nas tu nie przyłapał. Zastanów się, kto znał cię w Saratodze i okolicach. Znajdę pretekst, żeby tu przyjechać jeszcze tej zimy, i spiszę te nazwiska. Wtedy będę wiedział, do kogo się zwrócić, gdy będę na Północy. Przypomnij sobie tylu, ilu zdołasz. Głowa do góry! Nie upadaj na duchu. Jestem z tobą, żywy lub martwy. Niech Bóg cię błogosławi! — zakończył i szybko wyszedł z chaty, kierując się do dużego domu.

Był poranek święta Bożego Narodzenia — najszczęśliwszy dzień w całym roku niewolnika. Tego ranka nie musi spieszyć się na pole ze swoją tykwą i workiem na bawełnę. W oczach błyska szczęście, które opromienia wszystkie twarze. Nadszedł czas ucztowania i tańca. Pola trzciny i kukurydzy są opustoszałe. Tego dnia nakłada się czystą sukienkę i czerwoną wstążkę; tego dnia są spotkania, radość oraz śmiech, i bieganie tam i z powrotem. Dla dzieci niewolnictwa to dzień *wolności*. Cieszą się wtedy i radują.

Po śniadaniu Epps i Bass przechadzali się po dziedzińcu, rozmawiając o cenach bawełny i różnych innych rzeczach.

— Gdzie pańscy Murzyni spędzają święta? — zapytał Bass.

— Platt jedzie dziś do Tannersa. Bardzo chcą tam jego skrzypek. W poniedziałek ma być u Marshalla, a panna Mary McCoy ze starej plantacji Norwood napisała, że chce, żeby zagrał dla jej Murzynów we wtorek.

— To dosyć bystry chłopak, prawda? — spytał Bass. — Platt, chodź no tutaj — dodał. Gdy szedłem w ich kierunku, patrzył na mnie, jakby nigdy wcześniej nie poświęcił mi najmniejszej myśli.

— Tak — powiedział Epps, chwytając mnie za ramię i ściskając — nie jest zły. W całym *bayou* nie ma chłopaka, który byłby wart więcej od niego. W doskonałym stanie, żadnych usterek. A niech go, nie jest jak inne czarnuchy; nie wygląda jak oni, nie zachowuje się jak oni. W zeszłym tygodniu oferowano mi za niego tysiąc siedemset dolarów.

— A pan się nie zgodził? — zapytał Bass ze zdziwioną miną.

— A skąd, w żadnym razie. To regularny geniusz; potrafi zrobić pług, dyszel do wozu... wszystko, równie dobrze, jak pan. Marshall chciał postawić jednego ze swoich Murzynów i zagrać o nich, ale powiedziałem, że prędzej dostanie go diabeł.

— Nie widzę w nim niczego szczególnego — zauważył Bass.

— No, tylko go pomacaj — roześmiał się Epps. — Nieczęsto spotyka się tak zbudowanego chłopaka. To delikatne ladaco i nie wytrzyma takiej chłosty, jak niektórzy; ale bez wątpienia ma dobre mięśnie.

Bass dotknął mnie, obrócił i poddał oględzinom, a Epps przez cały czas wychwalał moje zalety. Jednak jego gość zdawał się w końcu stracić zainteresowanie tematem. Bass wkrótce odjechał, rzucając mi kolejne ukradkowe, znaczące spojrzenie.

Kiedy pojechał, dostałem przepustkę i ruszyłem do Tannera — nie do Petera Tannera, o którym już wspominałem, ale do jego krewnego. Grałem przez cały dzień i większą część nocy. Kolejny dzień — niedzielę — spędziłem w swojej chacie. W poniedziałek przeszedłem przez *bayou* do Douglasa Marshalla, wraz ze wszystkimi niewolnikami Eppsa, a we wtorek poszedłem na starą plantację Norwood, która jest trzecią plantacją powyżej Marshalla, po tej samej stronie wody.

Obecnie właścicielką tej posiadłości jest panna Mary McCoy, urocza dziewczyna, mniej więcej dwudziestoletnia. Jest pięknością i chwałą Bayou Boeuf. Posiada około stu robotników, a ponadto całe mnóstwo służby domowej, ogrodników i dzieci. Szwagier panny Mary, który mieszka po sąsiedzku, jest jej agentem. Kochają ją wszyscy jej niewolnicy i, doprawdy, mogą być wdzięczni za to, że wpadli w tak łagodne ręce. Nigdzie nad *bayou* nie ma takich uczt, takiego świętowania, jak u młodej panny McCoy. Tam, jak nigdzie indziej, podczas Bożego Narodzenia bawią się młodzi i starzy; nigdzie indziej nie dostaną tak wspaniałego posiłku; nigdzie indziej nie usłyszą głosu, który zwraca się do nich tak uprzejmie. Nikt nie jest tak uwielbiany, nikt nie zajmuje tyle miejsca w sercach tysiąca niewolników, jak młoda panna McCoy, osierocona pani na posiadłości Norwood.

Gdy dotarłem na miejsce, zobaczyłem, że zebrały się już dwie albo trzy setki gości. Stół nakryto w długim budynku, który kazała postawić specjalnie tak, by jej niewolnicy mieli miejsce do tańca. Znajdowało się na nim wszelkie jedzenie, które było dostępne w tym kraju, i wszyscy zgodnie przyznali, że to najwspanialsza z możliwych kolacji. Pieczony indyk, prosiak, kura, kaczka i wszystkie rodzaje mięs — pieczonych, smażonych i duszonych — tworzyło długą linię na wielkim stole, a wolne miejsca zostały zastawione tartami, galaretkami, ciastami i różnymi ciasteczkami. Młoda pani chodziła wokół stołu, uśmiechając się i rozmawiając ze wszystkimi. Wydawała się bardzo cieszyć tą sceną.

Gdy kolacja się skończyła, stoły zabrano, żeby zrobić miejsce dla tancerzy. Nastroiłem skrzypce i zagrałem żwawą melodię. Jedni zaczęli radośnie wirować, inni klaskali i śpiewali swoje proste, ale melodyjne piosenki, wypełniając wielkie pomieszczenie dźwiękiem ludzkich głosów i tupotem wielu stóp.

Wieczorem pani wróciła i przez długi czas stała w drzwiach, patrząc na nas. Była wspaniale ubrana. Ciemne włosy i oczy kontrastowały mocno z jej delikatną, jasną skórą. Sylwetkę miała szczupłą, ale władczą, a poruszała się z mieszaniną godności i wdzięku. Gdy tam stała, bogato odziana, jej twarz promieniała przyjemnością, a ja pomyślałem, że nigdy nie widziałem równie pięknej ludzkiej istoty. Z przyjemnością spoglądam na opis tej dobrej i łagodnej pani, nie tylko dlatego, że napełniła mnie uczuciami wdzięczności i podziwu, ale dlatego, że chciałbym, by czytelnik zrozumiał, iż nie wszyscy właściciele niewolników nad Bayou Boeuf byli tacy jak Epps, Tibeats czy John Burns. Czasem, choć przyznaję, że rzadko, można się było natknąć na dobrego człowieka pokroju Williama Forda albo takiego anioła dobroci, jak młoda pani McCoy.

Wtorek był ostatnim dniem odpoczynku, na który dorocznie pozwalał nam Epps. W środę rano, gdy w drodze do domu mijałem planację Williama Pierce'a, ów dżentelmen zatrzymał mnie i powiedział, że dostał wiadomość od Eppsa, przyniesioną przez Williama Varnella, iż może mnie zatrudnić, bym tego wieczoru zagrał dla jego niewolników. Był to ostatni raz, gdy zdarzyło mi się być świadkiem tańców niewolników z Bayou Boeuf. Zabawa u Pierce'a trwała do samego rana. Wróciłem do domu mojego pana cokolwiek zmęczony z braku snu, ale ciesząc się ze sporej ilości monet, które dostałem od białych, zadowolonych z moich występów.

W sobotę rano pierwszy raz od lat zaspałem. Bałem się, że gdy wyjdę z chaty, niewolnicy będą już na polu. Wyprzedzili mnie o jakieś piętnaście minut. Zostawiłem jedzenie i tykwę z wodą i pobiegłem za nimi tak szybko, jak mogłem. Słońce jeszcze nie wzeszło, ale gdy wyszedłem z chaty, Epps stał na werandzie i wrzasnął, że już czas najwyższy, żebym się ruszył. Zanim po śniadaniu przyszedł na pole, nadludzkim wysiłkiem udało mi się ukończyć rządek. To jednak nie było usprawiedliwieniem dla spóźnienia. Zdarł ze mnie koszulę i kazał się położyć, po czym wymierzył mi piętnaście batów, dopytując na zakończenie, czy po tej nauczce sądzę, że będę wstawał z samego *rana*. Odpowiedziałem, że *tak*, i z obolałymi plecami wróciłem do pracy.

Następnego dnia, w niedzielę, myślałem o Bassie, prawdopodobieństwie i nadziei, które wiązały się z jego działaniami i postanowieniem. Rozmyślałem nad niepewnością życia; o tym, że jego śmierć była w rękach Boga, o widokach na uwolnienie i o tym, że całe szczęście na świecie może zostać zniszczone. Być może to poznaczone pręgami plecy sprawiły, że brak mi było mojej zwyczajowej pogody. Przez cały dzień czułem się przybity i nieszczęśliwy, a gdy w nocy położyłem się na twardej desce, serce miałem pełne żalu; wydawało się, że pęknie.

3 stycznia 1853 roku, w poniedziałek rano, jak zwykle byliśmy w polu. Był nieprzyjemny, zimny poranek, wyjątkowo nietypowy dla tego regionu. Pracowałem z przodu, obok mnie wujaszek Abram, a za nim Bob, Patsey i Wiley. Na szyjach mieliśmy worki na bawełnę. Tego ranka Epps wyszedł bez swojego bicza — to rzeczywiście była rzadkość. Przeklinał to, że nic nie robimy, w taki sposób, że zawstydziłby pirata. Bob zaryzykował i powiedział, że palce ma tak zdrętwiałe z zimna, że nie może zbierać szybko. W następstwie Epps przeklął sam siebie za to, że nie zabrał bicza, i obiecał, że kiedy znów przyjdzie, to nas porządnie rozgrzeje; że rozgrzeje nas tak bardzo, że będzie nam cieplej niż pośród ogni piekielnych, w które, jak czasem sobie myślałem, w końcu trafi.

Wciąż klnąc, poszedł sobie. Gdy znalazł się poza zasięgiem słuchu, wróciliśmy do rozmów i narzekań, jak trudno pracować zdrętwiałymi palcami, jak nierozsądny jest pan; i ogólnie wyrażaliśmy się o nim niezbyt pochlebnie. Naszą rozmowę przerwało zjawienie się powozu, zmierzającego szybko w stronę domu. Spojrzawszy w górę, zobaczyliśmy dwóch mężczyzn, którzy szli w naszą stronę przez pole bawełny.

Doprowadziwszy tę opowieść do ostatniej godziny, którą miałem spędzić w Bayou Boeuf — do ostatniego zbierania bawełny i tego, jak miałem pożegnać pana Eppsa — muszę błagać czytelnika, aby wraz ze mną cofnął się do sierpnia; by udał się wraz z listem Bassa

w daleką podróż do Saratogi, by dowiedział się, jaki list
ów wywołał skutek i tego, jak w czasie, gdy ja narze-
kałem i rozpaczałem w niewolniczej chacie Edwina
Eppsa, dzięki przyjaźni Bassa i łasce
Opatrzności działy się rzeczy,
które miały doprowadzić
do mojego uwol-
nienia.

◊

ROZDZIAŁ XXI

LIST DOCIERA DO SARATOGI — ZOSTAJE PRZEKAZANY ANNE — ZOSTAJE POKAZANY HENRY'EMU B. NORTHUPOWI — PRAWO Z 14 MAJA 1840 ROKU — JEGO POSTANOWIENIA — PISMO ANNE DO GUBERNATORA — TOWARZYSZĄCE MU OŚWIADCZENIA — LIST SENATORA SOULE'A – WYJAZD AGENTA WYZNACZONEGO PRZEZ GUBERNATORA — PRZYJAZD DO MARKSVILLE — CZCIGODNY JOHN P. WADDILL — ROZMOWA O POLITYCE NOWEGO JORKU — PODSUWA SZCZĘŚLIWY POMYSŁ — SPOTKANIE Z BASSEM — UJAWNIENIE TAJEMNICY — POSTĘPOWANIE PRAWNE — WYJAZD NORTHUPA I SZERYFA Z MARKSVILLE DO BAYOU BOEUF — USTALENIA PO DRODZE — PRZYJAZD NA PLANTACJĘ EPPSA — ODKRYCIE JEGO NIEWOLNIKÓW NA POLU BAWEŁNY — SPOTKANIE — POŻEGNANIE

Jestem dłużnikiem pana Henry'ego B. Northupa i innych, którzy przyczynili się do rozwoju wydarzeń opisanych w tym rozdziale.

Napisany przez Bassa list, zaadresowany do Parkera i Perry'ego, który ten pierwszy nadał 15 sierpnia 1852 roku w urzędzie pocztowym w Marksville, dotarł do Saratogi na początku września. Jakiś czas wcześniej Anne przeprowadziła się do Glens Falls w hrabstwie Warren, gdzie prowadziła kuchnię w Carpenter's Hotel. Zatrzymała się jednak w domu, w którym mieszkały nasze dzieci, i wyjeżdżała tylko na czas swoich zajęć w hotelu.

Panowie Parker i Perry po otrzymaniu listu niezwłocznie przekazali go Anne. Czytając go dzieciom, była bardzo podekscytowana i niezwłocznie pospieszyła do sąsiedniego miasteczka, Sandy Hill, by skonsultować się z panem Henrym B. Northupem i poprosić go o radę oraz pomoc w tej sprawie.

Gdy ów dżentelmen przeczytał list, w prawodawstwie stanu znalazł akt odnoszący się do wyzwolenia wolnych obywateli z niewolnictwa. Został podpisany 14 maja 1840 roku i nosił tytuł: *Akt mający na celu bardziej skuteczną ochronę wolnych obywateli tego państwa, którzy zostali porwani lub stali się niewolnikami*. Zgodnie z nim obowiązkiem Gubernatora, który otrzymał wiarygodną informację o tym, że jakikolwiek wolny obywatel lub mieszkaniec tego stanu jest wbrew swej woli przetrzymywany w innym stanie terytorium Stanów Zjednoczonych pod zarzutem lub pretekstem, że taka osoba jest niewolnikiem, bądź ze względu na kolor skóry jest wykorzystywana i traktowana jak niewolnik, zobowiązany jest podjąć takie kroki, które uzna za konieczne, mające doprowadzić do uwolnienia takiej osoby. W tym celu Gubernator ma prawo powołać specjalnego agenta i wydać mu takie poświadczenia oraz instrukcje, by mógł wypełnić skutecznie zadanie, do którego go powołano. Agent ten ma za zadanie zebrać odpowiednie dowody potwierdzające prawo tej osoby do jej wolności; odbyć wszelkie podróże, podjąć wszelkie działania, przedsięwziąć wszelkie kroki prawne etc., jakie mogą się okazać konieczne, by sprowadzić taką osobę do tego stanu. Wszelkie wydatki z tytułu tych działań ponosi skarbiec[1].

Zgodnie z wymaganiami Gubernatora, konieczne było stwierdzenie dwóch faktów: po pierwsze, że byłem wolnym obywatelem stanu Nowy Jork, po drugie, że jestem trzymany w niewoli nieprawnie. Zebranie dowodów na poparcie pierwszego punktu nie stanowiło problemu, jako że wszyscy starsi mieszkańcy w okolicy byli gotowi zeznawać. Drugi punkt opierał się w całości na liście do Parkera i Perry'ego, skreślonym nieznaną ręką, oraz liście napisanym na pokładzie brygu Orlean, który — niestety — zaginął.

Przygotowano pismo skierowane do jego ekscelencji Gubernatora Hunta, opisujące nasze małżeństwo, mój wyjazd do Waszyngtonu; otrzymanie listów; to, że byłem wolnym obywatelem i inne fakty uznane za istotne. Pismo zostało sprawdzone i podpisane przez Anne. Dołączono do niego także inne, napisane przez prominentnych obywateli Sandy Hills i Fort Edward, w pełni potwierdzających prawdziwość opisanych faktów, a także prośbę kilku znanych dżentelmenów, aby agentem prawnym Gubernatora został Henry B. Northup.

Czytając pismo i załączniki, jego ekscelencja żywo zainteresował się sprawą i 23 listopada 1852 roku oficjalnie „wyznaczył, potwierdził i wskazał pana Henry'ego B. Norhupa jako agenta z wszelkimi pełnomocnictwami", aby doprowadził do mojego uwolnienia, podejmując takie działania, jakie uzna za stosowne, i polecając mu udać się do Luizjany[2].

Skrupulatna natura pana Northupa, ze względu na obowiązki zawodowe i polityczne, opóźniła jego wyjazd do grudnia. Czternastego dnia tego miesiąca opuścił Sandy Hill i udał się do Waszyngtonu. Czcigodny Pierre Soule, kongresmen z Luizjany, czcigodny pan Conrad, szef działu wykonawczego, i sędzia Nelson z Sądu Najwyższego Stanów Zjednoczonych po wysłuchaniu oświadczenia i zbadaniu jego wiarygodności oraz poświadczonych kopii pisma i załączników, wyposażyli go w listy otwarte do dżentelmenów w Luizjanie, mocno nalegając, by towarzyszyli mu oni w realizacji przedmiotu jego powołania.

Szczególnie senator Soule zainteresował się tą sprawą, upierając się gwałtownie, że zwrócenie mi wolności jest obowiązkiem i przedmiotem zainteresowania każdego plantatora w jego stanie, a zaufanie do poczucia honoru i sprawiedliwości mieszkających w sercu każdego obywatela tej wspólnoty nakazują natychmiast się za mną ująć. Po otrzymaniu tych cennych listów pan Northup zawrócił do Baltimore, a stamtąd udał się do Pittsburgha. Oryginalnie, zgodnie z radą przyjaciół z Waszyngtonu, zamierzał pojechać prosto do Nowego Orleanu i skonsultować się z władzami tego miasta. Na szczęście po przybyciu do ujścia Red River zmienił zdanie. Gdyby postąpił zgodnie z wcześniejszymi założeniami, nie spotkałby się z Bassem — a w tym przypadku jego poszukiwania prawdopodobnie byłyby bezowocne.

Wsiadłszy na pierwszy parowiec, który się nadarzył, pan Henry B. Northup ruszył w górę Red River, ospałego, wietrznego strumienia, przepływającego przez rozległy obszar dzikich lasów i niezbadanych bagnisk, niemal bezludny. Około dziewiątej rano 1 stycznia 1853 roku wysiadł w Marksville i udał się prosto do Marksville Court House, małego miasteczka leżącego cztery mile w głąb lądu.

Na podstawie faktu, że list do panów Parkera i Perry'ego został nadany na poczcie w Marksville, uznał, że przebywam gdzieś w bezpośrednim sąsiedztwie tego miasta. Niezwłocznie po przybyciu wyłożył swoją sprawę czcigodnemu Johnowi P. Waddillowi, wyróżniającemu się prawnikowi, człowiekowi o niepośledniej inteligencji i najszlachetniejszych pobudkach. Po przeczytaniu pokazanych mu listów i dokumentów oraz wysłuchaniu sprawozdania o okolicznościach, w których trafiłem w niewolę, pan Waddill natychmiast zaproponował swoje usługi i przystąpił do działania z wielkim zapałem i powagą. On sam, podobnie jak inni ludzie równie szlachetnej natury, z odrazą odnosił się do porwań. Prawo jego współobywateli i klientów do nieruchomości, które stanowiły większą część ich majątku, zależało głównie od dobrej wiary, z którą kupowali i sprzedawali niewolników. Honorowe serce pana Waddilla kipiało oburzeniem, rozbudzonym przez taki przykład niesprawiedliwości.

Choć Marksville uchodzi za ważne i na mapie Luizjany zaznaczono je imponującą kursywą, w gruncie rzeczy jest tylko małą i niezbyt znaczącą wioską. Poza tawerną, prowadzoną przez wesołego i hojnego człowieka, sądem, w sezonie wakacyjnym okupowanym przez nieznające prawa krowy i świnie, i wysoką szubienicą z kołyszącym się w powietrzu stryczkiem, nie ma tam nic, co mogłoby przyciągnąć uwagę przyjezdnego.

Pan Waddill nigdy nie słyszał nazwiska Solomon Northup, był jednak pewien, że jeśli w Marksville lub okolicy był jakiś niewolnik o takim nazwisku, to jego czarny chłopak Tom go znał. Wezwano więc Toma, ale pośród jego licznych znajomych nie było nikogo o takich personaliach.

List do Parkera i Perry'ego został napisany w Bayou Boeuf. Oczywiste było więc, że to tam należy mnie szukać. Nasuwała się jednak pewna trudność, o bardzo ponurym charakterze. Bayou Boeuf była odległa o dwadzieścia trzy mile, a nazwa ta odnosiła się do części kraju od pięćdziesięciu do stu mil, po obu stronach strumienia. Na jego brzegach mieszkały tysiące niewolników, bowiem nadzwyczajna żyzność i urodzajność tamtejszej ziemi przyciągnęła wielką liczbę plantatorów. Informacja zawarta w liście była tak niejasna, że trudno było ustalić jakiś określony tok postępowania. Wreszcie jednak podjęto decyzję, że jedynym planem mającym szanse powodzenia jest wysłanie Northupa i brata pana Waddilla, który odbywał praktyki w kancelarii tego ostatniego, do Bayou Boeuf, by odwiedzili każdą plantację po kolei. Pan Waddill zaoferował swój powóz i stanowczo uznał, że powinni zacząć swoją wyprawę wcześnie rano w poniedziałek.

Od razu było widać, że istniało wielkie prawdopodobieństwo, że niczego nie wskórają. Chodzenie po polach i przepytywanie wszystkich robotników było niemożliwe. Nie wiedzieli, że byłem znany tylko jako

Platt; a gdyby spytali samego Eppsa, zgodnie z prawdą stwierdziłby on, że nic nie wie o żadnym Solomonie Northupie.

Ustalono jednak, że wcześniej nic nie da się zrobić. Rozmowa między panami Northupem i Waddillem w to niedzielne popołudnie zeszła na politykę Nowego Jorku.

— Ledwie rozumiem te subtelne różnice i odcienie partii politycznych w pańskim stanie — zauważył pan Waddill. — Czytałem o postępowcach i twardogłowych, przykucniętych i podpalaczach, wełnistowłosych i siwowłosych, i nie mogę pojąć różnic między nimi. O co tu chodzi?

Pan Northup ponownie nabił fajkę i zagłębił się w skomplikowane wyjaśnienia dotyczące początków różnych ruchów partyjnych. Zakończył, mówiąc, że w Nowym Jorku jest jeszcze jedna partia, znana jako abolicjoniści.

— Jak rozumiem, w tej części kraju się ich nie spotyka? — zapytał pan Northup.

— Tylko jednego — odparł Waddill ze śmiechem. — Mamy jednego tutaj, w Marksville, ekscentryk, który głosi abolicjonizm tak zajadle, jak każdy fanatyk na Północy. To wspaniałomyślny i nieszkodliwy człowiek, ale w dyskusji zawsze trzyma się złej strony. Dostarcza nam wiele uciechy. Jest wspaniałym fachowcem i w tej społeczności jest niemal niezastąpiony. Zajmuje się stolarką. Nazywa się Bass.

Jeszcze przez chwilę toczyła się ta dobroduszna rozmowa o cechach Bassa, gdy Waddill nagle popadł w nastój refleksyjny i znów zapytał o ten tajemniczy list.

— Niech spojrzę... niech spojrzę — powtórzył z namysłem do siebie, raz jeszcze przebiegając wzrokiem pismo. — Bayou Boeuf, dnia 15 sierpnia... nadane tutaj. „A teraz pisze on dla mnie"... Gdzie Bass pracował zeszłego lata? — zwrócił się nagle z pytaniem do swojego brata. Ten nie był w stanie mu odpowiedzieć, ale wstał, poszedł do biura i zaraz wrócił.

— Zeszłego lata Bass pracował gdzieś nad Bayou Boeuf — powiedział.

— To on — wykrzyknął Waddill. — To on jest empatyczny na tyle, żeby zrobić coś takiego. To on powie nam wszystko o Solomonie Northupie!

Natychmiast podjęte zostały poszukiwania Bassa, jednak nie udało się go znaleźć. Po dłuższym wypytywaniu zdołali ustalić, że mój przyjaciel przebywa przy przystani na Red River. Młody Waddill zorganizował przejazd i wraz z Northupem wkrótce pokonali odległość kilku mil do rzeki. Po przyjeździe odszukali Bassa, który właśnie wychodził i planował co najmniej dwutygodniową nieobecność. Northup przedstawił się i błagał o możliwość chwili prywatnej rozmowy. Poszli razem w stronę rzeki.

— Panie Bass — powiedział Northup — pozwoli pan, że spytam, czy w sierpniu zeszłego roku był pan w Bayou Boeuf?

— Tak, sir, byłem — odparł pytany.

— Czy będąc tam, napisał pan list dla kolorowego, który chciał się skontaktować z pewnymi dżentelmenami w Saratodze?

— Proszę mi wybaczyć, sir, ale to nie pańska

sprawa — odpowiedział Bass, zatrzymując się i badawczo spoglądając na rozmówcę.

— Panie Bass, być może jestem nieco natarczywy; proszę o wybaczenie. Przybyłem jednak ze stanu Nowy Jork, aby osiągnąć cel, o którym myślała osoba pisząca list datowany na piętnastego sierpnia, nadany w Marksville. Pewne okoliczności kazały mi przypuszczać, że być może to pan go napisał. Poszukuję Solomona Northupa. Jeśli go pan zna, błagam, by powiedział mi pan szczerze, gdzie jest, a zapewniam pana, że w żadnym razie nie zdradzę źródła moich informacji, jeśli tego pan sobie nie życzy.

Przez długi czas Bass patrzył w oczy swojego nowego znajomego, nie mówiąc ani słowa. Wydawało się, że waży, czy nie jest to próba oszukania go. Wreszcie odezwał się z namysłem.

— Tak, to ja napisałem ten list i nie wstydzę się tego. Jeśli przyjechał pan, żeby uratować Solomona Northupa, to cieszę się, że pana widzę.

— Kiedy widział go pan po raz ostatni i gdzie przebywa? — dopytywał Northup.

— Widziałem go na Boże Narodzenie, tydzień temu. Jest niewolnikiem Edwina Eppsa, plantatora z Bayou Boeuf, w pobliżu Holmesville. Znany jest jako Platt, nie jako Solomon Northup.

Sekret ujrzał światło dzienne — tajemnica została wyjaśniona. Przez grubą, czarną chmurę, w cieniu której maszerowałem przez dwanaście lat, przebiło się światło gwiazdy, która prowadziła mnie z powrotem ku wolności. Brak zaufania i wahanie wkrótce zniknęły i tych dwóch ludzi pogrążyło się w długiej i swobodnej rozmowie dotyczącej tematu, który nie schodził im z myśli. Bass powiedział o swojej chęci, aby w moim imieniu wiosną udać się na Północ i doprowadzić do mojego wyzwolenia, o ile byłoby to w jego mocy. Opisał początek i rozwój naszej znajomości i z wielką ciekawością słuchał o mojej rodzinie i wcześniejszym życiu. Zanim się rozstali, na skrawku papieru kawałkiem czerwonej kredy narysował mu mapkę pozwalającą trafić na plantację Eppsa i drogę, która do niej prowadziła.

Northup i jego młodszy towarzysz wrócili do Marksville, gdzie postanowiono podjąć kroki prawne niezbędne do poświadczenia mojego prawa do wolności. Ze mnie zrobiono powoda, pan Northup był moim kuratorem, a Edwin Epps oskarżonym. Proces, który miał się odbyć, dotyczył poręczenia majątkowego, i zajmować się nim miał szeryf hrabstwa, któremu polecono zabrać mnie do aresztu i zatrzymać tam, aż sąd podejmie decyzję. Zanim przygotowano dokumenty, wybiła północ — było za późno, żeby zdobyć niezbędny podpis sędziego, który mieszkał w pewnej odległości od miasta. Dalsze działania musiały zaczekać do poniedziałkowego poranka.

Najwyraźniej wszystko toczyło się płynnie aż do niedzielnego popołudnia, kiedy to Waddill zajrzał do pokoju Northupa, aby wyrazić swoje obawy odnośnie do trudności, na które nie spodziewał się natknąć. Bass zrobił się niespokojny i przekazał swoje sprawy w ręce człowieka na nadbrzeżu; powiedział mu, że ma zamiar opuścić stan. Człowiek ten zawiódł pokładane w nim zaufanie i po mieście rozeszła się plotka, że ten obcy z hotelu, którego widziano w towarzystwie prawnika Waddilla, szukał nad *bayou* jednego z niewolników starego Eppsa. Epps był znany w Marksville, często bywał tu w sezonie posiedzeń sądu, a doradca pana Northupa bał się, że jeśli ta informacja dotrze do niego w nocy, to będzie miał możliwość ukrycia mnie przed przyjazdem szeryfa.

Obawy te poskutkowały znacznym przyspieszeniem działań. Szeryf, który mieszkał poza miastem, został poproszony o bycie w gotowości zaraz po północy; jednocześnie poinformowano o wszystkim sędziego. Trzeba oddać im sprawiedliwość i powiedzieć, że władze Marksville ochoczo skorzystały ze swoich możliwości.

Gdy tylko po północy wyznaczono kaucję, a sędzia podpisał dokumenty, powóz z szeryfem i panem Northupem, prowadzony przez syna właściciela hotelu, pędem opuścił Marksville i ruszył drogą w stronę Bayou Boeuf.

Można było przypuszczać, że Epps zakwestionuje moje prawo do wolności. Pan Northup wpadł na pomysł, że materiałem dowodowym w mojej sprawie może się stać zeznanie szeryfa, opisujące moje pierwsze spotkanie z nim. Podczas jazdy ustalili, że zanim będę miał okazję porozmawiać z panem Northupem, szeryf zada mi kilka ustalonych pytań, takich jak liczba i imiona moich dzieci, nazwisko panieńskie żony, miejsca, które znałem na Północy i temu podobne. Jeśli moje odpowiedzi będą zgodne z posiadanymi przez niego informacjami, taki dowód będzie rozstrzygający.

Wreszcie niedługo po tym, jak Epps odszedł z pola wraz z pocieszającą obietnicą, że niedługo wróci i nas *rozgrzeje*, o czym opowiadało zakończenie poprzedniego rozdziału, dotarli na plantację i zobaczyli nas przy pracy. Wysiadłszy z powozu i skierowawszy woźnicę do dużego domu wraz z przykazaniem, żeby nie wspominał o powodzie tej wizyty, dopóki znów się nie spotkają, Northup i szeryf skręcili z drogi i ruszyli w naszą stronę przez pole bawełny. Obserwowaliśmy ich i zerkaliśmy na powóz — każde w odległości kilku stóp od drugiego. Była to rzecz niezwykła i osobliwa: zobaczyć, że biali ludzie podchodzą do nas w taki sposób, zwłaszcza tak wcześnie rano. Wujaszek Abram i Patsey nie omieszkali wyrazić paroma uwagami swojego zdziwienia.

Podchodząc do Boba, szeryf zapytał:

— Gdzie jest chłopak, na którego wołają Platt?

— Tam jest, Massa — odpowiedział Bob, mnąc kapelusz.

Zastanawiałem się, czego mogli ode mnie chcieć i odwróciwszy się, przypatrywałem się im, dopóki nie podeszli. Podczas mojego długiego pobytu nad *bayou* poznałem twarze wszystkich plantatorów w promieniu wielu mil; jednak ten człowiek był mi całkowicie obcy — z pewnością nigdy wcześniej go nie widziałem.

— Nazywasz się Platt, zgadza się? — zapytał.

— Tak, panie — odpowiedziałem.

Wskazując na Northupa, który stał kilkanaście stop dalej, powiedział:

— Znasz tego człowieka?

Spojrzałem we wskazanym kierunku, a gdy moje

oczy spoczęły na jego twarzy, pamięć zalały mi obrazy; dziesiątki dobrze znanych twarzy — Anne i ukochanych dzieci, i mojego starego, nieżyjącego ojca; sceny z dzieciństwa i młodości; wszyscy przyjaciele oraz znajomi z dawnych czasów, przesuwający się i unoszący w mojej wyobraźni, aż dotarło do mnie ostatnie wyraźne wspomnienie o tym człowieku. Wyrzucając ręce w stronę Niebios, wykrzyknąłem głośnym głosem:

— *Henry B. Northup*! Dzięki Bogu!

Natychmiast zrozumiałem, dlaczego się tu znalazł i poczułem, że oto nadeszła godzina mego wyzwolenia. Ruszyłem w jego stronę, ale szeryf mnie zatrzymał.

— Zaczekaj moment — powiedział. — Czy masz jakieś inne imię niż Platt?

— Nazywam się Solomon Northup, panie — odpowiedziałem.

— Masz rodzinę? — spytał.

— *Mam* żonę i troje dzieci.

— Jak mają na imię?

— Elizabeth, Margaret i Alonzo.

— A jakie jest nazwisko panieńskie twojej żony?

— Anne Hampton.

— Kto udzielił wam ślubu?

— Timothy Eddy z Fort Edward.

— Gdzie mieszka ten dżentelmen? — Znów wskazał na Northupa, który cały czas stał w tym samym miejscu.

— Mieszka w Sandy Hill, w hrabstwie Waszyngton, w Nowym Jorku — brzmiała moja odpowiedź.

Zadawał dalsze pytania, ale odepchnąłem go, nie

mogąc się już powstrzymać. Chwyciłem obie dłonie mojego starego znajomego. Nie potrafiłem wydobyć z siebie słowa. Nie mogłem powstrzymać łez.

— Sol — powiedział wreszcie. — Dobrze cię widzieć.

Próbowałem coś odpowiedzieć, ale dławiły mnie emocje. Milczałem. Niewolnicy, głęboko zdumieni, stali, przyglądając się tej scenie, a ich otwarte usta i wytrzeszczone oczy wyrażały wielkie zadziwienie. Żyłem między nimi przez dziesięć lat, w chacie i w polu, znosiłem te same trudy, dzieliłem z nimi strawę, miałem takie same smutki, brałem udział w tych samych, nędznych radościach; tym niemniej aż do tej chwili nie podejrzewali nawet, że nie nazywam się Platt i nie mieli najmniejszego pojęcia o mojej prawdziwej historii.

Przez kilka minut nie padło ani jedno słowo. Przywarłem do Northupa i patrzyłem mu w twarz w strachu, że zaraz się obudzę i okaże się, że to był tylko sen.

— Zostaw ten worek — powiedział wreszcie Northup. — Koniec ze zbieraniem bawełny. Chodź z nami do człowieka, z którym żyjesz.

Posłuchałem go i idąc między nim a szeryfem, poszedłem w stronę dużego domu. Dopiero po pokonaniu pewnej odległości wydobyłem z siebie głos, by zapytać, czy moi bliscy żyją. Poinformował mnie, że niedawno widział Anne, Margaret i Elizabeth; że Alonzo również żyje i wszyscy mają się dobrze, jednakże nigdy już nie zobaczę swojej matki. Gdy ochłonąłem nieco z nagłego i wielkiego podekscytowania, które tak mnie przytłoczyło, osłabłem tak, że ledwie byłem w stanie iść. Szeryf ujął mnie pod ramię i pomógł mi; sądzę, że inaczej bym upadł. Gdy weszliśmy na dziedziniec, stojący w bramie Epps rozmawiał akurat z woźnicą. Ten młody człowiek, posłuszny usłyszanym instrukcjom, nie dał mu najmniejszej wskazówki co do charakteru tej wizyty, choć Epps w kółko pytał, o co chodzi. Do czasu, gdy do niego doszliśmy, był niemal równie zdziwiony i zakłopotany, jak Bob czy wujaszek Abram.

Przywitał się z szeryfem, który przedstawił mu pana Northupa, po czym zaprosił ich do domu, nakazawszy mi przynieść trochę drewna. Minęło trochę czasu, zanim udało mi się narąbać naręcze szczap, jako że z niewyjaśnionych przyczyn straciłem umiejętność pewnego władania siekierą. Gdy wreszcie wszedłem z drewnem, stół był zarzucony dokumentami, a Northup czytał jeden z nich. Prawdopodobnie układałem drewno w kominku dłużej, niż to konieczne, mając świadomość obecności każdego z nich. Usłyszałem słowa: „tak zwany Solomon Northup" i „świadek mówi dalej" oraz „wolny obywatel Nowego Jorku", które często się powtarzały, i z tych słów zrozumiałem, że sekret, który tak długo skrywałem przed panem i panią Epps, wreszcie wychodzi na jaw. Zwlekałem tak długo, jak pozwalała przyzwoitość, a kiedy miałem wyjść z pokoju, Epps zapytał mnie:

— Platt, znasz tego dżentelmena?

— Tak, panie — odparłem. — Znam go, odkąd pamiętam.

— Gdzie mieszka?

— W Nowym Jorku.

— A tym tam kiedykolwiek mieszkałeś?

— Tak, panie, urodziłem się tam i wychowałem.

— Zatem byłeś wolny. Ty przeklęty czarnuchu! — krzyknął. — Dlaczego mi o tym nie powiedziałeś, gdy cię kupiłem?

— Panie Epps — odpowiedziałem nieco innym tonem niż ten, którym przywykłem się do niego zwracać — panie Epps, nie zadał pan sobie trudu, żeby mnie o to zapytać; poza tym jednemu z moich właścicieli, temu, który mnie porwał, powiedziałem, że jestem wolny, i za to zostałem zachłostany prawie na śmierć.

— Wygląda na to, że ktoś napisał za ciebie list. Gadaj, kto to taki? — domagał się władczo. Nie odpowiedziałem.

— Kto napisał ten list? — ponowił żądanie.

— Może sam go napisałem — powiedziałem.

— Wiem, że nie zaszedłbyś do Marksville i nie wrócił przed świtem.

Domagał się, bym mu powiedział, a ja uparłem się, że nie powiem. Rzucał wiele gróźb pod adresem tego człowieka, kimkolwiek on był, i przyrzekał mu krwawą, okrutną zemstę, kiedy go znajdzie. Jego zachowanie i język pokazywały wściekłość wobec nieznanej osoby, która napisała za mnie, oraz obawę przed utratą tak cennej własności. Zwracając się do pana Northupa, przysiągł, że gdyby tylko wiedział o ich przyjeździe godzinę wcześniej, oszczędziłby mu kłopotu zabierania mnie do Nowego Jorku; że pogoniłby mnie na bagna albo gdzieś, gdzie nie znaleźliby mnie wszyscy szeryfowie świata.

Wyszedłem na dziedziniec. Właśnie wchodziłem do kuchni, gdy coś uderzyło mnie w plecy. Cioteczka

Phebe, która wychodziła z tylnych drzwi dużego domu z wiadrem ziemniaków, z niepotrzebną siłą rzuciła we mnie jednym, dając mi w ten sposób do zrozumienia, że chciałaby pomówić ze mną na osobności. Podbiegła do mnie i z wielkim przejęciem wyszeptała mi do ucha:

— Na litość boską, Platt! Co ty sobie myślałeś? Przyszło po ciebie tych dwóch ludzi. Słyszałam, że mówią panu, że jesteś wolny, że masz żonę i troje dzieci tam, skąd jesteś. Pojedziesz z nimi? Byłbyś durniem, gdybyś nie pojechał, sama bym chciała jechać — trajkotała cioteczka Phebe.

W końcu w kuchni pojawiła się pani Epps. Powiedziała mi wiele rzeczy i dziwiła się, że nie wyjawiłem jej, kim jestem. Wyraziła żal i skomplementowała mnie, mówiąc, że wolałaby stracić każdego innego służącego na plantacji. Gdyby na moim miejscu była Phebe, radość mojej pani byłaby niezmierzona. Teraz nie byłoby tam nikogo, kto mógłby zreperować krzesło czy inne meble, nikogo, z kogo byłby jakiś pożytek w domu, nikogo, kto grałby im na skrzypcach — i pani Epps wzruszyła się do łez.

Epps zawołał Boba i kazał mu osiodłać konia. Inni niewolnicy, pokonawszy strach przed karą, zostawili pracę i przyszli na dziedziniec. Stali za swoimi chatami, ukrywając się przed wzrokiem Eppsa. Gestami pokazywali, żebym do nich podszedł i z ogromną ciekawością, podekscytowani do granic, rozmawiali ze mną i zadawali mi pytania. Gdybym był w stanie dosłownie powtórzyć ich słowa, z tym samym uczuciem, gdybym mógł odmalować wyraz ich twarzy — zaiste, byłby to interesujący obraz. W ich ocenie nagle niezwykle urosłem. Stałem się istotą ważną.

Dokumenty zostały przejrzane. Następnego dnia Epps miał się stawić w Marksville. Northup i szeryf wsiedli do powozu, żeby też tam wrócić. Właśnie miałem się wspiąć na kozła, gdy szeryf powiedział, że powinienem pożegnać się z państwem Epps. Wróciłem na werandę, na której stali, i zdjąłem kapelusz.

— Do widzenia, pani.

— Żegnaj, Platt — uprzejmie powiedziała pani Epps.

— Do widzenia panu.

— Ach, ty przeklęty czarnuchu! — wymamrotał Epps kwaśnym, jadowitym tonem. — Nie ciesz się tak. Jeszcze tu jesteś. Jeszcze jutro zobaczymy, jak się to potoczy.

Byłem tylko *czarnuchem* i znałem swoje miejsce, ale równie mocno jak każdy biały czułem, że wymierzenie mu solidnego kopniaka przyniosłoby mi wewnętrzną ulgę. Gdy szedłem do powozu, zza chaty wybiegła Patsey i zarzuciła mi ręce na szyję.

— Och, Platt! — zaszlochała, a łzy spływały jej po twarzy. — Będziesz wolny, pojedziesz gdzieś i już nigdy cię nie zobaczymy! Tyle razy uratowałeś mnie przed chłostą, Platt; cieszę się, że będziesz wolny, ale och! Boże, o Boże! Co będzie ze mną?

Oderwałem się od niej i wsiadłem do powozu. Woźnica strzelił z bata i ruszyliśmy. Obejrzałem się i zobaczyłem Patsey z opuszczoną głową, półleżącą na ziemi; panią Epps na werandzie; wujaszka Abrama, i Boba, i Wileya, i cioteczkę Phebe, którzy stali przy bramie i patrzyli za mną. Pomachałem im, ale powóz schował się za zakrętem, ukrywając ich przed moim wzrokiem na zawsze.

Na chwilę zatrzymaliśmy się przy cukrowni Careya, gdzie pracowało bardzo wielu niewolników, które to zajęcie było wielką ciekawostką dla człowieka z Północy. Epps minął nas konno w wielkim pędzie — jechał, jak dowiedzieliśmy się następnego dnia, do Lasów Sosnowych, by spotkać się z Williamem Fordem, który mnie tu sprowadził.

We wtorek czwartego stycznia Epps i jego doradca, czcigodny E. Taylor, Northup, Waddill, sędzia i szeryf z Avoyelles oraz ja spotkaliśmy się w Marksville. Pan Northup przedstawił fakty o mnie i pokazał swoje upoważnienie wraz z załącznikami. Szeryf opisał scenę z pola bawełny. Ja również zostałem szczegółowo wypytany. Wreszcie pan Taylor powiedział swojemu klientowi, że jest zadowolony i że sprawa sądowa będzie nie tylko bardzo kosztowna, ale kompletnie bezskuteczna. Wobec takiej rady wszystkie strony podpisały dokument, w którym Epps oświadczał, że nie sprzeciwia się mojemu prawu do wolności i formalnie przekazuje mnie władzom Nowego Jorku. Ustalono również, że stosowny zapis znajdzie się w aktach magistratu Avoyelles[3].

Pan Northup i ja niezwłocznie udaliśmy się do przystani i wsiadłszy na pierwszy odpływający parowiec, wkrótce płynęliśmy w dół Red River, w górę której, pełen najgorszych myśli, płynąłem dwanaście lat temu.

ROZDZIAŁ XXII

PRZYBYCIE DO NOWEGO ORLEANU – PRZELOTNE UJRZENIE FREEMANA – GENOIS, SĘDZIA – OPIS SOLOMONA – PRZYJAZD DO CHARLESTON – NAJŚCIE CELNIKÓW – PRZEJAZD PRZEZ RICHMOND – PRZYJAZD DO WASZYNGTONU – ARESZTOWANIE BURCHA – SHEKELS I THORN – ICH ZEZNANIE – BURCH ZWOLNIONY – ARESZTOWANIE SOLOMONA – BURCH SKŁADA SKARGĘ – WYŻSZA INSTANCJA – WYJAZD Z WASZYNGTONU – PRZYJAZD DO SANDY HILL – STARZY PRZYJACIELE I ZNAJOME WIDOKI – PODRÓŻ DO GLENS FALLS – SPOTKANIE Z ANNE, MARGARET I ELIZABETH – SOLOMON NORTHUP STAUNTON – WYPADKI – PODSUMOWANIE

G**dy parowiec ruszył** w drogę do Nowego Orleanu, *być może* nie byłem szczęśliwy. *Być może* bez trudu mogłem się powstrzymać od tańczenia po pokładzie. Być może nie czułem wdzięczności do człowieka, który przyjechał po mnie tyle setek mil, być może nie zapalałem mu fajki i nie czekałem na każde jego słowo, i nie biegłem na każde skinienie. Jeśli tego nie robiłem — cóż, nieważne.

Do Nowego Orleanu płynęliśmy dwa dni. W tym czasie opisałem okolicę zagrody niewolniczej Freemana i pomieszczenie, w którym kupił mnie Ford. Tak się zdarzyło, że na ulicy spotkaliśmy Theophilusa, jednak nie widziałem powodu, by odnawiać znajomość. Od szanowanych obywateli dowiedzieliśmy się, że stał się upadłym, żałosnym, skończonym, zhańbionym człowiekiem.

Odwiedziliśmy również sędziego, pana Genois, do którego mieliśmy pismo od senatora Soule'a, i który okazał się człowiekiem w pełni zasługującym na znakomitą reputację, jaką się cieszył. Bardzo wspaniałomyślnie wyposażył nas w coś w rodzaju przepustki prawnej, wraz z jego podpisem i pieczęcią urzędu, a ponieważ zawiera ona opis mojej osoby sporządzony przez sędziego, powinna się tutaj znaleźć. Oto kopia:

„Stan Luizjana — Nowy Orlean:
Biuro sędziego, Dystrykt Drugi.

Do wszystkich zainteresowanych:

Poświadcza się, że Wielmożny Pan Henry B. Northup z hrabstwa Waszyngton, Nowy Jork, przedstawił mi stosowny dowód wolności Solomona, mulata w wieku około czterdziestu dwóch lat, pięć stóp i sześć cali, włosy wełniste, oczy orzechowe, urodzonego w Nowym Jorku. Pan Northup przez drogi Południa eskortuje rzeczonego Solomona do miejsca, z którego ten pochodzi, zatem uprasza się władze cywilne, by pozwoliły wspomnianemu kolorowemu mężczyźnie Solomonowi przejechać bez przeszkód.

Spisane moją ręką i opatrzone pieczęcią miasta Nowy Orlean, 7 stycznia 1853 r.

TH. GENOIS, Sędzia".

Ósmego przyjechaliśmy koleją do Lake Pontchartrain i po przewidzianym czasie, jadąc normalną drogą, dotarliśmy do Charleston. Po wejściu na pokład parowca i wniesieniu opłaty za nasz przejazd przez to miasto, pan Northup został zapytany przez urzędnika celnego, dlaczego nie zarejestrował swojego służącego. Odpowiedział, że nie ma służącego, że jako przedstawiciel stanu Nowy Jork towarzyszy wolnemu obywatelowi po jego wydobyciu z niewoli i nie ma zamiaru nikogo rejestrować. W trakcie tej rozmowy odniosłem wrażenie, choć mogę się mylić, iż urzędnicy z Charleston podejmą wszelkie starania, by nastręczyć nam możliwie dużo trudności. W końcu jednak pozwolono nam jechać, a gdy przejeżdżaliśmy przez Richmond, udało mi się zerknąć na niewolniczą zagrodę Goodina. 17 stycznia 1853 roku dojechaliśmy do Waszyngtonu.

Dowiedzieliśmy się, że Burch i Radburn wciąż mieszkali w tym mieście. Natychmiast złożyliśmy skargę w magistracie policji waszyngtońskiej przeciwko Jamesowi H. Burchowi, oskarżając go o porwanie mnie i sprzedanie w niewolę. Został aresztowany na podstawie nakazu wydanego przez sędziego Goddarda i przedstawionego sędziemu Manselowi, który wyznaczył kaucję w wysokości trzech tysięcy dolarów. Gdy Burch został aresztowany, początkowo był bardzo zaniepokojony i przestraszony, ale zanim dostarczono go do sądu na Luizjana Avenue i przedstawiono zarzuty, błagał policjantów, żeby pozwolili mu się skonsultować z Benjaminem O. Shekelsem, handlującym niewolnikami od siedemnastu lat, jego dawnym partnerem. Jemu również wyznaczono kaucję.

O dziesiątej 18 stycznia obie strony stawiły się przed sądem. Senator Chase z Ohio, czcigodny Orville Clark z Sandy Hill i pan Northup byli świadkami oskarżenia, a Joseph H. Bradley — obrony.

Generał Orville Clark został wezwany i zaprzysiężony na świadka; zeznał, że zna mnie od dziecka i że jestem wolnym człowiekiem, tak jak przede mną był mój ojciec. Potem pan Northup zeznał to samo i potwierdził fakty związane ze swoją wyprawą do Avoyelles.

Oskarżenie wezwało później Ebenezera Radburna, który zeznał, że ma czterdzieści osiem lat; że jest mieszkańcem Waszyngtonu i zna Burcha od czternastu lat; że w 1841 roku był nadzorcą w zagrodzie niewolniczej Williamsa; że pamięta, że w tym roku mnie w niej uwięziono. W tym momencie świadek obrony przyznał, że Burch umieścił mnie w zagrodzie wiosną 1841 roku, i w tym miejscu oskarżyciel mu przerwał.

Wówczas zatrzymany zaproponował wezwanie na świadka Benjamina O. Shekelsa. Benjamin to duży mężczyzna o prostackich rysach, a czytelnik może wyrobić sobie o nim pewne zdanie, czytając dokładny zapis języka, którego używał, odpowiadając na pierwsze pytanie obrońcy. Zapytany o miejsce urodzenia, odparł buńczucznie:

— Urodziłem się w hrabstwie Ontario, Nowy Jork, i *ważyłem czternaście funtów*!

Był zatem ogromnym niemowlakiem!

Później zeznał, że w 1841 roku był właścicielem Steamboat Hotel w Waszyngtonie i widział mnie tam na wiosnę tamtego roku. Zaczął mówić, że słyszał rozmowę dwóch mężczyzn, gdy senator Chase wniósł sprzeciw, oznajmiając, że podsłuchane wypowiedzi osób trzecich nie są właściwymi dowodami. Sprzeciw został oddalony przez sąd i Shekels kontynuował, opowiadając, jak do jego hotelu przyjechało dwóch mężczyzn. Powiedzieli oni, że mają na sprzedaż kolorowego mężczyznę; że rozmawiali z Burchem, że twierdzili, że pochodzą z Georgii, ale nie pamięta, z jakiego hrabstwa; że przedstawili pełną historię tego chłopaka, mówiąc, że był murarzem i grał na skrzypcach; że Burch powiedział, że jeśli się dogadają, to go kupi. Że wyszli i wrócili z chłopakiem i że to ja byłem tą osobą. Następnie zeznał z taką obojętnością, jakby to była prawda, że twierdziłem, jakobym urodził się i dorastał w Georgii; że jeden z młodych ludzi, którym towarzyszyłem, był moim panem; że przejawiałem wielki żal z rozstania z nim i że — „cały we łzach!" — przyznałem, że mój pan ma prawo mnie sprzedać; że *powinien* mnie sprzedać. A według Shekelsa znaczącym powodem było to, że on, mój pan, „zgrał się do centa!".

Kontynuował zaś tymi słowami, zaczerpniętymi z protokołu przesłuchania:

— Burch przepytał chłopaka w normalny sposób i powiedział, że jeśli go kupi, to wyśle go na Południe. Chłopak powiedział, że nie ma nic przeciwko temu i w sumie to chętnie pojedzie na Południe. O ile mi wiadomo, Burch zapłacił za niego sześćset pięćdziesiąt dolarów. Nie wiem, jak miał na imię, ale chyba nie Solomon. Nie znam też nazwisk tamtych dwóch mężczyzn. Byli w mojej tawernie przez dwie albo trzy godziny, w tym czasie chłopak grał na skrzypcach. Rachunek za sprzedaż podpisali w moim barze. To był *wydrukowany formularz, który Burch wypełnił.* Do 1838 roku Burch był moim partnerem. Zajmowaliśmy się kupnem i sprzedażą niewolników. Później był partnerem Theophilusa Freemana z Nowego Orleanu. Burch kupował tutaj, Freeman sprzedawał tam!

Zanim Shekels zaczął zeznawać, słyszał moją relację okoliczności związanych z wizytą w Waszyngtonie i bez wątpienia dlatego właśnie mówił o „dwóch mężczyznach" i o tym, że grałem na skrzypcach. Takie były jego słowa, całkowicie nieprawdziwe... A jednak znalazł się w Waszyngtonie człowiek, który je potwierdził.

Benjamin A. Thorn zeznał, że będąc w 1841 roku u Shekelsa, widział kolorowego chłopaka grającego na skrzypkach.

— Shekels powiedział, że jest na sprzedaż. Słyszał, jak jego pan mówił, że powinien go sprzedać. Chłopak potwierdził, że jest niewolnikiem. Nie byłem obecny przy przekazaniu pieniędzy. Nie jestem pewien na sto procent, że to ten sam chłopak. Jego pan *był bliski łez; chłopak chyba się rozpłakał*! Zajmowałem się przewożeniem niewolników na Południe, w tę i z powrotem, przez dwadzieścia lat. Gdy nie zajmuję się tym, robię co innego.

Wówczas na świadka wezwano i mnie, ale po wniesieniu sprzeciwu sąd uznał, że nie można dopuścić mojego dowodu. Został odrzucony wyłącznie dlatego, że byłem kolorowy — choć fakt, że byłem wolnym obywatelem Nowego Jorku nie podlegał dyskusji.

Shekels zeznał, że podpisano rachunek sprzedaży. Burch został wezwany przez oskarżyciela do jego przedstawienia, jako że taki dokument potwierdziłby zeznania Thorna i Shekelsa. Adwokat oskarżonego zgadzał się z koniecznością jego udostępnienia lub podania przekonującego powodu, dla którego nie został spisany. Wobec tego Burch zgłosił się na świadka w swojej własnej sprawie. Uznano, że takie świadectwo nie powinno zostać dopuszczone, że to naruszenie wszelkich zasad zbierania dowodów, a gdyby na to pozwolono, zwiastowałoby to koniec sprawiedliwości. Jednakże sąd przyjął jego zeznanie! Burch przysiągł, że spisano i podpisano rachunek, *ale go zgubił i nie wie, co się z nim stało*! Następnie sąd został poproszony o wysłanie do domu Burcha policjanta, który miałby przynieść jego księgi rachunkowe z 1841 roku. Prośba została spełniona i zanim można było podjąć jakiekolwiek środki zapobiegawcze, oficer policji zabrał księgi i przyniósł je do sądu. Znaleziono wykaz transakcji sprzedaży z roku 1841 i starannie je przejrzano, ale nie było tam ani śladu sprzedaży mojej osoby, pod żadnym imieniem!

Na podstawie tego zeznania sąd uznał, że fakty się zgadzają, że Burch postąpił uczciwie. I oskarżenie zostało oddalone.

Wówczas Burch i jego satelici podjęli próbę oskarżenia mnie, iż wraz z tymi dwoma białymi mężczyznami spiskowałem, aby go oszukać — z jakim skutkiem, przeczytać można w urywku artykułu z „New York Timesa", opublikowanego dzień lub dwa po procesie:

„Zanim oskarżony został zwolniony, jego pełnomocnik przygotował oświadczenie złożone pod przysięgą, podpisane przez Burcha; ponadto zanim była o tym mowa, miał gotowy pozew przeciwko kolorowemu mężczyźnie, oskarżający go o spiskowanie z dwoma białymi mężczyznami w celu oszukania Burcha na kwotę sześciuset pięćdziesięciu dolarów. Pozew został złożony, a ów kolorowy mężczyzna — aresztowany i doprowadzony do oficera Goddarda. Burch i jego świadkowie stawili się w sądzie. Adwokatem kolorowego był H.B. Northup, który stwierdził, że jest gotowy służyć również jako obrońca, i prosi o bezzwłoczne rozpoczęcie sprawy. Burch, po krótkiej konsultacji z Shekelsem, wystąpił do sądu z prośbą o wycofanie zarzutu, ponieważ odstąpił od zamiaru prowadzenia dochodzenia. Adwokat pozwanego stwierdził przed sądem, że jeśli pozew zostanie wycofany, to bez zgody oskarżonego. Wobec tego Burch poprosił sąd o wgląd do skargi i pozwu, i zabrał je. Adwokat pozwanego zaprotestował przeciwko temu i nalegał, by zostały w archiwach sądowych i że sąd powinien przeprowadzić postępowanie procesowe. Burch oddał je, a sąd wydał orzeczenie o umorzeniu sprawy na wniosek prokuratora, i dołączył je do akt".

Mogą istnieć tacy, którzy będą się skłaniali do tego, by dać wiarę oświadczeniu handlarza niewolnikami — tacy, w których umysłach jego oskarżenia będą miały wagę większą od moich. Jestem nieszczęsnym, kolorowym człowiekiem — jednym z pogardzanej i zdegradowanej rasy, której słabego głosu oprawca może nie wziąć pod uwagę — ale ja *znam* prawdę i z pełną odpowiedzialnością uroczyście oświadczam przed ludźmi i przed Bogiem, że wszelkie zarzuty, jakobym konspirował bezpośrednio lub pośrednio z jakąkolwiek osobą bądź osobami odnośnie własnej sprzedaży; że istniał jakikolwiek inny powód mojej wizyty w Waszyngtonie, mojego porwania i uwięzienia w zagrodzie niewolniczej Williamsa, jak to, co opisano na tych stronach, są głęboko i całkowicie nieprawdziwe. Nigdy nie grałem na skrzypcach w Waszyngtonie. Nigdy nie byłem w Steamboat Hotel, i – o ile wiem — po raz pierwszy w życiu Thorna i Shekelsa zobaczyłem w styczniu. Historia tej trójki handlarzy niewolników jest absurdalna. Gdyby była prawdziwa, cofnąłbym się na drodze powrotu do mojej wolności –taki krok oznaczałby dla mnie niesławę. Wobec tych okoliczności — a tęskniłem za rodziną i byłem podekscytowany wizją powrotu do domu — całkowitym nieprawdopodobieństwem jest sądzić, iż zaryzykowałbym nie tylko wystawienie na pośmiewisko, ale zarzuty kryminalne i skazanie, dobrowolnie stawiając się w przegranej pozycji. Dołożyłem starań, żeby odszukać Burcha, żeby skonfrontować się z nim w sądzie i oskarżyć go o porwanie. Ale jedynym motywem, który popchnął mnie do tego kroku, było palące poczucie krzywdy, którą mi wyrządzono, i pragnienie uzyskania sprawiedliwości. Burch został oczyszczony z zarzutów w taki sposób i za pomocą takich środków, jakie zostały opisane. Trybunał ludzki pozwolił mu się wymknąć; istnieje jednak wyższa instancja, która nie uznaje fałszywego świadectwa i która — mam nadzieję — kiedyś osądzi i mnie.

Wyjechaliśmy z Waszyngtonu dwudziestego stycznia i, po drodze mijając Filadelfię, Nowy Jork i Albany, nocą dwudziestego pierwszego dotarliśmy do Sandy Hill. Serce miałem przepełnione radością, kiedy rozglądałem się, szukając starych, znajomych widoków i gdy znalazłem się pośród dawnych przyjaciół. Następnego ranka wraz z kilkorgiem znajomych ruszyłem do Glens Falls, miejsca zamieszkania Anne i naszych dzieci.

Gdy wszedłem do ich wygodnego domku, jako pierwsza spotkała mnie Margaret. Nie poznała mnie. Kiedy ją opuściłem, miała siedem lat, była małą, rozszczebiotaną dziewczynką, bawiącą się swoimi zabawkami. Teraz była w pełni kobiecości — wyszła za mąż za jasnookiego chłopca, który stał obok niej. Pamiętając o jego zniewolonym, nieszczęsnym dziadku, własnego synka nazwała Solomon Northup Staunton. Gdy powiedziałem, kim jestem, sparaliżowały ją emocje, i nie była w stanie wykrztusić słowa. Wtedy do pokoju weszła Elizabeth, a z hotelu przybiegła Anne, która dostała informację o moim przyjeździe. Objęły mnie i mocno ściskały, ze łzami spływającymi po policzkach. Jednak spuszczę zasłonę milczenia na scenę, którą lepiej sobie wyobrażać niż opisywać.

Gdy burza naszych emocji przycichła do świętej radości, gdy domownicy zebrali się przy ogniu, który trzeszcząc, rozsiewał swoje ciepło po pokoju, rozmawialiśmy o tysiącach rzeczy, które się wydarzyły — o nadziejach i lękach, radościach i smutkach, o próbach i kłopotach, jakich doświadczyliśmy przez długi okres rozłąki. Alonzo przebywał w zachodniej części stanu. Niedługo wcześniej chłopiec napisał do matki list, że zbiera pieniądze na wykupienie mojej wolności. Przez wiele lat była to jego główna myśl i ambicja. Wiedzieli, że byłem w niewoli. Informację tę mieli dzięki listowi napisanemu na pokładzie brygu i Clemowi Rayu. Jednak to, gdzie przebywałem, pozostawało niewiadomą, aż do czasu nadejścia listu od Bassa. Elizabeth i Margaret — jak opowiedziała mi Anne — wróciły kiedyś ze szkoły, gorzko płacząc. Wypytując o przyczynę dziecięcych smutków, moja żona dowiedziała się, że podczas nauki geografii ich uwagę przyciągnął obrazek niewolników pracujących na polu bawełny i nadzorcy podążającego za nimi z batem. Przypomniało im to o cierpieniach, których mógł doświadczać ich ojciec, których *faktycznie* doświadczał, przebywając na Południu. Dowiedziałem się o jeszcze wielu takich incydentach, pokazujących, że bliscy wciąż mieli mnie w pamięci. Informacje te są pewnie niezbyt interesujące dla czytelnika.

Moja opowieść dobiega końca. Nie mam uwag, które mógłbym dodać w temacie niewolnictwa. Ci, którzy przeczytali tę książkę, mogą wyrobić sobie własne opinie na temat tej „szczególnej instytucji". Jak jest w innych stanach, nie wiem; to, co dzieje się w regionie Red River, zostało na tych stronach opisane prawdziwie i wiernie. Nie ma tu fikcji, nie ma przesady. Jeśli w czymś zawiodłem, to w tym, że zbyt dobitnie ukazałem czytelnikowi jasną stronę tego obrazka. Nie wątpię, że setki ludzi są w równie kiepskiej sytuacji, jak ja byłem; że setki wolnych obywateli porywa się i sprzedaje w niewolę, i że w tej właśnie chwili dożywają swoich dni na plantacjach w Teksasie i Luizjanie. Powstrzymam się jednak. Dzięki cierpieniom, jakie były moim udziałem, jestem większej pokory ducha; i dziękuję tej dobrej Istocie, której litość pozwoliła mi odzyskać szczęście i wolność, i mam nadzieję, iż będzie mi dane od tej pory wieść życie dobre, choć proste, i wreszcie spocząć na tym samym cmentarzu, na którym śpi mój ojciec.

PRZYPISY

1. Akt mający na celu bardziej skuteczną ochronę wolnych obywateli tego państwa, którzy zostali porwani lub stali się niewolnikami, podpisany 14 maja 1840 roku

Obywatele Nowego Jorku, reprezentowani przez Senat i Zgromadzenie Stanowe postanawiają, co następuje:

W każdym przypadku, gdy Gubernator tego Stanu otrzyma wiarygodną informację, iż jakikolwiek wolny obywatel lub mieszkaniec tego Stanu został porwany bądź wywieziony poza ten Stan na teren jakiegokolwiek innego Stanu Terytorium Stanów Zjednoczonych w celu przetrzymywania go tam w charakterze niewolnika; bądź iż tenże wolny obywatel lub mieszkaniec został niesłusznie aresztowany, osadzony w więzieniu lub przetrzymywany jako niewolnik w jakimkolwiek Stanie Terytorium Stanów Zjednoczonych, na podstawie oświadczenia lub przekonania, że człowiek ten jest niewolnikiem, bądź ze względu na kolor skóry lub prawa obowiązującego na terenie tego Stanu lub terytorium uważany jest lub traktowany jak niewolnik, bądź odmawia mu się prawa do wolności osobistej należnej obywatelowi; wówczas Gubernator ma obowiązek podjąć wszystkie niezbędne kroki, by doprowadzić do zwrócenia takiej osobie wolności i sprowadzenia go do tego Stanu. Gubernator niniejszym może wskazać lub zatrudnić takiego pełnomocnika lub pełnomocników, jakich uzna za stosownych, by doprowadzić do uwolnienia i sprowadzenia takiej osoby; wyposaży wspomnianego pełnomocnika w takie listy uwierzytelniające i instrukcje, jakie będą konieczne do zrealizowania wskazanego zadania. Gubernator poza koniecznymi wydatkami może określić wynagrodzenie dla pełnomocnika za jego usługi.

Pełnomocnik ów zgromadzi stosowne dowody potwierdzające prawo takiej osoby do wolności, pod kierownictwem Gubernatora podejmie wszelkie kroki prawne, jakie będą konieczne, by doprowadzić do odzyskania wolności przez taką osobę i jej powrotu do tego Stanu.

Wszystkie wydatki poniesione w toku takich działań zostaną sprawdzone przez biegłego rewidenta i na podstawie wystawionego przez niego nakazu wypłacone przez Skarbnika tego Stanu. Skarbnik na podstawie nakazu wystawionego przez Rewidenta może wypłacić takiemu pełnomocnikowi zaliczkę w takiej wysokości, jaką Gubernator uzna za odpowiednią, aby umożliwić mu wykonanie zadania, dla którego został powołany, i który rozliczy się z niej przy końcowym sprawozdaniu.

Akt ten wchodzi w życie z chwilą podpisania.

◊

2. PISMO ANNE

Do Jego Ekscelencji, Gubernatora Stanu Nowy Jork:

Anne Northup, z wioski Glens Falls, w hrabstwie Warren, w wyżej wymienionym Stanie, zwraca się do Gubernatora —

Składająca niniejsze pismo Anne Northup, z domu Hampton, 14 marca skończyła czterdzieści cztery lata. Poślubiła Solomona Northupa w Fort Edward, w hrabstwie Waszyngton, w wyżej wymienionym Stanie, 25 grudnia A.D. 1828. Ślubu udzielił Timothy Eddy, ówczesny Sędzia Pokoju. Wzmiankowany Solomon po zawarciu tego małżeństwa mieszkał i utrzymywał dom wraz ze składającą to pismo, w tymże mieście do roku 1830, gdy wraz z rodziną przeprowadził się do Kingston w tym samym hrabstwie, gdzie pozostawał przez trzy lata, po których przeniósł się do Saratoga Springs w wyżej wymienionym Stanie, gdzie przebywał w przybliżeniu do roku 1841, gdy udał się do miasta Waszyngton, Dystrykt Columbia, od którego to czasu składająca to pismo nie widziała swojego męża.

W roku 1841 składająca to pismo za pośrednictwem listu adresowanego do wielmożnego Henry'ego B. Northupa z Sandy Hill, hrabstwo Waszyngton, Nowy Jork, a nadanego w Nowym Orleanie, otrzymała informację, iż rzeczony Solomon został porwany w Waszyngtonie i umieszczony na pokładzie statku, nie potrafił jednak powiedzieć, jak do tego doszło ani dokąd zmierzał.

Od tamtego czasu składająca to pismo nie była

w stanie uzyskać żadnych informacji co do miejsca pobytu Solomona, aż do sierpnia bieżącego roku, gdy otrzymała kolejny list od rzeczonego Solomona, nadany w Marksville, w parafii Avoyelles, w Stanie Luizjana, jednym ze Stanów Zjednoczonych Ameryki, w którym twierdził, że jest niewolnikiem. Oświadczenie to składająca niniejsze pismo uważa za prawdziwe.

Rzeczony Solomon ma około czterdziestu pięciu lat i nigdy nie mieszkał poza Stanem Nowy Jork, w którym to Stanie przyszedł na świat, aż do chwili wyjazdu do Waszyngtonu. Solomon Northup jest wolnym obywatelem Stanu Nowy Jork i bezprawnie przetrzymywany jest jako niewolnik w Marksville, w parafii Avoyelles, w Stanie Luizjana, jednym ze Stanów Zjednoczonych Ameryki, bądź w jego pobliżu, na podstawie twierdzenia, że rzeczony Solomon jest niewolnikiem.

Składająca to pismo oświadcza, że ojcem Solomona był Mintus Northup, murzyn, który zmarł 22 listopada 1829 roku w Fort Edward; matką Solomona była mulatka, biała w trzech czwartych, która zmarła w hrabstwie Oswego, Nowy Jork, pięć lub sześć lat temu, o ile wiadomo piszącej te słowa, i nigdy nie była niewolnicą.

Pisząca te słowa oraz jej rodzina są biedne i nie są w stanie ponieść lub partycypować w wydatkach koniecznych do wyzwolenia wzmiankowanego Solomona.

Składająca niniejsze pismo błaga usilnie jego Ekscelencję, aby zatrudnił pełnomocnika lub pełnomocników w celu uwolnienia i sprowadzenia Solomona Northupa zgodnie z aktem Legislatury Stanu Nowy Jork, podpisanym 14 maja 1840 roku, zatytułowanym *Akt mający na celu bardziej skuteczną ochronę wolnych obywateli tego państwa, którzy zostali porwani lub stali się niewolnikami.*

(Podpisano:) ANNE NORTHUP,
19 listopada 1852 r.

◊

STAN NOWY JORK
Hrabstwo Waszyngton

Anne Northup, zamieszkała w Glens Falls, w hrabstwie Warren, w wyżej wymienionym Stanie, pod przysięgą oświadcza, że pod powyższym pismem widnieje jej podpis, i że zawarte w nim oświadczenia są zgodne z prawdą.

(Podpisano:) ANNE NORTHUP
Zapisane i poświadczone przeze mnie
19 listopada 1852 r.
CHARLES HUGHES, Sędzia Pokoju

◊

Rekomendujemy Gubernatorowi Henry'ego B. Northupa z Sandy Hill, w hrabstwie Waszyngton, Nowy Jork, jako jednego z pełnomocników w sprawie wyzwolenia i powrotu Solomona Northupa, opisanego w powyższym piśmie od Anne Northup.

Sandy Hill, hr. Waszyngton, N. J.,
20 listopada 1852 r.
(Podpisano:)
PETER HOLBROOK, DANIEL SWEET,
B. F. HOAG, ALMON CLARK,
CHARLES HUGHES, BENJAMIN FERRIS,
E. D. BAKER, JOSIAH H. BROWN
ORVILLE CLARK

◊

STAN NOWY JORK
Hrabstwo Waszyngton

Josiah Hand z Sandy Hill w wyżej wymienionym hrabstwie pod przysięgą zeznaje, że ma siedemdziesiąt pięć lat i urodził się w wyżej wymienionym miasteczku, i zawsze tam mieszkał; że znał Mintusa Northupa i jego syna Solomona, wymienionych w dołączonym piśmie Anne Northup, co najmniej od roku 1816; że Mintus Northup aż do swojej śmierci uprawiał rolę na farmach w Kingsubry i Fort Edward od chwili, gdy świadek go poznał, do śmierci. Że rzeczony Mintus i jego żona, matka wzmiankowanego Solomona Northupa, byli zarejestrowani jako wolni obywatele Nowego Jorku i świadek wierzy, że byli wolni; że zgodnie z wiedzą świadka rzeczony Solomon Northup urodził się w hrabstwie Waszyngton i ożenił się 25 grudnia 1828 r. w Fort Edward, a wspomniana żona i troje dzieci — dwie córki i syn — obecnie mieszkają w Glens Falls, hrabstwo Warren, Nowy Jork, i że Solomon Northup zawsze mieszkał w wyżej wymienionym hrabstwie Waszyngton, Nowy Jork, aż do roku 1841, od którego świadek go nie widywał. Jednak świadek dowiedział się z wiarygodnego źródła i wierzy, iż jest to prawda, że wzmiankowany Solomon jest niesłusznie przetrzymywany jako niewolnik w Stanie Luizjana. Świadek uważa, że Anne Northup, wymieniona w powyższym piśmie, jest godna zaufania, a jej oświadczenia zamieszczone we wzmiankowanym piśmie — prawdziwe.

(Podpisano:) JOSIAH HAND

Zapisane i poświadczone przeze mnie
19 listopada 1852 r.
CHARLES HUGHES, Sędzia Pokoju

STAN NOWY JORK
Hrabstwo Waszyngton

Timothy Eddy z Fort Edward, w wyżej wymienionym hrabstwie, pod przysięgą zeznaje, że obecnie ma ponad ... lat, a w wyżej wymienionym mieście mieszka ponad ... lat, że dobrze znał Solomona Northupa wymienionego w dołączonym piśmie Anne Northup, oraz jego ojca Mintusa Northupa, oraz jego żonę i rodzinę, dwóch synów, Josepha i Solomona, którzy mieszkali w wyżej wymienionym mieście Fort Edward przez kilka lat do roku 1828, i że Mintus zmarł w tym mieście A.D. 1829, o ile świadek pamięta. Świadek zeznaje następnie, iż w roku 1828 był w wyżej wymienionym mieście Sędzią Pokoju, i jako taki 25 grudnia 1828 r. połączył wzmiankowanego Solomona Northupa węzłem małżeńskim z Anne Hampton, która jest tą samą osobą, która napisała dołączone pismo. Świadek z naciskiem mówi, że wzmiankowany Solomon był wolnym obywatelem Stanu Nowy Jork i zawsze mieszkał w tym Stanie, aż do roku 1840, od kiedy świadek go nie widział, jednak ostatnio został poinformowany i wierzy, że to prawda, iż wzmiankowany Solomon Northup jest niesłusznie przetrzymywany w niewoli w Marksville bądź jego okolicach, w parafii Avoyelles, w Stanie Luizjana. Świadek zeznaje dalej, że wspomniany Mintus Northup w chwili śmierci miał blisko sześćdziesiąt lat i przez przeszło trzydzieści lat poprzedzających jego zgon był wolnym obywatelem Stanu Nowy Jork.

Świadek zeznaje następnie, iż Anne Northup, żona wzmiankowanego Solomona Northupa, jest osobą dobrego charakteru i reputacji, a jej oświadczenia zawarte w dołączonym piśmie zasługują na całkowite zaufanie.

(Podpisano:) TIMOTHY EDDY
Zapisane i poświadczone przeze mnie
19 listopada 1852 r.,
TIMMY STOUGHTON, Sędzia

◊

STAN NOWY JORK
Hrabstwo Waszyngton

Henry B. Northup z Sandy Hill, w wyżej wymienionym hrabstwie, pod przysięgą zeznaje, że ma czterdzieści siedem lat i zawsze mieszkał w wyżej wymienionym hrabstwie; że znał Mintusa Northupa wymienionego w dołączonym piśmie, od najmłodszych lat świadka do jego śmierci, która nastąpiła w Ford Edward, w wyżej wymienionym hrabstwie, w roku 1829; że świadek znał dzieci Mintusa, Solomona i Josepha; że zgodnie z wiedzą świadka obaj urodzili się w wyżej wymienionym hrabstwie Waszyngton; że świadek dobrze znał wzmiankowanego Solomona, który jest tą samą osobą, o której mówi dołączone pismo Anne Northup, od dziecka; i że wzmiankowany Solomon zawsze mieszkał w wyżej wymienionym hrabstwie Waszyngton i hrabstwach sąsiednich do około roku 1841. Że wzmiankowany Solomon umiał czytać i pisać; że on, jak również jego matka i ojciec, byli wolnymi obywatelami Stanu

Nowy Jork; że około 1841 roku świadek otrzymał list od wzmiankowanego Solomona, nadany w Nowym Orleanie, z wiadomością, że podczas zajęć w mieście Waszyngton został porwany i zabrano mu dokumenty poświadczające wolność; że znajdował się na pokładzie statku, w kajdanach, i twierdzono, że jest niewolnikiem, że nie znał celu podróży, co według świadka było prawdą, i prosił tego świadka, aby podjął kroki mające na celu zwrócenie mu wolności. Że świadek zgubił bądź zapodział wspomniany list i nie może go znaleźć; że deponent od tego czasu próbuje ustalić miejsce pobytu wzmiankowanego Solomona, ale nie natrafił na żaden ślad aż do sierpnia bieżącego roku, gdy świadek otrzymał list, który wydawał się napisany w imieniu wzmiankowanego Solomona, z którego świadek dowiedział się, iż wzmiankowany Solomon był przetrzymywany jako niewolnik w Marksville lub jego okolicach, w parafii Avoyelles, Luizjana, i że świadek szczerze wierzy w prawdziwość informacji, iż wzmiankowany Solomon jest obecnie bezprawnie przetrzymywany jako niewolnik w wyżej wymienionym Marksville.

(Podpisano:) HENRY B. NORTHUP

Zapisane i poświadczone przeze mnie
20 listopada 1852 r.
CHARLES HUGHES, Sędzia Pokoju

◊

STAN NOWY JORK
Hrabstwo Waszyngton

Nicholas C. Northup z Sandy Hill, w wyżej wymienionym hrabstwie, pod przysięgą zeznaje, że obecnie ma pięćdziesiąt osiem lat i zna Solomona Northupa wspomnianego w dołączonym piśmie Anne Northup od chwili jego narodzin. Świadek ten zeznaje, iż wzmiankowany Solomon ma obecnie około czterdziestu pięciu lat i urodził się w wyżej wymienionym hrabstwie Waszyngton albo w hrabstwie Essex, w wyżej wymienionym Stanie, i że zawsze zamieszkiwał Stan Nowy Jork do roku około 1841, od którego świadek go nie widział, i nie wiedział, gdzie przebywa, dopóki kilka tygodni temu świadek nie został poinformowany, w co wierzy, iż wzmiankowany Solomon jest przetrzymywany jako niewolnik w Stanie Luizjana. Świadek mówi dalej, iż wzmiankowany Solomon ożenił się w Fort Edward w wyżej wymienionym hrabstwie około dwudziestu czterech lat temu, i że jego żona i dwie córki oraz syn mieszkają obecnie w miejscowości Glens Falls, hrabstwo Warren, w wyżej wymienionym Stanie Nowy Jork. Świadek potwierdza z pełnym przekonaniem, że wzmiankowany Solomon Northup jest obywatelem wyżej wymienionego Stanu Nowy Jork i urodził się wolny, i od najwcześniejszego dzieciństwa mieszkał w hrabstwach Waszyngton, Essex, Warren i Saratoga w Stanie Nowy Jork, i że od czasu, gdy wzmiankowany Solomon się ożenił, jego żona i dzieci nigdy nie mieszkały poza tymi hrabstwami; świadek znał ojca wzmiankowanego Solomona; że wzmiankowany ojciec był murzynem o nazwisku

Mintus Northup i umarł w Fort Edward, w hrabstwie Waszyngton, Stan Nowy Jork, 22 grudnia 1829 roku, i został pogrzebany na cmentarzu w wyżej wymienionym Sandy Hill; że przez ponad trzydzieści lat przed swoją śmiercią zamieszkiwał hrabstwa Essex, Waszyngton i Rensselaer i Stan Nowy Jork, i zostawił żonę i dwóch synów, Josepha i wzmiankowanego Solomona, którzy go przeżyli; że matką wzmiankowanego Solomona była mulatka, obecnie nieżyjąca, a która zgodnie z wiedzą świadka zmarła w hrabstwie Oswego, Nowy Jork, pięć lub sześć lat temu. Świadek zeznaje następnie, iż matka wzmiankowanego Solomona w chwili przyjścia na świat nie była niewolnicą, nie była nią też przez ostatnich pięćdziesiąt lat.

(Podpisano:) N.C. NORTHUP

Zapisane i poświadczone przeze mnie
w listopadzie 1852 r.
CHARLES HUGHES, Sędzia Pokoju

◊

STAN NOWY JORK
Hrabstwo Waszyngton

Orville Clark z Sandy Hill, w hrabstwie Waszyngton, Stan Nowy Jork, pod przysięgą zeznaje, że świadek ma ponad pięćdziesiąt lat; że w latach 1810 i 1811 większość czasu spędził w wyżej wymienionym Sandy Hill i Glens Falls; że świadek znał wówczas Mintusa

Northupa, czarnego lub kolorowego mężczyznę; świadek zawsze rozumiał i wierzył, iż był on wolnym człowiekiem; że żoną wzmiankowanego Mintusa Northupa i matką Solomona była wolna kobieta; że od roku 1818 aż do śmierci wzmiankowanego Mintusa Northupa w roku około 1829 świadek bardzo dobrze znał wzmiankowanego Mintusa Northupa. Że był on szanowanym i wolnym człowiekiem, szanowanym przez wszystkich swoich znajomych; że świadek znał również jego syna Solomona Northupa od roku 1818 do czasu, gdy opuścił on tę część kraju, co miało miejsce w roku 1840 lub 1841; że poślubił on Anne Hampton, córkę Willima Hamptona, bliskiego sąsiada świadka; że wzmiankowana Anne, żona wzmiankowanego Solomona, obecnie mieszka w okolicy; że wzmiankowani Mintus Northup i William Hampton obaj cieszyli się w społeczności dobrą reputacją i szacunkiem. Świadek mówi, że wzmiankowany Mintus Northup i jego rodzina oraz wzmiankowany William Hampton i jego rodzina, odkąd świadek sięga pamięcią (do roku 1810), zawsze cieszyli się dobrą reputacją i szacunkiem, i świadek wierzy, że prawdziwie byli wolnymi obywatelami Stanu Nowy Jork. Świadek wie, że wzmiankowany William Hampton, zgodnie z prawem tego Stanu, mógł głosować w wyborach i wierzy, że również wzmiankowany William Northup był wolnym obywatelem posiadającym prawo do głosowania. Dalej ów świadek mówi, że wzmiankowany Solomon Northup, syn wzmiankowanego Mintusa i mąż wzmiankowanej Anne Hampton, w chwili opuszczenia Stanu był wolnym obywatelem

Stanu Nowy Jork. Świadek zeznaje dalej, iż wzmiankowana Anne Hampton, żona Solomona Northupa, jest szanowaną kobietą dobrego charakteru i świadek wierzy w jej słowa, jak również w to, iż fakty odnoszące się do jej męża, przedstawione w piśmie Jego Ekscelencji Gubernatorowi, są prawdziwe.

(Podpisano:) ORVILLE CLARK
poświadczone przeze mnie
19 listopada 1852 r.
U.G. PARIS, Sędzia Pokoju

◊

STAN NOWY JORK
Hrabstwo Waszyngton

Benjamin Ferris z Sandy Hill, w wyżej wymienionym hrabstwie, pod przysięgą zeznaje, że obecnie ma pięćdziesiąt siedem lat i mieszka w tej miejscowości od czterdziestu pięciu lat; że dobrze znał Mintusa Northupa, wymienionego w dołączonym piśmie Anne Northup, od roku 1816 do chwili jego śmierci, która nastąpiła w Fort Edward jesienią 1829 roku; że znał dzieci wzmiankowanego Mintusa, czyli Josepha Northupa i Solomona Northupa, i że wzmiankowany Solomon jest tą samą osobą, o której mowa we wzmiankowanym piśmie. Że wzmiankowany Mintus mieszkał w wyżej wymienionym hrabstwie Waszyngton aż do chwili swojej śmierci i, jak świadek wierzy, przez cały ten czas był wolnym obywatelem wyżej wymienionego Stanu Nowy Jork;

że składająca wspomniane pismo Anne Northup jest kobietą dobrego charakteru, a oświadczeniom zamieszczonym w jej piśmie należy wierzyć.

(Podpisano:) BENJAMIN FERRIS
poświadczone przeze mnie
19 listopada 1852 r.
U.G. PARIS, Sędzia Pokoju

◊

STAN NOWY JORK
Izba Wykonawcza, Albany, 30 listopada 1852 r.

Niniejszym poświadczam, iż powyższe pisma są dokładnymi kopiami zeznań złożonych w Departamencie Wykonawczym, na podstawie których wyznaczam Henry'ego B. Northupa na Pełnomocnika tego Stanu i zlecam mu podjęcie stosownych kroków w imieniu wspomnianego w nich Solomona Northupa.

(Podpisano:) WASHINGTON HUNT,
z upoważnienia Gubernatora
J.F.R., Prywatny Sekretarz

◊

STAN NOWY JORK
Departament Wykonawczy
WASHINGTON HUNT,
Gubernator Stanu Nowy Jork,
do tych, których to dotyczy, z pozdrowieniami:

Otrzymałem informację oraz zeznania złożone pod przysięgą, które znajduję przekonującymi, iż Solomon Northup, wolny obywatel tego Stanu, jest bezprawnie przetrzymywany jako niewolnik w Stanie Luizjana:

Zatem, zgodnie z moim obowiązkiem, na mocy praw tego Stanu, podejmuję kroki, które uważam za stosowne, by każdemu obywatelowi nieprawnie przetrzymywanemu w niewoli zwrócić wolność i sprowadzić do tego Stanu:

Niech będzie wiadomo, iż zgodnie z rozdziałem 375 praw tego Stanu, zatwierdzonym w roku 1840, postanawiam wyznaczyć i zatrudnić Wielmożnego Henry'ego B. Northupa z hrabstwa Waszyngton, w tym Stanie, jako Agenta posiadającego wszelkie pełnomocnictwa potrzebne do uwolnienia wzmiankowanego Solomona Northupa i że wzmiankowany Agent ma prawo przedsięwziąć wszystkie stosowne i prawne działania, by zdobyć stosowne dowody, może również działać jako adwokat i wreszcie zastosować takie środki, jakie będą konieczne, aby zrealizować cel, dla którego został mianowany.

Został również poinstruowany, aby udać się niezwłocznie do Stanu Luizjana w celu wypełnienia powierzonego mu zadania.

Na dowód tego poświadczam pismo własnym nazwiskiem [L.S.] oraz tajną pieczęcią Stanu.

Albany, 23. listopada roku Pańskiego 1852.

(Podpisano:) WASHINGTON HUNT

Z upoważnienia

JAMES E. RUGGLES, prywatny sekretarz

◊

3.

STAN LUIZJANA
Parafia Avoyelles

Przede mną, Aristidem Barbinem, Sądzią parafii Avoyelles, stawili się osobiście Henry B. Northup z hrabstwa Waszyngton, w Stanie Nowy Jork, który oświadcza, że na mocy pełnomocnictwa udzielonego mu przez jego ekscelencję Washingtona Hunta, Gubernatora wyżej wymienionego Stanu Nowy Jork, noszącego datę 23 listopada 1852 roku, upoważniony jest do odnalezienia i uwolnienia ze stanu niewolniczego wolnego, kolorowego człowieka o nazwisku Solomon Northup, który jest wolnym obywatelem Nowego Jorku i który został uprowadzony i sprzedany w niewolę w Stanie Luizjana, i obecnie znajduje się w posiadaniu Edwina Eppsa ze Stanu Luizjana, z parafii Avoyelles. Podpisanemu na niniejszym dokumencie wzmiankowany tu agent zeznaje, iż wiadomo mu, że wzmiankowany Edwin Epps po dziś dzień przetrzymuje wzmiankowanego Solomona Northupa, wolnego kolorowego, którego wzmiankowany agent ma za zadanie uwolnić i przywieźć z powrotem do Stanu Nowy Jork. Na mocy przedstawionych dowodów wzmiankowany Edwin Epps przyjmuje, iż wzmiankowany Solomon Northup ma prawo do swojej wolności. Strony zgadzają się, by potwierdzona kopia wspomnianego pełnomocnictwa została dołączona do akt.

Spisano i poświadczono podpisami w Marksville, parafia Avoyelles, dnia 4 stycznia 1853 roku, w obecności niżej podpisanych oraz świadków prawnych, którzy również złożyli podpisy pod powyższym pismem.

(Podpisano:) HENRY B. NORTHUP
EDWIN EPPS
ADE. BARBIN, Sędzia
Świadkowie:
H. TAYLOR
JOHN P. WADDILL

◊

STAN LUIZJANA
Parafia Avoyelles

Niniejszym poświadczam, iż powyższe pismo jest prawdziwą i dokładną kopią oryginału znajdującego się w aktach mojego biura.

Poświadczone własnoręcznym podpisem i pieczęcią biura Sędziego parafii Avoyelles, 4 stycznia A.D. 1853 r.

(Podpisano:) ADE. BARBIN, Sędzia

◊

SPIS TREŚCI